© TQ / Christian Savard

« Il n'y a pas d'amour plus sincère que celui de la bonne chère. »

— George Bernard Shaw

Et il n'y a pas d'amour plus sincère que celui que vouent les producteurs, artisans, restaurateurs, et autres acteurs du monde gourmand, à la richesse de leur terroir. Pendant la recherche et la rédaction de ce guide, nous avons pu voir, ressentir et vivre cet amour de la terre, comprendre ce milieu et les traditions qui y sont rattachées, et surtout, rencontrer des gens passionnés, voués à leur travail, friands de nous le faire découvrir.

Grâce à ses nombreux paysages, ses climats et ses traditions variant de région en région, notre province possède une grande richesse en ce qui a trait aux produits régionaux. Partez à la découverte des régions du Québec et de ce qu'elles ont de meilleur à offrir. Du Montréal cosmopolite à la chaleur des Îles-de-la-Madeleine, en passant par l'exotisme de la Côte-Nord, de nombreux délices sont disponibles à travers la Belle Province.

Cette septième édition, issue de la fusion de nos guides Bières au Québec et Produits régionaux et circuits agrotouristiques du Québec, s'avère un excellent compagnon de route. Véritable petit guide touristique gourmand, vous y trouverez des idées de circuits agrotouristiques, des bonnes tables régionales, des boutiques où faire le plein de provisions, des suggestions d'activités, des descriptions de produits accompagnés d'un portrait de leurs créateurs, et des événements festifs à la couleur de leurs artisans. À vous maintenant d'en faire bon usage.

À vos papilles, prêts, dégustez !

L'équipe du Petit Futé

REMERCIEMENTS

Nous portons un verre ! À nos partenaires sans qui cette belle aventure ne serait pas possible. Aux associations, fédérations et regroupements pour leurs précieuses connaissances sur l'industrie et son cadre législatif. Aux brasseurs, producteurs, artisans, restaurateurs, etc., et toute leur équipe qui ont partagé avec nous leur expérience, leur philosophie, leurs aventures et leurs projets. Aux communautés bièrophile et gourmande pour leur dévouement et leur passion à faire rayonner les savoureux produits d'ici. À tous ceux qui ont dû nous accompagner pour des dégustations… À ceux qui depuis des années ont contribué à enrichir nos guides et à toute l'équipe qui gravite dans l'élaboration et la publication de cette nouvelle édition.

Comme le dit si bien mon père :

« Grand bien nous fasse et qu'on n'en manque jamais ! »

Valérie Fortier

© Le Rouge et le Boire (par Alambika.ca)

Édité par : Les Éditions Néopol Inc. | 300 St-Sacrement, Montréal (Qc) H2Y 1X4
Tél : 514-279-3015 | **Fax :** 514-279-1143
Courriel : redaction@petitfute.ca | info@petitfute.ca | www.petitfute.ca |
Président & Directeur général : Jonathan Chodjaï.
Directeurs de collection : Jonathan Chodjaï, Michaël Galvez, Jean-Paul Labourdette.
Directrice des publications : Audrey Lorans Garbay.
Directrice de la rédaction : Valérie Fortier.
Responsable d'édition : Anne Moy.
Montage : Bruno Dubois.
Auteures : Caroline Arnaud, Katy Boudreau, Valérie Fortier.
Impression : Imprimerie Numerix, Québec.
Distribution : Socadis-Flammarion.
ISBN : 978-2-924020-79-1
Dépôt légal – Bibliothèque nationale du Québec, 2014.
Dépôt légal – Bibliothèque nationale du Canada, 2014.

Avertissement
Tous les prix et adresses qui se trouvent dans ce guide étaient valables au 1er mai 2014. Il est possible que les prix aient un peu augmenté et que certains établissements aient fermé entre le jour de l'impression de ce guide et le moment où vous l'utiliserez. Les horaires d'ouverture peuvent aussi avoir été modifiés.

Photo en couverture : Christian Draghici

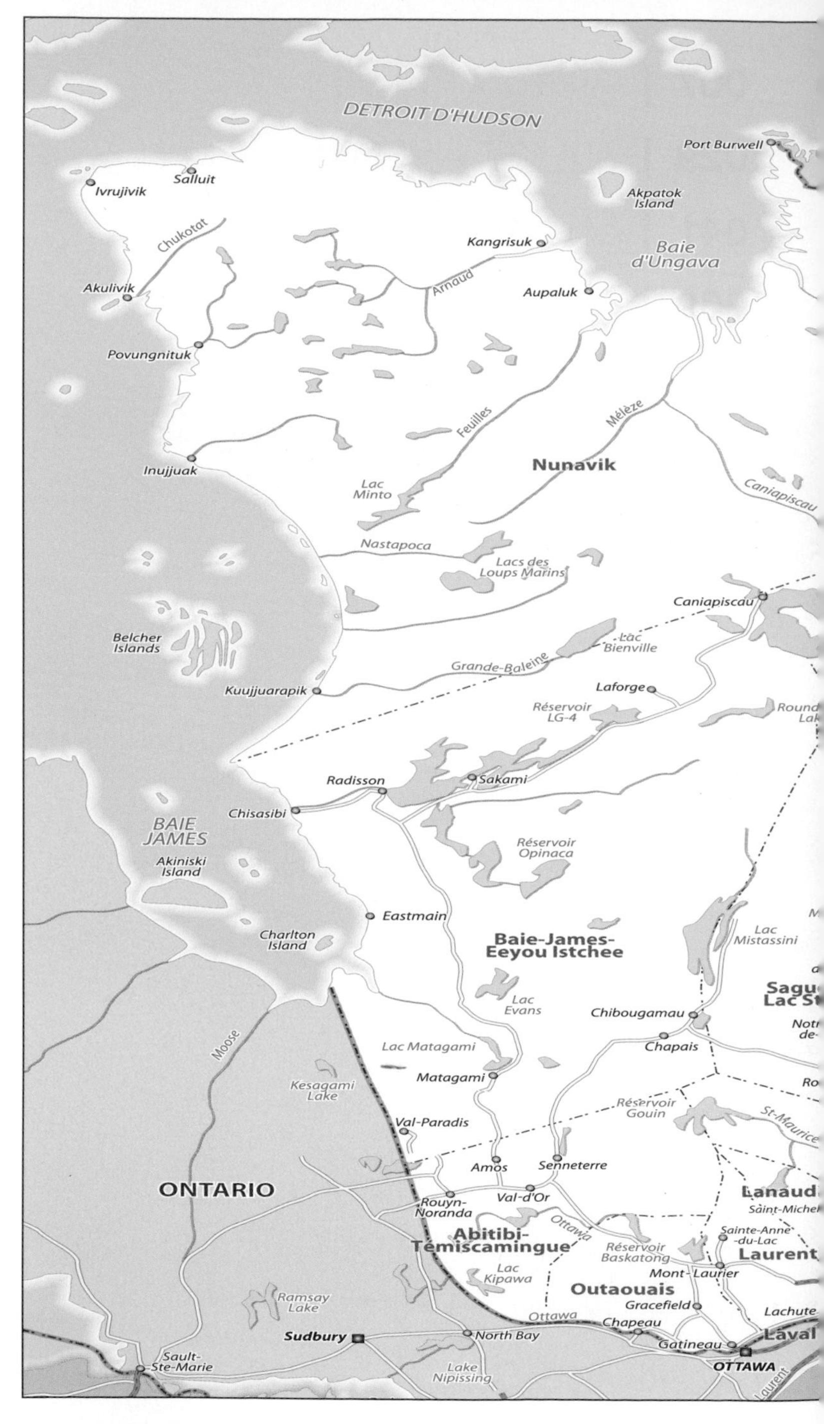
DETROIT D'HUDSON
Port Burwell
Salluit
Ivrujivik
Akpatok Island
Chukotat
Kangrisuk
Baie d'Ungava
Akulivik
Arnaud
Aupaluk
Povungnituk
Feuilles
Mélèze
Inujjuak
Nunavik
Caniapiscau
Lac Minto
Nastapoca
Lacs des Loups Marins
Caniapiscau
Belcher Islands
Lac Bienville
Grande-Baleine
Kuujjuarapik
Laforge
Réservoir LG-4
Radisson
Sakami
Chisasibi
BAIE JAMES
Akiniski Island
Réservoir Opinaca
Eastmain
Charlton Island
Baie-James-Eeyou Istchee
Lac Mistassini
Lac Evans
Chibougamau
Chapais
Moose
Lac Matagami
Matagami
Kesagami Lake
Réservoir Gouin
St-Maurice
Val-Paradis
Amos
Senneterre
ONTARIO
Val-d'Or
Rouyn-Noranda
Ottawa
Abitibi-Témiscamingue
Réservoir Baskatong
Sainte-Anne -du-Lac
Mont-Laurier
Lac Kipawa
Outaouais
Ramsay Lake
Gracefield
Lachute
Ottawa
Chapeau
Sudbury
North Bay
Gatineau
OTTAWA
Sault-Ste-Marie
Lake Nipissing

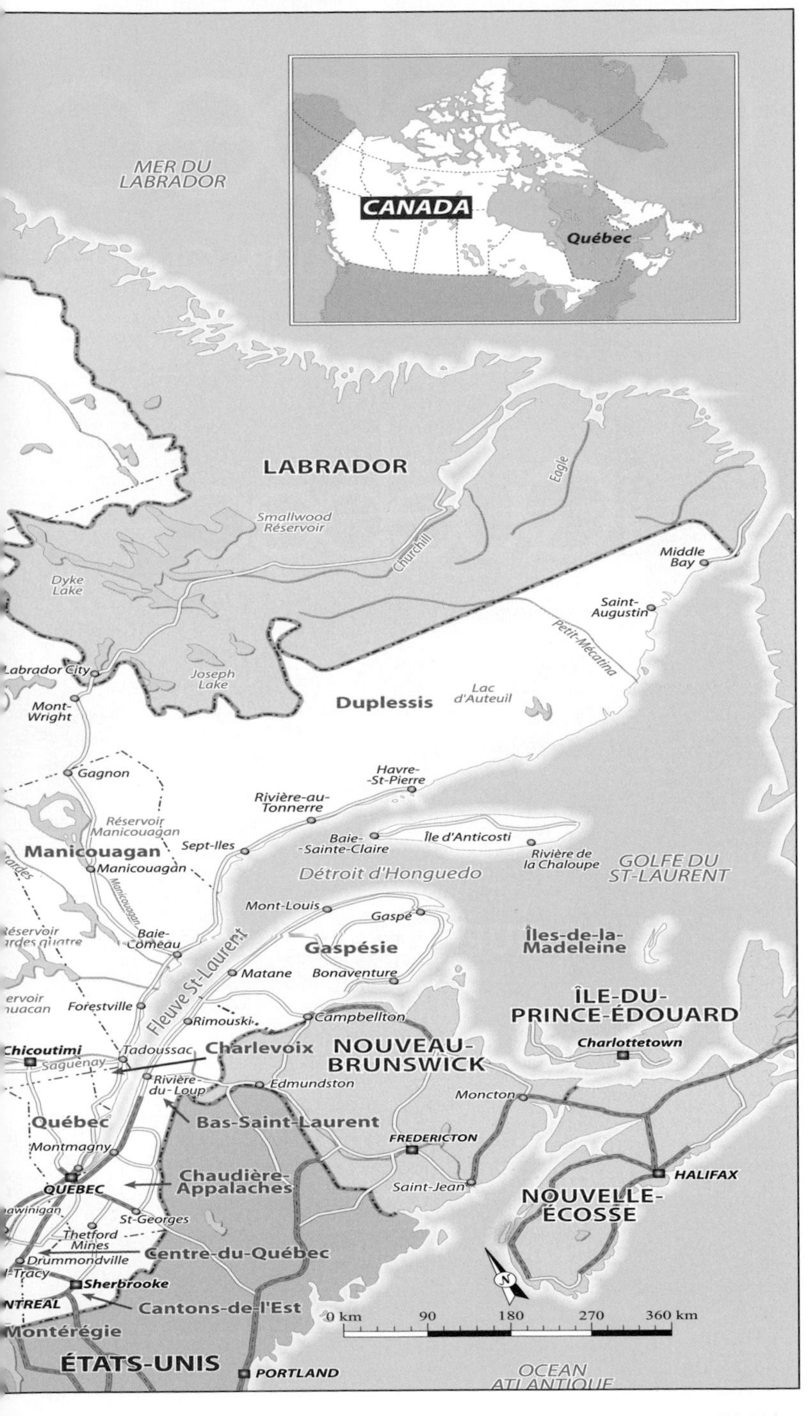
CANADA
Québec
MER DU LABRADOR
LABRADOR
Smallwood Réservoir
Churchill
Eagle
Middle Bay
Dyke Lake
Saint-Augustin
Petit-Mécatina
Labrador City
Joseph Lake
Lac d'Auteuil
Mont-Wright
Duplessis
Gagnon
Havre-St-Pierre
Rivière-au-Tonnerre
Réservoir Manicouagan
Manicouagan
Sept-Iles
Baie-Sainte-Claire
Île d'Anticosti
Rivière de la Chaloupe
GOLFE DU ST-LAURENT
Détroit d'Honguedo
Mont-Louis
Gaspé
Baie-Comeau
Fleuve St-Laurent
Gaspésie
Îles-de-la-Madeleine
Matane
Bonaventure
Forestville
ÎLE-DU-PRINCE-ÉDOUARD
Rimouski
Campbellton
Chicoutimi
Saguenay
Tadoussac
Charlevoix
NOUVEAU-BRUNSWICK
Charlottetown
Rivière-du-Loup
Edmundston
Moncton
Québec
Bas-Saint-Laurent
Montmagny
FREDERICTON
QUEBEC
Chaudière-Appalaches
Saint-Jean
HALIFAX
NOUVELLE-ÉCOSSE
St-Georges
Thetford Mines
Drummondville
Centre-du-Québec
Sherbrooke
Cantons-de-l'Est
Montérégie
ÉTATS-UNIS
PORTLAND
0 km
90
180
270
360 km
OCEAN ATLANTIQUE

INTRODUCTION

© TQ / Linda Turgeon

LE QUÉBEC GOURMAND

Les goûts des consommateurs, des excursionnistes et des touristes sont de plus en plus variés et teintés des influences des diverses communauté culturelles. Les médias, tant électroniques qu'écrits, jouent d'ailleurs un rôle de premier plan dans l'évolution des goûts et des tendances alimentaires. Les chefs cuisiniers réclament sans cesse de nouveaux produits à mettre en valeur et plusieurs d'entre eux exercent une grande influence sur les changements des habitudes alimentaires. Ils sont reconnus comme d'excellents ambassadeurs des produits de diverses régions du Québec. De nos jours, les consommateurs sont plus renseignés, donc plus ouverts à faire des découvertes et plus réceptifs aux nouveautés. Ils sont à l'affût de nouvelles expériences culinaires et recherchent des produits et des mets qui se différencient de la masse. Les préoccupations croissantes de la population à l'égard de la santé et de la qualité de l'alimentation interpellent donc directement le domaine de l'agriculture et de l'industrie alimentaire.

AGROTOURISME

Ce concept a été initié au Québec sous la gouverne du ministère de l'Agriculture (à l'époque). Les premiers jalons ont pris naissance il y a près d'une quarantaine d'années, vers 1975. Depuis les années 1990, ce genre d'activité est devenu populaire auprès des consommateurs, des touristes québécois et des étrangers. Aujourd'hui, on dénombre un nombre croissant de circuits et de routes qui offrent des découvertes agrotouristiques. Au fil des années, l'offre agrotouristique québécoise s'est diversifiée. En plus des gîtes, des repas et des visites à la ferme, on trouve des centres d'interprétation agricole, des érablières, des cidreries et des vignobles, des fromageries, des fermes, des économusées, des élevages moins traditionnels, etc. On peut faire des balades gourmandes, sans compter les activités complémentaires offertes à même le site. Les producteurs artisans et transformateurs du Québec ont développé un savoir-faire considérable et distinctif dans plusieurs créneaux, tels que pour le miel, le fromage, le cidre, le vin de glace, le foie gras… Le Québec abonde en produits de qualité et c'est tant mieux pour nous !

TOURISME GOURMAND

Le Québec est l'une des meilleures destinations quatre saisons qui favorise un contact privilégié avec sa culture culinaire empreinte de tradition et de modernité. Au Québec, la tradition de « bien manger » n'est pas une légende, mais une réalité. La recherche d'authenticité et le sentiment de nostalgie lient étroitement les produits régionaux et du terroir à l'agrotourisme : l'attrait pour la campagne et les événements champêtres, le plaisir de découvrir et « goûter » les régions rurales, le retour aux sources...

UN MONDE DE DÉCOUVERTES

Le Québec est un carrefour de goûts et de saveurs qui repose sur la tradition culinaire de chacune des régions et sur la rencontre avec la modernité. On peut dire que le domaine agroalimentaire québécois inclut des gens passionnés qui s'identifient avec fierté à leur région et à leur profession. Les producteurs, pêcheurs, manufacturiers, artisans et chefs cuisiniers s'inspirent de la richesse et des particularités régionales pour satisfaire un marché en constante évolution et poursuivre des traditions d'excellence qui nous distinguent bien au-delà des frontières par notre savoir-faire. On peut affirmer sans contredit que l'agrotourisme et le tourisme culinaire, aussi appelé tourisme gourmand, ont bel et bien pris leur envol au Québec.

De nos jours, parmi les éléments qui enrichissent l'expérience touristique et culturelle, les produits régionaux et du terroir, la gastronomie et les arts de la table occupent une place de choix. L'évolution actuelle se caractérise par des maillages de plus en plus étroits qui se développent entre les producteurs, les pêcheurs et les transformateurs et les artisans de la table (chefs cuisiniers, pâtissiers) ; c'est la meilleure avenue pour concrétiser les concertations et doter les régions du Québec d'une cuisine digne d'être reconnue au niveau mondial. On peut donc conclure qu'il y a dans nos régions une cuisine axée sur les produits locaux, régionaux et du terroir et on peut être fier de constater que le savoir-faire des artisans, tant dans la production que dans la cuisine, s'est taillé une grande réputation tant ici qu'à l'étranger.

LOI SUR LES APPELLATIONS RÉSERVÉES ET LES TERMES VALORISANTS

La présente loi vise à protéger l'authenticité de produits et de désignations qui les mettent en valeur au moyen d'une certification acquise à l'égard de leur origine ou de leurs caractéristiques particulières liées à une méthode de production ou à une spécificité.

On entend par « produit » un produit alimentaire issu notamment de l'agriculture ou de l'aquaculture destiné à la vente à l'état brut ou transformé.

Les appellations réservées appartiennent à l'une des trois catégories suivantes :

- ➔ celles relatives au mode de production, telles que le mode biologique ;
- ➔ celles relatives au lien avec un terroir, telles que l'appellation d'origine ou l'indication géographique protégée ;
- ➔ et celles relatives à une spécificité.

Les produits qui peuvent être désignés par une appellation réservée doivent être certifiés conformes à un cahier des charges par un organisme de certification accrédité.

Ceux pouvant être désignés par un terme valorisant doivent être certifiés conformes aux normes définies par règlement du ministre par un organisme de certification accrédité.

La reconnaissance d'une appellation réservée ou l'autorisation d'un terme valorisant confère à ceux qui sont inscrits auprès d'un organisme de certification accrédité, aux conditions établies par ce dernier, le droit exclusif d'utiliser, selon le cas, cette appellation ou ce terme.

Le texte intégral de cette loi est disponible sur le site de Publications du Québec : www.publicationsduquebec.gouv.qc.ca (L.R.Q., chapitre A-20.03)

Autres sites web d'intérêt : www.cartv.gouv.qc.ca (Conseil des appellations réservées et des termes valorisants) et www.caeq.ca (Comité d'accréditation en évaluation de la qualité).

POUR EN SAVOIR PLUS

Le Québec gourmand sur le web

Vous trouverez la liste complète des fédérations, organismes et autres liens intéressants sur les produits du Québec au : www.mapaq.gouv.qc.ca (choisir l'onglet désiré en haut de page puis cliquez sur « Liens intéressants » dans le menu de droite).

ALIMENTS DU QUÉBEC

www.alimentsduquebec.com

L'organisme Aliments du Québec est le véhicule de promotion générique de l'agroalimentaire québécois, dépositaire des deux certifications axées sur l'origine des produits, soit les deux marques de commerce : Aliments du Québec et Aliments préparés au Québec. C'est en tout plus de 16 500 produits certifiés, fabriqués par 750 entreprises membres. Il y en a donc pour tous les goûts et pour toutes les occasions !

Fondé en 1996, la mission principale de cet organisme est de promouvoir l'industrie agroalimentaire et de contribuer à son développement, son essor et son rayonnement, notamment par la promotion des produits des marques Aliments du Québec et Aliments préparés au Québec et des déclinaisons dont elle est dépositaire. C'est en identifiant les produits et en faisant des activités de sensibilisation et de promotion qu'il arrive à répondre à son mandat. Grâce à cette initiative d'identification des produits québécois, les consommateurs peuvent faire des choix plus judicieux lors de leurs achats et encourager les producteurs d'ici. Si nous nous permettons d'aller encore plus loin, Aliments du Québec contribue à la préservation de nos traditions et du savoir-faire de nos producteurs. La prochaine fois que vous irez faire vos emplettes, cherchez les logos !

ALIMENTS DU QUÉBEC

Un produit arborant cette certification est un produit entièrement québécois ou composé d'un minimum de 85 % d'ingrédients d'origine québécoise et ce, à condition que tous les ingrédients principaux proviennent du Québec. De plus, toutes les activités de transformation et d'emballage doivent être réalisées dans la province. Cette certification est souvent détenue par des produits peu transformés, tels les diverses coupes de viande, ou pas du tout transformés, tels les fruits et légumes ou tout autre produit maraîcher.

ALIMENTS PRÉPARÉS AU QUÉBEC

Cette certification s'applique à un produit entièrement transformé et emballé au Québec. De plus, lorsque les ingrédients principaux sont disponibles au Québec en quantité suffisante, ils doivent être utilisés. Par exemple, pour qu'une compote de pomme soient certifiée Aliments préparés au Québec, elle doit être fabriquée à partir de pommes du Québec, puisqu'elles sont disponibles en

POUR SE SUCRER LE BEC !

www.cabaneasucre.org

Qui dit printemps dit temps des sucres ! Moment privilégié en famille ou entre amis, une sortie à la cabane à sucre fait partie de nos traditions gourmandes et festives. En visitant ce site Internet, vous obtiendrez une foule d'information sur le temps des sucres, des idées de recettes, ainsi que la liste des cabanes à sucre par région. Autres sites web d'intérêt sur le sujet : www.siropderable.ca (Fédération des producteurs acéricoles du Québec), www.creatifsdelerable.ca (la Route de l'érable - consultez la région Centre-du-Québec de ce guide pour plus de détails), et www.jaimelerable.ca (le seigneur des sirops sous toutes ses facettes).

quantité suffisante. Par ailleurs, un jus d'orange peut être certifié Aliments préparés au Québec si toutes les activités de transformation et d'emballage sont effectuées ici. En effet, bien que les oranges ne soient pas disponibles dans la province, la production de jus d'orange par des entreprises situées en sol québécois stimule l'économie locale et favorise la création de plusieurs emplois indispensables au bien-être de plusieurs familles. Ce produit peut donc obtenir la certification Aliments préparés au Québec qui s'applique surtout aux produits qui ont subi une transformation plus importante et qui vise à mettre en valeur le savoir-faire des gens d'ici.

DÉCOUVERTE DES SAVEURS DU QUÉBEC

www.decouvertedessaveurs.ca

Le Groupe Espaces, actif dans le domaine du plein air, du tourisme, de l'aventure et plus récemment, dans le secteur de l'agroalimentaire, publie à titre d'éditeur la brochure gourmande « À la découverte des saveurs du Québec ». On y retrouve une liste de près de 600 restaurants et camions gastronomiques qui mettent le Québec dans votre assiette, ainsi que des portraits de chefs et les circuits gourmands de la Belle Province. Le site Internet propose ce même contenu mais avec en plus une carte interactive ainsi que plusieurs articles d'intérêt sur le sujet. La brochure peut être téléchargée directement sur le site web.

MINISTÈRE DE L'AGRICULTURE, DES PÊCHERIES ET DE L'ALIMENTATION DU QUÉBEC (MAPAQ)

www.mapaq.gouv.qc.ca

Portail officiel du ministère. Un site très complet par secteur d'activité avec de nombreuses ressources, publications et dossiers, tant pour les consommateurs que pour l'industrie agroalimentaire. En partenariat avec Aliments du Québec, l'Association de l'Agrotourisme et du Tourisme Gourmand du Québec, et l'Association des restaurateurs du Québec (ARQ), le ministère publie la brochure « À la découverte des saveurs du Québec », véritable mine d'informations sur le sujet. Vous pouvez également visiter le site www.decouvertedessaveurs.ca pour obtenir la version web de la brochure.

RÉSEAU ÉCONOMUSÉE®

Le réseau ÉCONOMUSÉE® s'étend sur près de quinze régions du Québec. Il s'agit d'artisans passionnés dans les domaines des métiers d'art et agroalimentaires, qui ouvrent leurs portes au public pour expliquer leurs techniques de fabrication et transmettre leur savoir-faire. Pour être admis dans ce réseau, ces artisans triés sur le volet doivent répondre à des critères très stricts et surtout faire la preuve de la qualité et de l'authenticité de leurs produits, entièrement fait à la main et devant les visiteurs. D'où le slogan du réseau « L'artisan à l'œuvre ».

Ainsi, tout en parcourant les belles régions du Québec, vous pourrez aller visiter les ateliers de fromagers, herboristes, liquoristes, pomiculteurs, boulangers, acériculteurs, boucaniers, chocolatiers, des vignobles ou des beurreries, aussi bien que des maroquiniers, forgerons, sculpteurs sur bois ou sur sable, bijoutiers ou souffleurs de verre, tous renommés dans leur spécialité. Ces entreprises démontrent la richesse du patrimoine vivant de notre pays ainsi que sa diversité culturelle et représentent des attraits touristiques intéressants et inédits en région comme en ville. Pour un tourisme intelligent et enrichissant, amenez vos enfants et vos amis dans ces lieux d'apprentissage et d'interprétation de divers métiers où vous pourrez acheter des produits distinctifs issus de la production locale tout en vivant une expérience unique basée sur un concept breveté élaboré par des professionnels de diverses disciplines.

Pour de plus amples informations ou pour commander la brochure :

Société du réseau ÉCONOMUSÉE®
203, Grande-Allée Est
Québec (QC) G1R 2H8
Téléphone : 418-694-4466
Télécopieur : 418-694-4410
Courriel: info@economusees.com
www.economusees.com

SLOW FOOD MONTRÉAL

www.slowfoodmontreal.com

Slow Food est un organisme qui a pris naissance au cours des années 1980 dans la province du Piémont, au nord de l'Italie. Le nom de l'association date de 1986, notamment en réaction au fast-food, à la vague de standardisation du goût et au développement d'une culture alimentaire de masse. L'escargot est adopté comme symbole, invitant ses sympathisants à vivre à un rythme plus lent, à prendre le temps de déguster et à valoriser le goût et les mets préparés avec soin.

Au Québec, le mouvement Slow Food a été fondé à Montréal en février 2001. Les principaux objectifs sont l'éveil du goût du public, la découverte des producteurs d'ici et d'ailleurs, une référence sur l'origine des aliments et sur les conditions sociohistoriques de leur production. C'est un concept qui valorise le goût, les terroirs et le savoir-faire traditionnel. Devenir membre de Slow Food, c'est reconnaître le patrimoine culinaire et alimentaire québécois, tout en participant à des activités variées qui vous feront constamment faire des découvertes intéressantes.

LA TERRE DE CHEZ NOUS

www.laterre.ca

Pilier de l'information agricole au Québec et propriété de l'UPA, ce journal est publié depuis maintenant près d'un siècle. Véritable mine d'informations pour les producteurs agricoles et les professionnels liés au domaine de l'agriculture, le lectorat se compte à plus de 100 000 personnes chaque semaine. D'autres magazines spécialisés sont également publiés par eux : L'UtiliTerre, Bovins du Québec, Grandes Cultures, Forêts de chez nous, et Vivre à la campagne. Quant au site Internet, il permet de consulter les versions électroniques des journaux (abonnement requis), de se mettre au parfum de l'actualité, et de dénicher des bonnes offres dans les petites annonces. Une grande référence dans le domaine !

TERROIR ET SAVEURS

www.terroiretsaveurs.com

Portail officiel de l'Association de l'agrotourisme et du tourisme gourmand au Québec (anciennement Agricotours). On y retrouve la liste des producteurs offrant une activité, un produit ou un service agrotouristique ainsi qu'une panoplie de bonnes adresses et de suggestions de circuits pour planifier une escapade gourmande dans la province. On y retrouve également tous les établissements certifiés « Terroir & Saveurs du Québec ».

Pour ceux qui adorent bouquiner, l'association publie le guide « Terroir et Saveurs du Québec » en collaboration avec Guides de voyage Ulysse. Précieux compagnon de vos virées champêtres et gourmandes, il offre plus de 545 adresses triées sur le volet avec des sections thématiques fort intéressantes. Sachez que lors des 17e prix du Gourmand World Awards, qui a eu lieu à Paris en mars 2012, le guide s'est vu remporter le 3e prix du meilleur livre mondial dans la catégorie mise en valeur de la cuisine locale. Rien de moins.

TERROIRS QUÉBEC

www.terroirsquebec.com

Depuis 2005, la boutique Terroirs Québec vous propose des produits régionaux québécois en ligne. Très facile d'utilisation, le site vous permet de faire une recherche par catégorie et par région. Chaque produit est présenté avec photo, une brève description de ses caractéristiques et de son entrepreneur, ainsi que sa provenance sur une carte du Québec. Il est possible de coter les produits, de donner ses commentaires et de consulter ceux des autres. Terroirs Québec vous propose même des paquets-cadeaux. Livraison gratuite au Québec pour les commandes de 39 $ et plus (59 $ et plus pour le Canada). La méthode idéale de vous procurer les produits régionaux du Québec en un seul clic !

UNION PAYSANNE

www.unionpaysanne.com

Opposé à l'UPA, ce syndicat agricole et citoyen intervient auprès des autorités, des médias et de l'opinion publique pour défendre les intérêts de la paysannerie. Ses membres sont pour la plupart des agriculteurs, mais les citoyens soucieux de s'impliquer en faveur d'une agriculture et d'une alimentation à échelle humaine sont également les bienvenus. Son site Internet présente ses positions et campagnes, l'actualité et les dossiers de l'heure. Pour une autre vision de l'agriculture !

UNION DES PRODUCTEURS AGRICOLES (UPA)

www.upa.qc.ca

L'UPA représente les quelque 43 000 producteurs et productrices agricoles du Québec avec 92 syndicats locaux, 12 fédérations régionales, 159 syndicats et 26 groupes spécialisés.

Parmi ses activités, ne ratez pas la journée « portes ouvertes sur les fermes du Québec » qui se déroule annuellement en septembre. Pour plus d'information : www.portesouvertes.upa.qc.ca

À lire, à voir

Plusieurs émissions de télévision mettent entre autres en valeur les produits agroalimentaires québécois, tant sur les chaînes publiques comme Ici Radio-Canada (L'Épicerie, Qu'est-ce qu'on mange pour souper, Ricardo, La semaine verte…), Télé-Québec (À la di Stasio, Un chef à la cabane, Curieux Bégin…), TVA (Les chefs!, Signé M…) ou V (Apollo dans l'frigo, Ça va brasser!, Par-dessus le marché...), que sur les réseaux privés tels Casa (À couteaux tirés, Signé M sur la route...) et Zeste (Le cuisinier rebelle, L'Effet Vézina…). Afin de visionner les épisodes ou pour obtenir des trucs recettes, lire des reportages et plus encore :

- ➔ Casa : www.casatv.ca
- ➔ Ici Radio-Canada : ici.radio-canada.ca/tele ou ici.tou.tv
- ➔ Télé-Québec : www.telequebec.tv
- ➔ TVA : www.tva.canoe.ca
- ➔ V : www.vtele.ca
- ➔ Zeste : www.zeste.tv

On retrouve également des chroniques régulières sur le sujet dans les grands quotidiens et dans diverses revues (notre magazine Québec le mag' en est un bel exemple !). Des ouvrages tels le Guide Debeur et Quartiers gourmands recensent de belles adresses pour se faire plaisir, sans oublier les livres de recettes de nos chefs d'ici (À la bonne franquette, Le cuisinier rebelle en feu, L'univers gourmand de Jean-Luc Boulay, Toqué! les artisans d'une gastronomie québécoise, etc.).

© NRL

LE QUÉBEC BRASSICOLE

Le brassage de la bière est une tradition humaine qui remonte à des millénaires, basée sur les croyances et valeurs des différents peuples pionniers dans le monde brassicole. Une tradition qui a perduré, transmise fidèlement par ses adeptes, et qui nous permet, encore aujourd'hui, d'apprécier et de savourer ces purs délices houblonnés.

Cette tradition se fait de plus en plus présente dans la Belle Province où nombreux sont ces passionnés qui, chaque jour, travaillent à redonner à la bière ses lettres de noblesse. L'histoire, l'art et l'amour du brassage vous sont racontés au fil des pages de cet ouvrage, tout en encourageant la consommation locale, engendrant ainsi des retombées bénéfiques pour notre économie et l'environnement. Les maîtres d'œuvre de notre industrie étant davantage conscients de ces enjeux, de nouveaux choix s'imposent dans les opérations quotidiennes, que ce soit en valorisant l'apport de céréales cultivées localement dans le brassage ou encore, en développant des partenariats de services dans la communauté. Cela dit, on peut donc être fier de boire québécois !

Nous vous invitons à découvrir (ou redécouvrir) la Route des bières du Québec lors de vos prochaines escapades gourmandes dans la province. Que vous soyez amateur ou bièrophile accompli, vous y découvrirez un marché qui ne cesse de grandir et de nous surprendre avec des produits diversifiés et de grande qualité.

PORTRAIT DE L'INDUSTRIE QUÉBÉCOISE

La naissance des microbrasseries et brasseries artisanales au Québec remonte aux années 1980. La renaissance de la culture « brassicole », menée par de jeunes brasseurs passionnés et créatifs, est venue assouvir les consommateurs en quête de produits de qualité distincts, plus caractérisés en termes de propriétés gustatives, issus de notre riche terroir québécois.

L'arrivée des microbrasseries a ni plus ni moins amené la déconcentration d'une industrie : d'un centre-ville à l'ensemble du Québec. En 1985, il existait trois grands brasseurs : Molson, Labatt et O'Keefe (par rapport à 31 au début de 1900) qui contrôlaient 99,5 % du marché. Leur production était centralisée à Montréal. Depuis ce temps, O'Keefe a été englouti par Molson et la production de ces brasseurs est toujours à Montréal, mais les centres décisionnels sont hors du pays. Cependant, en date du printemps 2013, on trouve un portrait tout à fait différent. En effet, il y avait 105 permis de producteurs industriels ou artisans. Ces permis étaient détenus par des entreprises situées dans 55 villes, 64 comtés et 15 régions administratives du Québec. Autre constat intéressant : environ 40 % des villes qui accueillent ces entreprises ont moins de 10 000 habitants et 55 % moins de 20 000.

Les microbrasseries ont tout d'abord fait leur apparition en deux vagues successives, soit au milieu des années 1980, puis entre 1995 et 2000. Le marché était là, mais il s'avérait le plus contrôlé au monde par deux géants. C'était tout un défi à relever ! Des passionnés ont décidé de foncer, de réussir en grand centre et en région. Les microbrasseries de la première vague ont pris pied dans le marché, se sont réunies en association et ont obtenu les premiers gains réglementaires pour aider la deuxième vague. Celle-ci a fait preuve d'ingéniosité en développant le concept d'une microbrasserie combinée à un restaurant ou à un salon de dégustation, concept repris systématiquement avec succès par la suite et qui assure la rentabilité en région. En cours de route, malheureusement, à l'aube des années 2000, plusieurs microbrasseries ayant repris le modèle industriel traditionnel n'ont pas survécu... Les années 2000 furent florissantes pour l'industrie avec une troisième vague qui s'est bien installée, profitant du modèle créé par la deuxième vague et par le regroupement dans l'AMBQ qui a mené de nouveaux gains, cette fois sur le plan fiscal, avec la modulation de la taxe spécifique sur les boissons alcooliques au Québec et celle des droits d'accise fédéraux. Ces modulations ont également profité aux brasseries artisanales.

Du côté des brasseries artisanales, le premier permis fut octroyé au Cheval Blanc il y a déjà plus de 25 ans, soit en 1987. En 1997, on comptait déjà une dizaine de ces établissements dans la province alors que ce nombre a pratiquement triplé quinze ans plus tard. C'est en partie grâce à un marché du détail passablement encombré jumelé au nouveau modèle d'entreprise et aux politiques fiscales ajustées citées plus haut, qui ont ouvert la porte à d'excellentes possibilités de développement de la production artisanale.

Parties de zéro au milieu des années 1980, les petites brasseries, tous permis confondus, possédaient une part de marché de 3,5 % en 2002-2003, chiffre qui a pratiquement doublé dix ans plus tard (6,6 % en 2012-2013).

Les grandes brasseries industrielles, désormais propriétés d'intérêts étrangers (InBev-Labatt et Moslon-Coors), ont vu une petite part de leur marché leur échapper au profit des petites brasseries (et du groupe Sapporo-Sleeman-Unibroue), mais encore aujourd'hui, elles détiennent plus de 88 % du marché (incluant leurs ententes de distribution de bières importées). Ces méga entreprises profitent de la désuétude du cadre législatif et réglementaire au Québec pour abuser de leur position et bloquer l'accès au marché des entreprises locales. D'ailleurs, il y a quelques années, l'Association des microbrasseries du Québec a déposé une plainte dénonçant les « pratiques anticoncurrentielles » des géants Labatt et Molson. Même si l'enquête confirma l'existence des pratiques alléguées par la plainte, le Bureau de la Concurrence ne jugea pas cela suffisant pour soutenir une preuve auprès du Tribunal et mit fin à la démarche (rapport complet disponible sur le site Internet du Bureau de la concurrence du Canada).

Malgré tout, les maîtres d'œuvre de l'industrie brassicole québécoise restent optimistes et continuent de surprendre nos papilles gustatives. Ils s'efforcent depuis de nombreuses années à créer une tradition brassicole et à nous faire découvrir ces petits bijoux par le biais de festivals et de points de vente spécialisés à travers la province. C'est sans compter les nombreuses actions menées par l'Association des microbrasseries du Québec auprès des différents paliers gouvernementaux afin d'assurer un soutien et une équité entre les membres de l'industrie québécoise. En 2014, c'est au-delà de 100 microbrasseries et brasseries artisanales qui s'affairent à produire ces divins nectars, avec l'émergence d'houblonnières et de malteries locales qui visent à fournir nos brasseurs pour l'obtention de bières 100 % québécoises. La balle est donc en partie dans le camp du consommateur qui, par ses choix judicieux, permettra à notre marché local de continuer de s'épanouir en plus de profiter à l'économie et au dynamisme de sa région.

LES DIFFÉRENTS TYPES DE BRASSERIES

Les termes brasserie, microbrasserie et brasserie artisanale (aussi appelée « broue-pub » un dérivé de l'expression anglaise « brew pub ») portent encore parfois à confusion. Ce qui les différencie tient principalement aux facteurs suivants : les types d'installation, le volume de production, la variété des produits brassés, le réseau de distribution et les coûts.

Brasseries : Elles brassent un très grand volume de bières annuellement et l'ensemble de leur production est destinée au marché local ainsi qu'à l'exportation. Certaines bières étrangères sont brassées et distribuées localement par les brasseries. Elles se concentrent sur quelques recettes uniquement, même si aujourd'hui elles tendent à se diversifier.

Microbrasseries : Elles détiennent le même permis que les brasseries mais leur volume annuel global de production est inférieur à celui des brasseries (moins de 300 000 hectolitres) et elles offrent davantage de bières de spécialité. Certaines exportent mais à moins grande échelle, dû aux coûts élevés de distribution. Elles possèdent en majorité un permis de salon de dégustation, de bar ou de restauration, permettant aux biérophiles de découvrir les produits à l'endroit même où ils sont brassés.

Brasseries artisanales : Contrairement aux deux premiers, les « broue-pubs » ne possèdent pas de permis pour embouteiller et distribuer leurs produits. Les bières sont donc produites en beaucoup plus petite quantité et vendues uniquement pour consommation sur place. Le brasseur artisanal se permet également une plus grande rotation des produits selon les saisons ou son humeur. Depuis quelques années, plusieurs brasseries de ce type se sont dotées d'installation d'embouteillage, soit sur place, soit en s'associant à une microbrasserie qui se charge de cette opération.

PROJETS ET OUVERTURES À SURVEILLER

L'industrie brassicole québécoise a bien évolué depuis plus d'une vingtaine d'années et que dire de tous les bijoux que nous a apporté la dernière décennie. Et ce n'est pas prêt de se terminer car les mois à venir nous réserve de belles surprises.

Pour vous tenir au parfum des nouveautés et des projets en branle, le site Internet perso de Jan-Philippe Barbeau, brasseur et copropriétaire de Loup Rouge Micro Brasseur à Sorel, est une bonne source d'information (www.jpbarbo.com, onglet « Projets à venir »). L'incontournable bimestriel de Bières et Plaisirs recense également les projets confirmés (www.bieresetplaisirs.com).

ASSOCIATION DES MICROBRASSERIES DU QUÉBEC (AMBQ)

Fondée en 1990, alors que l'industrie brassicole québécoise en était à ses « premiers pas », l'AMBQ s'est donnée pour mission de « regrouper les microbrasseries du Québec, promouvoir et défendre leurs intérêts communs ». On y dénombre à ce jour quarante-huit microbrasseries et, depuis 2013, broue-pubs membres, lesquels sont implantés aux quatre coins de la province.

Il y a quelques années, l'association s'est dotée d'un plan stratégique pour l'industrie, couvrant la période 2007-2017, avec des objectifs précis concernant la part de marché, la production, la création d'emploi et le contenu québécois. En voici les grandes lignes :

➔ Augmenter la part de marché des microbrasseries au Québec, qui était alors de 4.5 %, à 12 % d'ici 2017 ;

➔ Faire passer la production locale annuelle de 300 000 hectolitres à plus de 800 000 hectolitres ;

➔ Tripler le nombre d'emplois directs (633 à 1 883) et augmenter la part des ressources humaines dans l'industrie de 16.2 % à environ 40 % ;

➔ Augmenter de façon importante le niveau (faible) du contenu en houblon et céréales québécois dans la fabrication de la bière, autant que possible dans les recettes actuelles, mais surtout dans le total ciblé en 2017 ;

➔ Créer un autre impact de création d'emploi, en milieu agricole.

De par sa mission, et grâce à un réseau d'expertise bien développé, l'AMBQ œuvre à faire reconnaître la réalité du marché brassicole québécois auprès des différentes instances gouvernementales, tout en faisant valoir les droits et les retombées positives de l'industrie locale afin de la positionner comme un joueur de premier plan, tant pour l'économie et l'emploi que pour l'environnement et sa contribution à sa communauté locale et régionale.

Parmi ses réalisations et projets en cours, notons un environnement d'affaires, un programme qualité pour les microbrasseries, une campagne communication marketing, une table de concertation filière de la terre à la bière, un congrès de l'industrie, et une certification « Qualité Microbrasserie Québec ».

Pour plus d'informations sur l'AMBQ : www.ambq.ca

LA DÉGUSTATION

Le bièrophile tchèque devant sa « pilsner », le moine trappiste devant son « ABT » et le gentleman anglais devant son « porter » auront tous leur propre façon de déguster leur bière préférée. Par contre, chacune de ces dégustations prises isolément aura des résultats bien distincts. Il existe autant de façon de déguster qu'il y a de bouches pour le faire. Pour ajouter au défi, toutes les bières ne révèleront pas intégralement l'éventail de leurs charmes lorsque dégustées de la même façon. Dans les meilleures conditions, il faut savoir comment vous êtes et qu'est-ce que vous goûtez. Pour répondre à la première condition, il vous faudra pratiquer et vous analyser. Pour la seconde, il vous faudra pratiquer et analyser la bière. Un dur travail certes, mais ô combien gratifiant ! Avec l'expérience qui s'accumule, la meilleure façon de déguster une certaine bière sera donc celle que vous aurez choisie en toute connaissance de cause.

En bièrophilie, toutes les bières méritent d'être goûtées. Évidemment, les meilleures bières reviendront plus souvent dans le verre. Pour ajouter à la tâche déjà ardue du choix d'une bière, il est important de garder en mémoire que c'est parmi les meilleures bières au monde qu'il est le plus probable de trouver une bouteille ou un lot décevant.

L'ANNEDDA, UN STYLE DE BIÈRE AUTHENTIQUEMENT QUÉBÉCOIS

(Texte écrit par Mario D'Eer pour le guide Petit Futé Bières au Québec)

L'annedda est un nouveau style de bière développé par un regroupement de brasseurs. Il se base sur deux éléments historiques importants, mais il s'agit d'un style tout à fait original. Le premier élément est le sapin baumier, tandis que le deuxième est la levure Jean-Talon.

L'annedda est le nom de l'arbre qui a guéri du scorbut les matelots de l'équipage de Jacques Cartier en février 1536, lors du premier hivernage à Stadaconé. Au mois d'avril, 25 hommes étaient morts et 40 étaient gravement malades. Cartier constata que Domagaya, fils de Donnacona le chef iroquois, qui présentait les mêmes symptômes que son équipage, semblait complètement guéri du mal. Ce dernier lui enseigna alors comment préparer une décoction faite de l'écorce et des aiguilles de l'arbre annedda. Les recherches effectuées par Jacques Mathieu, pour la rédaction de son ouvrage (« L'Annedda, L'arbre de vie », Les cahiers du Septentrion, 2009), ont démontré qu'il s'agissait du sapin baumier. Cet ouvrage a incité le biérologue Mario D'Eer à créer un comité visant à développer un style de bière authentiquement québécois.

Tous les styles classiques, partout dans le monde, sont l'aboutissement et l'évolution d'un savoir-faire régional. La plupart des nouveaux styles s'en inspirent également. Jamais dans l'histoire de la bière, un groupe de brasseurs s'était concerté pour développer un style original. Mario D'Eer a créé un comité « open source » dans le but de mettre au point une recette issue d'une collégialité de brasseurs. Parmi ses membres, soulignons l'implication déterminante de Michel Gauthier, expert-brasseur, qui a rédigé le cahier des charges, ainsi que de Tobias Fischborn, de Levures Lallemand. Grâce à ce dernier, il été possible d'isoler une levure québécoise, cueillie par Bruno Blais (anciennement de la Barberie) aux Voûtes Jean-Talon de l'Ilot des Palais à Québec. Notons que cette levure n'est pas strictement réservée au brassage de l'annedda. Elle peut être employée pour toute bière qui se veut 100 % québécoise !

Trois versions du cahier des charges ont été rédigées suite aux différents tests. Une dizaine de microbrasseries québécoises ont participé à la mise au point de la recette finale : mentionnons Dieu du Ciel!, Le Trou du Diable, La Barberie, À l'Abri de la Tempête, Bedondaine et Bedons Ronds, La Chouape, Microbrasserie du Lac Saint-Jean, Le Naufrageur, Brasseur de Montréal...

Le style annedda peut être fabriqué par toutes les brasseries, petites ou grandes, partout dans le monde. Il peut également être fait à 100 % de matières premières québécoises ou non, de la même façon qu'au Québec, on brasse des styles internationaux avec des matières premières locales !

Source : Michel Gauthier – « Cahier des charges, bière Annedda »

ALAMBIKA : TRINQUEZ AVEC STYLE!

Boutique fort élégante spécialisée dans les ingrédients et accessoires de cocktail, whisky, vin, absinthe et bière artisanale, ainsi que dans les couteaux de cuisine de forgerons japonais, européens et nord-américains. Une des particularités d'Alambika se trouve dans ses efforts à encourager les créations locales. Vous y découvrirez des ingrédients à cocktail du terroir québécois, des carafes à vin soufflées par des verriers du Québec, et autres créations à la fois authentiques, locales et contemporaines. Dégustations à toute heure, accueil des plus sympathiques, conseils avisés et produits de qualité sont au programme.

1515, avenue Van Horne, Montréal 514-400-9212, www.alambika.ca

La dégustation est avant tout une expérience personnelle. Ce sont nos sens qui goûtent la bière. Elle sera donc dégustée, analysée, décryptée en fonction de ce que nos sens connaissent. Une bouche qui n'a jamais goûté de saveurs de malt ne saura les reconnaître. Une bouche qui a passé la dernière heure à goûter d'intenses saveurs de malt aura plus de difficulté à reconnaître cette saveur à dose plus réduite. Comme chacun de nos sens, le goût se forme par l'expérience et il se déforme momentanément à l'usage. En fait, il s'habitue et s'adapte à la présence d'une saveur. C'est pourquoi il est important d'organiser les dégustations en fonction de ces règles de manière à neutraliser l'effet d'adaptation. Dans une dégustation avec de multiples bières, on tentera de déterminer l'ordre des bières en fonction d'une escalade de saveurs. On tentera autant que possible de briser l'effet d'accoutumance dans le but de donner le plus de chances possibles aux bières plus simples de divulguer leurs personnalités. Une bière légère précédée d'une bière forte et savoureuse aura l'air ridicule, alors que l'inverse lui donnera toutes les chances de s'exprimer.

Il est important de noter que dans un monde idéal, la bière, tout comme le vin, requiert une température de dégustation, un verre et un service qui lui sont propres.

En résumé, nul besoin de gourou pour s'initier à la dégustation de la bière. Il suffit d'avoir une bière avec de la personnalité, un verre propre, un moment de tranquillité, un minimum de confort, et un peu d'attention sur ce qui se passe dans l'interaction humain-bière. Il ne faut surtout pas désespérer de ne pas tout saisir du premier coup. La progression est l'assurance d'un plaisir sans cesse renouvelé. Il suffit de s'arrêter un instant pour constater le moment présent et de tirer avantage de tout ce qu'il nous offre. Référez-vous d'ailleurs à la rubrique « Pour en savoir plus » - « À faire » pour nos bons plans pour développer cet art qu'est la dégustation.

Et pourquoi ne pas accompagner votre dégustation de bonnes victuailles ? Ça tombe bien, notre guide regorge de bonnes adresses pour faire le plein de produits québécois ! Le gibier, les pâtés et terrines, les poissons et fruits de mer, les fromages, les desserts, etc., sont tous d'excellents candidats pour un mariage réussi. En somme, n'oubliez pas ce principe : pour un bon accord mets et bières, choisissez selon les propriétés gustatives de chacun. À la bonne vôtre !

CLASSIFICATION DES BIÈRES

Le brassage, le temps et la température sont les éléments-clés pour produire différents types de bière. On retrouve trois grandes familles : les lagers (basse fermentation), les ales (haute fermentation) et les lambics (fermentation spontanée).

Les lagers : Membres de la famille la plus récente, ces bières fermentent à basse température, généralement entre 4 et 14 °C, avec des levures qui sont actives dans le bas de la cuve et ce, pour une durée d'environ une semaine. Les Allemands et les Tchèques sont les maîtres de ce style. Bock, Dunkel, Doppelbock, Dortmunder, Eisbock, Munich Helles, Pislner et Märzen, par exemple, sont associés à cette famille. À Montréal, l'Amère à boire est une brasserie artisanale qui offre des lagers de grande qualité. La Belle Gueule Originale des Brasseurs RJ, la 27 de Farnham Ale & Lager, la Grande Cuvée Doppelbock des Trois Mousquetaires et la Seeraüber de Corsaire Microbrasserie sont aussi des exemples de ce style.

Les ales : La fermentation haute dure moins d'une semaine et la température du brassin doit être réglée entre 15 et 25 °C, parfois plus, afin de permettre le développement des levures dans le haut de la cuve. C'est dans cette famille que sont classés plusieurs types de bières généralement plus savoureuses, corsées et alcoolisées : Abbaye, Altbier, Barley Wine (vin d'orge), Dunkel-Weizen, Hefe-Weizen, India Pale Ale, Porter, Rauchbier, Saison, Scotch Ale, Stout, Trappiste, Witbier… Une grande majorité des bières de microbrasseries québécoises sont issues de ce type de fermentation.

Les lambics : Cette appellation est, en principe, exclusivement réservée aux bières issues de la méthode artisanale de brassage de la vallée de la Senne, en Belgique. C'est dans des cuves peu profondes que le moût est placé à l'air libre. Il reçoit alors la visite de levures indigènes provenant de la région et présents dans l'air ambiant, et sera mis en tonneaux de bois pendant plusieurs mois afin de continuer la fermentation. En plus des lambics, on retrouve également les krieks, les gueuzes et les faros dans cette famille.

POUR EN SAVOIR PLUS

Le monde de la bière sur le web

BEERADVOCATE: " RESPECT BEER "

www.beeradvocate.com

Fondé par deux frères passionnés de la bière, Jason et Todd Alström, ce site anglophone est une grande référence pour la communauté indépendante de bièrophiles et bièrophoux. BeerAdvocate, c'est un magazine, un calendrier des événements et festivals, un forum, des critiques de bières et lieux de brassage, un répertoire mondial des brasseries et bars spécialisés, des tonnes d'articles, etc.

BEERLINKED

www.beerlinked.com

Ce merveilleux site bilingue rassemble en un seul lieu une multitude d'articles houblonnés et des nouvelles brassicoles provenant d'une vingtaine de blogues différents (42 Bières, Beerism, Bière-Luc, La Décapsule, Le Shack à Boisson, The Thirsty Wench, etc.). Ludique et pratique, mais peut causer une certaine dépendance !

BEERME!, THE MOST COMPLETE SOURCE OF BREWERY INFORMATION WORLDWIDE

www.beerme.com

Une référence très connue des amoureux du houblon qui répertorie plus de 50 000 bières provenant des quatre coins de la planète. La liste des brasseries et microbrasseries est tenue à jour et est fort complète, notamment pour le Québec. Pour les avides de découvertes, visitez le « Beer Hall of Fame ».

BIÈRES ET PLAISIRS

www.bieresetplaisirs.com

Site tout indiqué pour le côté gourmand qui sommeille en vous : la bière et la gastronomie réunies pour un mariage des plus savoureux. Mais Bières et Plaisirs, c'est également l'actualité du monde brassicole sous diverses thématiques (à la une, tourisme, cuisine, brassage, etc.), un blogue des collaborateurs, le bimestriel Bières et Plaisirs, la journée québécoise de la bière, le rallye brassicole, les capsules sensations, ainsi qu'une foule de services pour les amateurs de bières et les professionnels du monde de la bière et de la restauration (ateliers de dégustation, formations et certifications, conférences, événements, etc. - www.atelierdesbieres.com). LA référence au Québec !

BIÈROPHOLIE, TOUS FOUS DE LA BIÈRE

www.bieropholie.com

Plusieurs connaissent Bièropholie pour son site Internet regroupant les amateurs de houblon : un babillard (haut lieu de tous les potins brassicoles, là même où les propriétaires de brasseries en apprennent parfois sur ce qui se passe dans leur plan de production), un forum pour les collectionneurs, une section d'importations privées (le club offrant la plus grande sélection de bières au Canada grâce au travail bénévole de Yowie), ainsi que plusieurs ressources utiles telles les points de vente, des hyperliens, des idées de recettes, etc.

René Huard, qui avait mis sur pied Broue.com en 1996 avec Marc Bélanger du Broue Pub Brouhaha, a créé cette référence du monde brassicole sur le web avec l'aide de Michel Cusson vers la fin des années 1990. Depuis quelques années, Hughes Gauthier, bien connu sous le nom de « Yowie », a pris la relève de René à la barre de Bièropholie. Hughes, dont l'énergie est inépuisable, insuffle une énergie nouvelle afin de multiplier les services offerts par Bièropholie tout en respectant les valeurs de « joie de vivre » et de « liberté d'implication » chères à ses fondateurs. Pour mieux comprendre l'idée, il suffit de prendre connaissance de la définition officielle de Bièropholie:

ÇA BRASSE !, VOTRE PORTAIL BRASSICOLE AU QUÉBEC

www.cabrasse.ca

Animé par une équipe de passionnés maîtrisant fort bien le sujet, ce site se veut « une nouvelle vitrine intégrée sur tous les aspects du brassage artisanal ». Actualité et informations brassicoles provenant d'une vingtaine de collaborateurs sont au menu, mais également une carte géo des brasseries québécoises, des ressources précieuses sur les sciences du brassage, des photos, des concours alléchants, et une boutique en ligne (verres, ouvrages sur la bière, ingrédients pour le brassage, etc.). Pour ceux désirant un soutien « tout en bulles » pour leur événement, l'équipe propose aussi des solutions « bières en main ». Finalement, il est possible de joindre cette communauté dynamique sur le forum en créant gratuitement son compte d'utilisateur en ligne.

Nom moderne donné à la passion un peu folle de la bière de spécialité. Du français « bière » qui rappelle que l'objet visé est la bière et du mot grec « philos » signifiant ami. Ce dernier est légèrement déformé par l'ajout d'une saine dose de folie afin de le transformer en « pholie ».

LES BRASSERIES DU QUÉBEC

www.jpbarbo.com

Jan-Philippe Barbeau, brasseur de métier et fondateur de la brasserie artisanale Loup Rouge à Sorel-Tracy (devenue une microbrasserie en 2014), a créé il y a plusieurs années ce répertoire web du monde québécois de la bière. Un site à jour, très complet, listant les microbrasseries et brasseries artisanales, y compris les projets d'ouverture, les points de vente spécialisés et plusieurs références utiles sur l'industrie brassicole.

LES COUREURS DES BOIRES

www.lescoureursdesboires.com

Probablement l'un des blogues les plus intéressants pour les bièrophiles en quête d'aventures houblonnées et de découvertes brassicoles. Maintenu et enrichi avec passion par deux fins connaisseurs du milieu et grands voyageurs de surcroît, Martin Thibault et David Lévesque Gendron, ce site présente des rubriques toutes plus ludiques les unes que les autres : « guides » de voyage, fiches de grands crus, lieux, tendances, dégustation, événements, etc. Mais Les Coureurs des Boires, c'est également deux superbes ouvrages : La Route des Grands Crus de la Bière – Québec et Nouvelle-Angleterre, et Les Saveurs Gastronomiques de la Bière (voir rubrique « À lire, à voir » pour tous les détails).

MARIO D'EER

www.mariodeer.com

Mario D'Eer, enseignant-biérologue passionné, est une personnalité incontournable dans le milieu. Depuis ses débuts professionnels en 1990, sa feuille de route est impressionnante, allant d'auteur prolifique de livres et de chroniques à expert-conseil, conférencier et éditeur. C'est également le fondateur et idéalisateur du Festibière de Chambly (devenu Bières et Saveurs), le co-fondateur de l'Ordre de Saint-Arnould, le fondateur de BièreMag, l'actuel président du Festibière de Gatineau, le fondateur de la certification biérologue, l'instigateur du projet Annedda, et le biérologue de l'émission Ça va brasser!. Et la liste est encore longue ! En 2010, lors du Gala Reconnaissance du congrès de l'AMBQ, il a reçu l'hommage « bâtisseur » pour sa contribution exceptionnelle au monde brassicole. Puis, lors du Canadian Brewing Awards en juin 2012, il a reçu le prix « Éducateur de l'année » afin de rendre hommage à sa carrière en tant que promoteur de la bière et éducateur des consommateurs. Son site Internet, qui ne se veut toutefois pas un blogue, contient bon nombre d'excellents articles sur le sujet. À découvrir !

PUBQUEST, PUTTING CRAFT BEER ON THE MAP

www.pubquest.com

Envie de partir sur les routes de l'Amérique du Nord à la découverte des bières artisanales ? Planifiez votre voyage grâce au moteur de recherche de PubQuest, un site qui vous permet d'identifier les établissements sur une carte géographique ou via des critères précis (par province/état, par nom, etc.). Un excellent répertoire mais définitivement plus à jour du côté américain que canadien. Il est également possible de devenir membre (10 $ par an) ce qui donne droit à plusieurs rabais intéressants, notamment dans les brasseries artisanales américaines.

RATEBEER: GREAT BEER MADE EASY

www.ratebeer.com

Fondé en mai 2000 par Bill Buchanan, à la base comme forum pour les amoureux de la bière, les efforts de nombreux bénévoles pour maintenir ce site et l'enrichir ont fait de RateBeer le site préféré des critiques de bières. En tant que membre de la communauté RateBeer, vous pouvez faire vos propres évaluations et partagez vos découvertes avec les autres bièrophiles. Différents types d'abonnements sont offerts (gratuit ou premium).

REGISTRE DES MICROBRASSERIES QUÉBÉCOISES

www.registremicro.com

Dans une optique semblable à celle du site PubQuest, ici on vous emmène sur la Route des bières du Québec grâce à une carte géo interactive. La liste des brasseries artisanales et microbrasseries est franchement à jour, incluant même les projets d'ouverture concrets. Vous pouvez faire une recherche ciblant les établissements à proximité d'où vous vous trouvez, selon qu'ils offrent un menu bouffe élaboré ou non, etc.

SOCIÉTÉ DES ALCOOLS DU QUÉBEC

www.saq.com

Le site de la SAQ informe sur la disponibilité de nos bières favorites en succursale (importées pour la plupart) et contient quelques rubriques dédiées à l'histoire, la classification, le service et la dégustation de la bière. Bonnes suggestions pour l'accord mets et bières.

À lire, à voir

BIÈRES ET PLAISIRS

www.bieresetplaisirs.com

Depuis février 2009, l'excellent site d'actualité brassicole a son propre journal. Édité par les Éditions BPL sous la gouverne de l'épicurien et sommelier en bière Philippe Wouters, une personnalité incontournable dans le domaine, et distribué gratuitement aux quatre coins de la province, ce bimestriel traite des sujets de l'heure dans le monde de la bière, de la gastronomie avec un accent sur les produits du terroir, de tourisme gourmand, et bien plus encore. Il est également possible de le télécharger directement sur leur site web. Une référence de grande qualité pour quiconque désire être au parfum des dernières tendances dans l'industrie.

ÇA VA BRASSER!

www.vtele.ca (émissions disponibles en ligne)

Animé par Caroline Leclerc, une passionnée de la communauté bière et du domaine brassicole, ce programme télé était un rêve qu'elle caressait depuis cinq ans. Elle ne peut qu'être fière du résultat car c'est la première émission hebdomadaire entièrement dédiée à ce sujet, résultat d'une collaboration étroite avec l'Association des microbrasseries du Québec (AMBQ). Chaque semaine, elle nous fait découvrir une microbrasserie ou brasserie artisanale, son histoire et ses nectars. Le tout est ponctué de capsules informatives très intéressantes, surtout pour quelqu'un qui découvre à peine la bière québécoise, ou la bière tout court. L'émission se conclut sur un accord mets et bières avec nul autre que le biérologue Mario D'Eer. Chapeau à toute l'équipe derrière Ça va brasser! pour cette magnifique vitrine offerte aux artisans brasseurs québécois ! Et si cet article vous a donné soif, sachez que vous pouvez savourer une cuvée spéciale « Ça va brasser! », issue d'un brassin collectif des brasseurs de chaque saison et disponible chez les détaillants spécialisés.

LES COUREURS DES BOIRES

www.lescoureursdesboires.com

(Texte écrit par Martin Thibault et David Lévesque Gendron pour le guide Petit Futé Bières au Québec)

La route des grands crus de la bière, médaillé d›or au Concours des livres culinaires canadiens, arpente le Québec et les six états de la Nouvelle-Angleterre, là où certains artisans-brasseurs offrent des chefs-d'œuvre en matière de bière. Véritable compagnon tant pour le néophyte que pour l'amateur chevronné, ce livre permet de découvrir les rudiments de la dégustation avant de se lancer dans une critique de chacune des brasseries du vaste territoire à l›étude. La troisième section se consacre aux créations les plus marquantes brassées dans le

LA DÉCAPSULE DES FRÈRES ATMAN

Envie de vous bidonner tout en faisant un brin de culture gourmande ? Vous aimez les bons produits d'ici, surtout la bière de microbrasserie ? Besoin d'une petite recette fastoche pour impressionner la visite ? La décapsule est pour vous ! Entretenu avec amour par les deux frères Atman, Alex et David, ce blogue semi-cocasse laisse libre court à leur imagination fertile, sous forme de capsules vidéos et d'articles variés et toujours pertinents (ou presque, car des fois, ça dérape). À lire et visionner sans modération !

www.decapsule.com

nord-est (les grands crus !) pour finalement inviter le lecteur, en dernier lieu, à voyager pour découvrir ses propres coups de cœur par l'entremise d'itinéraires de voyage suggérés.

Le nouvel ouvrage des deux auteurs, paru à l'automne 2013, se présente en deux tomes, dans un coffret. Intitulé Les saveurs gastronomiques de la bière, il se veut un abécédaire pour dégustateur étoffé suivi d'une étude approfondie sur l'origine et l'identité de l'incroyable variété de flaveurs de la bière. On y a repensé la classification des bières sur la base de ces flaveurs pour ensuite se servir de ces assises afin de guider l'amateur de façon bien pragmatique vers le nirvana des harmonies entre bières et mets. L'approche visuelle et pédagogique, étayée par les photos parfois éclatées de David Gingras, étoffe le propos de cet ouvrage qui a fait des vagues dans le monde brassicole à sa parution.

EFFERVESCENCE

www.effervescence.ca

Effervescence est un magazine gourmand qui traite bien entendu de la bière, mais également des vins et spiritueux. Tourisme gourmand, idées recettes et suggestions d'ouvrages culinaires font également partie du contenu rédactionnel. Un must pour les papilles ! Il peut être visualisé ou téléchargé en ligne.

ET LA BIÈRE FÛT !

www.editionsberger.com

Si vous n'avez pas encore mis la main sur ce superbe et ô combien ludique ouvrage de Sylvain Beauchamp, il n'y a plus une minute à perdre. Véritable vent de fraîcheur sur le sujet, on le présente comme un livre qui a du panache. Et comment ! À peine l'avant-propos entamé, le ton est donné. À noter une préface signée par nul autre que monsieur McAuslan lui-même, père de la brasserie du même nom.

Ici il n'est pas question de route touristique de la bière ou de critiques de ce divin nectar. Ce n'est pas non plus un cours de brassage. Mais un peu dans l'optique du livre scientifique pour les nuls, il nous plonge dans l'univers d'une brasserie où l'histoire, les matières premières, les techniques de fabrication et les styles, sans négliger une bonne dose de science, nous sont racontés, expliqués, décortiqués. Il tourne et retourne les sujets, démystifie les idées préconçues, partage moult anecdotes, le tout ponctué d'un humour fin, d'une touche personnelle qui charme le lecteur dès le premier abord, sans oublier la mise en page qui n'est pas sans rappeler les fameux « livres dont vous êtes le héros ». Chose certaine, ce livre est un petit bijou et s'adresse à tous les publics, pour peu qu'on aime la bière.

LES MICROBRASSERIES DU QUÉBEC

www.broquet.qc.ca

Nous pouvons être fier de boire québécois et encore plus lorsque de beaux ouvrages de ce type mettent si bien en valeur notre industrie brassicole d'ici. La deuxième édition, parue en 2012, est l'œuvre de deux grands passionnés : Jean-François Joannette et Guy Lévesque. Mais c'est également un beau travail d'équipe auquel ont contribué plusieurs bièrophiles aguerris. Cet ouvrage de 360 pages s'adresse tant aux néophytes qu'aux grands amateurs. On y retrouve plusieurs sections de grand intérêt : les disparues, les microbrasseries et brasseries artisanales, les bars, bistros et restaurants spécialisés, les gens qui ont marqué l'industrie, les groupes d'amateurs, les cocktails à la bière et nous en passons. Le tout est agrémenté de superbes photos. Un livre incontournable et une excellente idée de cadeau pour toutes occasions. Chapeau !

PHILIPPE WOUTERS

www.philippewouters.com

Entre autres éditeur du journal gratuit Bières et Plaisirs, sommelier en bière et chef-conférencier, Philippe Wouters a signé deux superbes ouvrages en 2013, parfaits compagnons de l'épicurien qui sommeille en vous. Ils sont édités chez Broquet et disponibles dans les librairies et certains commerces spécialisés en bières de microbrasseries.

Guide d'achat des bières au Québec : Une liste de 200 bières disponibles dans la Belle Province, basée sur les coups de cœur, découvertes et valeurs sures de notre auteur, le tout accompagné d'une fiche de dégustation pour chacun des produits. S'y trouvent également une introduction sur les ingrédients et le brassage de la bière, ainsi que des conseils de service, de stockage et d'accords bières et mets.

Plaisirs culinaires à la bière : Un livre qui déborde d'idées de recettes savoureuses, toutes faciles à exécuter en quelques étapes seulement, vous offrant un véritable voyage gourmand au cœur de la cuisine à la bière. De superbes photos et des suggestions de bières pour accompagner votre plat sont également au programme.

Et pour les amoureux de la langue de Shakespeare...

TAPS THE BEER MAGAZINE

www.tapsmagazine.com

Référence canadienne incontournable de l'actualité brassicole, le magazine TAPS est publié six fois l'an. Dédié à tout ce qui touche le merveilleux monde de la bière, tant ici qu'aux quatre coins du monde, il couvre une multitude de sujets : l'industrie de la bière artisanale, les personnalités du milieu, l'histoire de la bière, le brassage maison, des entrevues, des récits de voyages, des idées pour l'accord mets et bières, des dégustations, etc. Tous les rédacteurs sont de fins connaisseurs qui partagent avec vous cette passion commune. Il est possible de s'abonner afin de recevoir le magazine directement dans le confort de son foyer ou pour télécharger en ligne toutes les éditions. Sachez finalement que TAPS Media, société mère du magazine, est en charge de l'organisation du concours Canadian Brewing Awards qui a lieu une fois l'an depuis un peu plus d'une dizaine d'années (www.canadianbrewingawards.com).

À faire

ATELIER DES BIÈRES

www.atelierdesbieres.com

Que vous soyez un professionnel du monde de la bière, de la restauration, ou tout simplement un amateur de ce délicieux nectar, l'Atelier des Bières est pour vous. Atelier découverte des bières, formation de brassage de base ou avancé, mise en marché, audit de votre établissement, et autres modules fort intéressants sont proposés. Il y a également le programme de certification d'atelier-conférence « L'Étoile des Bières » axé sur l'expertise de la dégustation et le service de la bière. Bref, consultez le site Internet pour découvrir tous les services, ateliers et formations offerts, ainsi que les dates et coûts de chacun.

IRIS DU GOÛT

www.irisdugout.com

Conçu par le biérologue Mario d'Eer, ce programme de certifications totalement innovateur base ses fondements sur des analyses à l'aveugle, en équipe, le tout à l'aide de verres noirs spécialement développés pour la cause et de référentiels de base tels le sucré, l'amertume, l'acidité et l'arrière-goût. Chacune des variables est calibrée en employant trois bières médianes comparatives. En résulte des « couronnes » qui présentent visuellement les goûts de la bière. Les microbrasseries qui désirent ensuite imprimer sur leurs étiquettes les Iris certifiés n'ont qu'à débourser les droits de publication. Vous aimeriez vous joindre à ce programme en tant qu'analyste ? Consultez le site Internet pour connaître les dates et lieux des formations Iris du goût.

RALLYE BRASSICOLE

www.bieresetplaisirs.com

À l›automne 2013 se tenait la toute première édition du « Rallye Bières et Plaisirs », un concept mettant à l'honneur la culture brassicole et les producteurs régionaux dans un parcours routier riche en découvertes. Chaque équipe est composée d'un(e) conducteur(trice) désigné(e) et d'un maximum de trois participants. Tout au long du parcours, des dégustations de produits alimentaires, d'alcools du terroir et de bières de microbrasseries sont proposées. Le tout se conclut par un buffet en fin de soirée, la remise des nombreux prix et bien entendu, le couronnement de l'équipe gagnante. Une belle journée en perspective !

Abécédaire

© TQ / Mathieu Dupuis

AVRIL 1435

Sans s'étaler sur l'étymologie du mot bière, cette dernière étant incertaine et complexe, sa première apparition daterait de 1429 et serait une dérive du latin ***bibere*** qui signifie « boire ». Selon plusieurs écrits, il serait ensuite apparu dans un traité officiel, datant du 1er avril 1435, afin de remplacer le mot ***cervoise*** jusqu'ici employé pour désigner une bière faite d'orge et autres céréales. L'introduction du houblon dans la fabrication de la bière remonte à cette même époque et devient alors sa principale caractéristique : amère, aromatique.

BIO

Choix d'une clientèle restreinte il y a à peine une dizaine d'années, la consommation de produits alimentaires biologiques rejoint dorénavant un public de plus en plus en large. Mais qu'entend-on exactement par « produit bio » ? Le Conseil des appellations réservées et des termes valorisants (CARTV) résume le tout à merveille : « Un produit diététique ou un produit naturel n'est pas forcément biologique. Un produit **bio** est avant tout un produit qui respecte une réglementation stricte et très précise qui se trouve détaillée dans un cahier des charges dont l'application est contrôlée par un organisme de certification, lui-même agréé par le CARTV. » Voilà pour la petite histoire ! Pour en connaître davantage sur le mode de production bio, le logo BIO Québec, les organismes de certification accrédités ou reconnus, etc., consultez le site web du Conseil au **www.cartv.gouv.qc.ca**.

CERVESIA (CERVOISE)

Cervesia vient du terme ***Ceresis vitis*** signifiant « Vigne de Cérès ». On raconte qu'à l'époque des Gaulois, Cérès, déesse des moissons et des céréales, aurait découvert la cervoise. Dans son infinie bonté ou plutôt grâce à son bon goût, elle aurait partagé les secrets de sa fabrication avec les peuples dont les terres ne se prêtaient guère à la culture du raisin. Par surcroît, l'eau potable devenant une denrée de plus en plus rare, la cervoise devint la boisson désaltérante par excellence, d'où peut-être cette réputation qualifiant les Gaulois de grands buveurs...

Exempte de houblon, elle contient de l'eau, des céréales, diverses herbes et une bonne dose de miel. Vous aimeriez en savourer une ? C'est possible, grâce à Stéphane Morin, maître ès bières réputé de la province. Après de longues recherches, cumulant les connaissances historiques et les techniques nécessaires, il a réussi à créer la cervoise Alésia en 2013, un produit unique, disponible chez les détaillants spécialisés.

DAS DEUTSCHE REINHEITSGEBOT

Encore suivi à la lettre par de nombreux brasseurs allemands qui le perçoivent comme un gage de qualité, le décret sur la pureté de la bière édicté en 1516 par Guillaume IV, duc de Bavière, dictait les normes à respecter lors de la fabrication et de la commercialisation de la bière. À cette époque, le malt d'orge, le houblon et l'eau étaient les seuls ingrédients autorisés. Par la suite, les règles sont se sont assouplies et de nouveaux arômes et saveurs ont fait leur entrée sur le marché du brassage de la bière.

ELLE... AU FÉMININ

Messieurs, lisez bien ce qui suit... Sans remettre en question le plus vieux « métier du monde au féminin », celui de brasseure fut sans contredit l'un des tous premiers. Tout au long de l'histoire, la femme a joué un rôle prépondérant dans le brassage de la bière. Ce n'est vraiment qu'au Moyen-âge que les hommes ont pris part à cette activité brassicole avec le début de la production de bières en abbaye. Pensons à sœur Hildegarde de l'abbaye de Prune en Allemagne qui a découvert l'importance du houblon dans le brassage ; aux différentes déesses associées à la bière telles que Cérès et Ninkasi ; aux brasseures anglaises qui seraient à l'origine des « Ales Houses », ancêtres des pubs ; ou aux Marie Rollet, Laura Urtnowski et autres personnalités féminines du monde brassicole québécois. Santé et que la tradition perdure !

FOURCHETTE BLEUE

www.exploramer.qc.ca

A l'initiative d'Exploramer, qui l'a lancé en 2009, ce programme de certification encourage les restaurants et les poissonneries du Québec à offrir des saveurs méconnues parmi les nombreuses espèces comestibles du Saint-Laurent, dans une perspective de développement durable et de protection de la biodiversité. En encourageant la diversification de la consommation de produits marins, on veut réduire la surpêche de certaines espèces, et mettre en avant des produits moins connus : la clovisse arctique, le hareng d'automne, la mactre de Stimpson, la mye commune, l'oursin vert... Il y en a pour tous les goûts ! Et en grande première en 2014, cinq espèces d'algues font partie des espèces marines certifiées. Le logo Fourchette bleue vous permettra d'identifier les produits certifiés dans les établissements partenaires, qui sont de plus en plus nombreux avec le temps. Une façon futée de consommer et de découvrir les richesses du Saint-Laurent ! **www.exploramer.qc.ca/fr/fourchette-bleue**

GAMBRINUS

Il est le roi des buveurs et le protecteur des brasseurs en Flandres (Belgique). La légende de Gambrinus baigne dans le mystère. L'hypothèse la plus souvent retenue est qu'il s'agirait de Jean 1er, duc de Brabant au Moyen-âge, ou Jean Primus pour les intimes. Déformé par l'analphabétisme quasi-total de la population et/ou par la transmission d'une tradition orale maintenue par des édentés, on suppose que « Jean Primus » serait devenu « Gambrinus ». On croit que Jean Primus, lors d'une victoire militaire contre des bandits qui pillaient son territoire, aurait donné une grande fête où il aurait tenu un discours debout sur un grand baril de bière. C'est pourquoi on le représente habituellement comme un bon roi bien en chair, tenant une chope débordante d'une belle mousse, juché plus ou moins élégamment sur un tonneau de bière. Gambrinus est aussi le nom d'une brasserie artisanale de Trois-Rivières.

HÔTELLERIE CHAMPÊTRE

Créé au courant des années 1990 sous le nom ***Québec Resorts & Country Inns***, Hôtellerie Champêtre est un réseau d'auberge et d'hôtels champêtres répartis aux quatre coins de province. Et ils sont près d'une trentaine d'établissements affichant fièrement la bannière fédératrice, répondant tous à des critères de sélection spécifiques. Plus que de simples lieux où passer la nuit, ils offrent une expérience totale en villégiature combinant un hébergement supérieur et douillet, des activités pour tous les goûts, et une table honorant les délicieux produits régionaux. Nous recommandons d'ailleurs quelques-unes de ces tables dans notre guide. Répertoire des établissements, forfaits et offres spéciales sur **www.hotelleriechampetre.com**.

ITHQ

L'Institut de tourisme et d'hôtellerie du Québec, situé à quelques pas du Quartier latin à Montréal, est un haut lieu d'enseignement spécialisé en tourisme, en hôtellerie et en restauration. Question de mettre les étudiants dans l'ambiance du marché du travail, l'Institut possède notamment un hôtel et deux restaurants d'application auxquels est convié le commun des mortels. Le Restaurant de l'Institut, chic et raffiné, et la Salle Paul-Émile-Lévesque, conviviale et abordable, ont un point en commun : ils accordent une place de choix aux produits du terroir québécois, s'approvisionnant auprès de producteurs locaux dans la mesure du possible. Et c'est également une savoureuse manière de découvrir la relève d'ici dans le domaine de la restauration.

JAMES

Plusieurs symboles nous viennent en tête en pensant à l'Irlande : le trèfle à trois feuilles, la harpe, les moutons, les farfadets, le whiskey mais surtout, la bière Guinness. Son histoire débute véritablement en 1759 lorsqu'Arthur Guinness, maître-brasseur originaire du comté de Kildare, loue une brasserie désaffectée à St. James's Gate à Dublin. Pour l'anecdote, les clauses du bail exigeaient une somme initiale de 100£ plus un loyer annuel de 45£, le tout signé pour une période de 9 000 ans ! Plus de 250 ans plus tard, la Brasserie Guinness occupe toujours le site de 64 acres du St. James's Gate, à l'origine une des portes de l'ancienne ville de Dublin nommée en l'honneur de l'église et de la paroisse de St. James.

KAMOURASKA

On y retrouve parmi les plus anciens villages de la côte sud du fleuve Saint-Laurent. Le berceau d'un peuple, comme on se plaît à le dire. Ici commence la mer, l'eau douce est maintenant salée. Ici débute également une route ponctuée de gourmandises et produits du terroir de toutes sortes. Chocolaterie, pâtisserie, boulangerie, magasin général et épicerie fine, poissonneries, fermes maraîchères ou d'élevage, brasserie artisanale, tables régionales... Nombreux sont les artisans, producteurs, transformateurs et restaurateurs ayant élu domicile dans cette région idyllique. Pour vous mettre l'eau à la bouche : **www.tourismekamouraska.com**

LOUIS PASTEUR

Louis Pasteur est celui qui a scientifiquement démontré pourquoi et comment la bière fermentait, ce qui l'a ensuite éclairé sur la manière de contrôler cette fermentation. Il a inventé la pasteurisation, opération permettant de contrôler l'évolution de la bière en tuant systématiquement la levure encore présente et en éliminant toutes traces de bactéries, l'ennemi numéro un des brasseurs, assurant du coup une fixation des saveurs pour une certaine période. Grâce à ce procédé, les brasseurs peuvent maintenant éviter les brassins infectés. La pasteurisation et l'arrivée de l'industrialisation ont ouvert un nouveau chapitre dans l'histoire de la bière. Cela a notamment permis de brasser en plus grande quantité des bières plus stables mais surtout exportables. Naquirent alors les premières bières commerciales.

MARCHÉS

Lors de la belle saison, les marchés fleurissent aux quatre coins de la province, sans oublier les kiosques fermiers, surtout en région, qui proposent toutes sortes de spécialités (produits maraîchers, viandes, produits fins, etc.). En ville, les marchés publics ont généralement un pied-à-terre permanent, quoique la partie extérieure ferme hors saison. Nous en recommandons plusieurs dans ce guide.

NORDIQUE

Tendance culinaire en pleine émergence, la cuisine boréale québécoise est à découvrir absolument, si ce n'est pas déjà fait. Différente et parfois surprenante, elle met en valeur les produits de la zone bioclimatique boréale, tout en s'inspirant de la culture et du territoire. S'étendant du 47e au 58e parallèle, cette zone comprend les régions de l'Abitibi-Témiscamingue, du Saguenay-Lac-Saint-Jean, de la Côte-Nord et du Nord-du-Québec. Avec leur climat typé, la Gaspésie et les Îles de la Madeleine ont également réussi à s'y tailler une place. Ainsi, on retrouve au menu des champignons forestiers, des fougères, des plantes oléagineuses, des petits fruits, du gibier, des algues et plantes marines, des sucs naturels, et autres délicieux produits issus du nord québécois. Plusieurs restaurants, tels Chez Boulay Bistro Boréal à Québec et Les Jardins Sauvages à Saint-Roch-de-l'Achigan, ont emboité le pas, ainsi que des producteurs spécialisés qui vous permettront de faire le plein de produits nordiques pour vos repas à la maison.

OKTOBERFEST

Parmi les fêtes dédiées à la bière, l'Oktoberfest est sans contredit la plus importante. Ce culte a lieu annuellement à Munich, en Allemagne, de la fin du mois de septembre jusqu'à début d'octobre, pour un total d'une quinzaine de jours. Avec plus de six millions de visiteurs provenant des quatre coins de globe, l'Oktoberfest est la plus grande fête populaire du monde. Une virée en Allemagne vous branche ? Plus d'info sur **www.oktoberfest.de**.

PROVERBE TCHÈQUE

« ***Il est possible de juger la qualité d'une bière avec une seule gorgée, mais il est préférable de vérifier rigoureusement.*** » Les Tchèques (sans oublier les Allemands !) sont parmi les leaders incontestables de la consommation de bière par tête d'habitant. Inventeurs de la Pils en 1842, les citoyens de la République Tchèque consomment en moyenne plus de 130 litres par année. Quant aux Canadiens, ils dépassent de peu le 20e rang, avec près de 70 litres par année. À noter que ces données proviennent d'une étude faite en 2010 par Kirin Holdings et peuvent avoir légèrement fluctuées au courant des dernières années.

QUARTIERS GOURMANDS

Il existe une panoplie d'ouvrages sur les bonnes tables et les produits d'ici. Mais un a définitivement retenu notre attention : Quartiers Gourmands, un répertoire qui recense plus de 450 commerces de spécialités au Québec. Et il y en a pour tous les goûts : poissonneries, boucheries, fromageries, boulangeries et pâtisseries, épiceries fines, aliments santé... S'il n'arbore pas le look format de poche, il offre en revanche un visuel fort agréable, bonifié d'une grande quantité de photos. Pour vous procurer un exemplaire : **www.quartiersgourmands.com**

ROUTE DES BIÈRES DE L'EST-DU-QUÉBEC

Une route fort sympathique, ponctuée de savoureuses découvertes houblonnées réparties en huit étapes, tantôt en bordure de mer, parfois en plein cœur du centre-ville. Les microbrasseries et brasseries artisanales membres sont Tête d'Allumette, Aux Fous Brassant, Le Bien le Malt, La Fabrique, La Captive, Le Naufrageur, Pit Caribou, et À l'Abri de la Tempête. Du Bas-Saint-Laurent aux Îles de la Madeleine, c'est tout un univers brassicole qui s'ouvre à vous, bien ancré dans son terroir et ses traditions. Pour plus d'info : consultez le site **www.lebienlemalt.com/route-bieres/** ou référez-vous à la carte en p. 36-37.

SAINT-ARNOULD

C'est le saint patron des brasseurs. Plusieurs légendes circulent à son sujet, dont voici la plus courante : « *Arnould, bénédictin flamand du XIème siècle, fut évêque de Soissons, puis abbé à l'Abbatiale d'Oudenburg, où il repose aujourd'hui. Il encouragea ses fidèles à abandonner l'eau, souvent impropre à la consommation, et à la remplacer par la bière, encore assez méconnue de la population de l'époque. Arnould avait constaté que les buveurs de bières étaient en meilleure santé que les autres. Pour donner plus de consistance à ses paroles, il touilla le brassin à l'aide de sa croix, en lieu et place du traditionnel fourquet. En hommage à ce geste, les brasseurs lui élevèrent une chapelle aux armes de la corporation.* »

TÉGESTOPHILIE

Généralement attribuée aux bièrophiles, cette manie consiste à collectionner absolument tout ce qui se rapporte au fabuleux monde de la bière. De la bouteille au verre, de l'étiquette au sous-verre, sans oublier les affiches, miroirs et ouvre-bouteilles, on recherche avant tout la marque de commerce, les items éphémères ou non, l'inusité et le rarissime. Pour le bièrophile se contentant uniquement de collectionner les sous-verres, on lui diagnostiquera le syndrome de cervalobelophilie !

UNE BIÈRE AU PARADIS

Un fin connaisseur anglais du monde de la bière et du whisky s'est éteint le 30 août 2007 à la suite d'une crise cardiaque. Michael Jackson, mieux connu sous le nom de « Beer Hunter », du nom de son émission fort populaire dédiée à la

route 132
autoroute 20
route 195
avion depuis Montréal
traversier depuis Souris (Î-P-É)

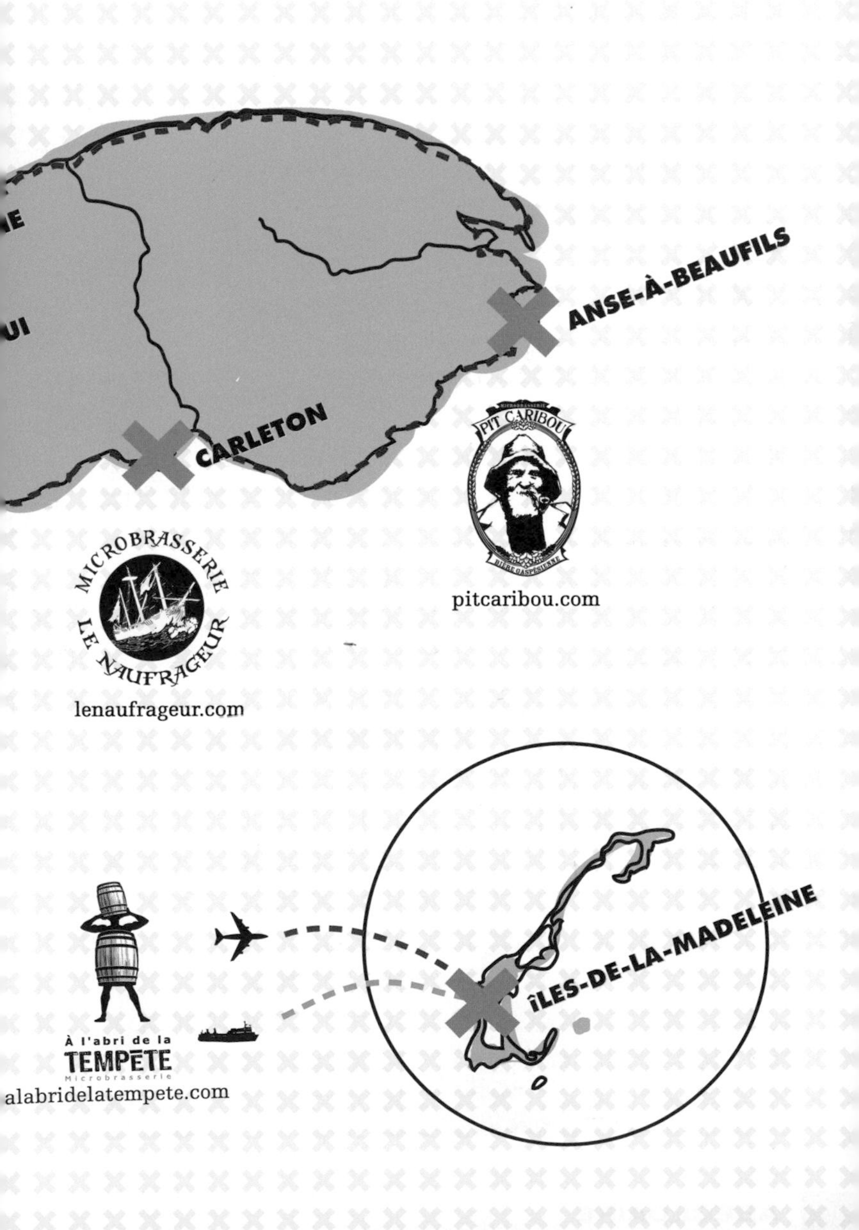
ANSE-À-BEAUFILS
CARLETON
MICROBRASSERIE
PIT CARIBOU
pitcaribou.com
MICROBRASSERIE
LE NAUFRAGEUR
lenaufrageur.com
ÎLES-DE-LA-MADELEINE
À l'abri de la
TEMPÊTE
Microbrasserie
alabridelatempete.com

bière, était auteur, journaliste et critique prolifique à la réputation plus que respectable dans le milieu.

Son premier ouvrage sur la bière, « The World Guide To Beer », publié en 1977, a été traduit dans de nombreuses langues et est encore de nos jours considéré comme l'un des ouvrages fondamentaux sur le sujet. On doit à M. Jackson la création d'un langage propre à la description de la bière, tout comme le font les œnologues pour le vin. Son talent et sa contribution au milieu de la bière ont été récompensés plus d'une fois. Il a entre autres été le premier non-brasseur nommé Chevalier d'honneur du Ridderschap van de Roerstok (Chevalerie du Fourquet des Brasseurs, en Belgique), titre remis pour sa contribution exceptionnelle au rayonnement du métier de brasseur en Belgique.

Selon lui, la bière est un élément de la culture et elle doit être décrite dans son contexte. Il a su piquer la curiosité, vulgariser un milieu parfois complexe, rendre accessible à autrui les plaisirs de la dégustation, rendant ainsi à la bière ses lettres de noblesse.

VINUM

Quand on parle de « route des vins » au Québec, on pense immédiatement à celle de Brome-Missisquoi dans les Cantons-de-l'Est. Mais saviez-vous qu'il existe d'autres vignobles et routes de ce genre dans la province ? Que ce soit dans le Bas-Saint-Laurent, le Centre-du-Québec, la Montérégie, la région de Québec, Lanaudière, les Laurentides, Laval ou encore l'Outaouais, vous découvrirez des sites enchanteurs, des produits de grande qualité ainsi que de nombreuses activités complémentaires. Pour de plus amples informations : **www.vignerons-du-quebec.com**

© NRL

WEB 2.0

Vous désirez être au parfum des nouveautés houblonnées et gourmandes ? Il n'y a pas meilleur endroit que les réseaux sociaux, notamment Facebook. En effet, nombreuses sont les entreprises qui ont une page ou un groupe sur ces réseaux, avec une mise à jour souvent plus fréquente que sur leur propre site web. Quelles bières sont en fermentation ou en service ? Quelles sont les nouveaux produits gourmands en boutique ? Quel est le menu midi de tel resto ? Vous aurez réponse à ces questions en suivant la dite entreprise sur ces réseaux. Un plan futé !

« X » DE MILLE

Tout à commencé en 2000, lorsque la communauté de l'Ordre de Saint-Arnould, devenue Bièropholie en 2001, a décidé d'organiser, une fois par année pour toute la durée du troisième millénaire, une sorte de « pèlerinage » consacré à la bière. L'événement, qui s'étale sur quelques jours, a lieu durant l'été dans une région champêtre en périphérie de Montréal. Au menu : méchoui à la bière, dégustation de bières, concours de brassage... Un immanquable pour la communauté bière !

« Y PARAÎT QUE... »

Qu'elle soit véridique ou non, cette anecdote ne pouvait guère passer sous silence, question de rigoler un brin. Suite à l'édiction en 1516, par Guillaume IV de Bavière, du décret sur la pureté de la bière, le respect de ce dernier était contrôlé par les *PirBeschauer* (observateurs de bière). L'exercice consistait à verser la bière sur des bancs de bois afin de vérifier sa qualité. Les *PirBeschauer*, portant des culottes de cuir, s'asseyaient alors sur la flaque pour un temps prédéterminé. Si la culotte restait collée au banc, la bière était couronnée de succès. Le cas échéant, elle était soit jetée, soit vendue à prix dérisoire. Dans le pire des cas, certains brasseurs se sont même vus contraints de boire eux-mêmes leur infâme breuvage.

ZYTHUM (VIENT DU GREC ZUTHOS SIGNIFIANT « BIÈRE »)

Les habitants de l'Égypte ancienne raffolaient d'une boisson préparée à partir d'orge germée et fermentée avec un goût se rapprochant étrangement de la bière. Spécialité de Péluse, ville égyptienne en bordure de la Palestine, on la surnomme également « vin d'orge » ou « boisson pélusienne ». Pour l'anecdote : zythum est le dernier mot du dictionnaire des noms communs. Comme quoi tout se termine toujours par une bonne bière !

Montréal

Deuxième ville du Canada après Toronto, place financière et commerciale particulièrement dynamique, centre portuaire de tout premier ordre sur la voie fluviale reliant les Grands Lacs à l'Atlantique, Montréal est la seconde ville francophone du monde après Paris. Elle est la seule ville du Canada à avoir su concilier les influences du Vieux Continent et la modernité nord-américaine, à avoir pu réunir les communautés anglophone et francophone que l'histoire a longtemps opposées, et à avoir réussi à intégrer une mosaïque ethnique issue de l'immigration. C'est aussi un agglomérat de villes et villages jadis distincts et une métropole culturelle d'une grande vitalité.

Montréal est aussi un paradis pour le gourmand en quête des excellents produits régionaux québécois. Nombreux sont les marchés et les boutiques spécialisées qui proposent sur leurs étals des fruits et légumes, des viandes et charcuteries, des poissons et fruits de mer, des produits transformés de toutes sortes… Plusieurs tables mettent également l'accent sur le terroir d'ici sans compter que quelques producteurs ont établi leur quartier général dans la métropole. Bref, même si la ville affiche un côté très cosmopolite, il est facile de mettre le Québec dans son assiette !

TOURISME MONTRÉAL

514-873-2015 / 1 877-266-5687
www.tourisme-montreal.org

ÉVÉNEMENTS

FESTIVAL MONTRÉAL EN LUMIÈRE

Divers endroits à Montréal / Site extérieur gratuit à la Place des Festival
514-288-9955 / 1 855-864-3737
www.montrealenlumiere.com

En février.

LA CUVÉE

Église Saint-Enfant-Jésus
5039, rue Saint-Dominique
1 800-881-0917
www.lacuvee.ca

Fin février - début mars.

LE MONDIAL DE LA BIÈRE

Palais des Congrès
201, rue Viger Ouest
514-722-9640
www.festivalmondialbiere.qc.ca

En juin. À noter que le Mondial de la bière se tient également à Mulhouse (France) en septembre, et à Rio de Janeiro (Brésil) en novembre.

Attendu chaque année avec fébrilité, ce pionnier des événements bières au Québec lance en quelque sorte la saison des festivals de la belle métropole. Des brasseries québécoises, mais également de plus d'une dizaine de pays, se

partagent les pompes des kiosques, petits pubs et pavillons de cette grande fête de la bière. Pour ceux qui ont soif de connaissances, ateliers, conférences, et cours de l'École de biérologie MBière sont à mettre au carnet. Également à surveiller : la soirée gastronomique Flaveurs Bières et Caprices, le concours professionnel MBière Greg Noonan, le concours grand public s'adressant aux brasseurs exposants où les visiteurs votent pour leur bière préférée, ainsi que les mythiques soirées « Off Mondial » se tenant dans divers broue-pubs de la ville.

MTL À TABLE

Divers endroits à Montréal
514-873-2015
www.tourisme-montreal.org/mtlatable

En novembre.

LA FÊTE DES VINS DU QUÉBEC

Marché Bonsecours
350, rue Saint-Paul Est
www.fetedesvins.ca

Fin novembre - début décembre.

WINTER WARMER

www.winterwarmermontreal.com

Date et lieu à confirmer.

PRODUCTEURS

Breuvages, vins et spiritueux

SAINT-JUSTIN

Siège social : 5260, avenue Notre-Dame-de-Grâce
514-482-7221
www.saintjustin.ca

Dans le village de Saint-Justin en Mauricie existe une source qui permet à notre belle province de produire la seule vraie eau minérale pétillante du Québec, mise en bouteille de verre à la source même. Prenant naissance dans les montagnes des Basses-Laurentides, l'eau est puisée à 50 m de profondeur et est protégée naturellement par de nombreuses couches d'argile, de sable et de gravier d'une imperméabilité à toute épreuve. Découverte en 1895, l'eau Justin est exploitée depuis 1971 à l'initiative du docteur Paul Dagenais-Pérusse, pédiatre, qui cherchait depuis longtemps une eau avec des propriétés bien déterminées : la teneur élevée en bicarbonate de soude, élément favorisant la digestion, et l'embouteillage à la source même. En 1974, elle change de nom en adoptant le nom du village de Saint-Justin.

Un produit local dans des contenants fabriqués ici, ce qui en fait un produit écologique, cette eau se distingue par sa douceur due à sa faible teneur en calcium et par ses bienfaits pour la digestion grâce à son taux élevé en bicarbonate de

soude. Que ce soit pour vos apéritifs, pour accompagner vos repas, pour aider la digestion ou tout simplement parce que vous avez une bonne soif, l'eau minérale pétillante Saint-Justin répond à vos besoins. À la maison, sur une terrasse au soleil, entre amis, dans vos cocktails ou vos réceptions, toutes les occasions sont bonnes pour y goûter et la déguster.

Chez le brasseur

LES 3 BRASSEURS

1658, rue Saint-Denis
514-845-1660
www.les3brasseurs.ca
Autres adresses : 105 rue Saint-Paul Est, 514-788-6100 • 732 rue Sainte-Catherine Ouest, 514-788-6333 • 1356 rue Sainte-Catherine Ouest, 514-788-9788 • 7225 boulevard des Galeries d'Anjou, 514-351-5591 • 9316 boulevard Leduc, Brossard, 450-676-7215 • Centropolis, 2900 avenue Pierre-Péladeau, Laval, 450-988-4848 • 46-A boulevard Brunswick, Pointe-Claire, 514-370-5590.

Dimanche-mercredi, 11h30-minuit ; jeudi, 11h30-1h ; vendredi-samedi, 11h30-2h.
Horaire variable selon l'affluence et la saison. Terrasses.

L'histoire des 3 Brasseurs, au Québec, a débuté le 21 juin 2002, lorsque le patron décida d'ouvrir les portes du 1658 Saint-Denis, à Montréal, premier restaurant de la chaîne française en Amérique. La brasserie fonctionne à plein régime depuis ! Au menu des bières, choisissez parmi la blonde, l'ambrée, la brune, la blanche ou la IPA, sans oublier les éditions limitées (bière du mois, du quartier), toutes brassées devant vos yeux ; et si vous hésitez, optez pour l'Etcetera : une palette de saveurs parmi lesquelles vous trouverez votre préférée ! En groupe, vous préférerez le spectaculaire « mètre de bières » vous offrant dix verres de bières variées, accompagnés d'une Flamme, spécialité culinaire des 3 Brasseurs. La diversité est au menu, avec des plats comme les moules et les hamburgers à la bière maison, la choucroute, des salades et grillades, mais surtout les Flammekueches. On les apprécie en plat principal, nappées d'une variété de garnitures : lardons, poulet, légumes variés et fromages du Québec, ou en dessert, garnies de pommes, bananes et chocolat.

Comme vous l'aurez compris, le concept fonctionne fort bien, et la grande région de Montréal compte maintenant huit établissements plus trois à Québec, deux à Toronto et deux à Ottawa (Ontario).

BENELUX

245, rue Sherbrooke Ouest, 514-543-9750
4026, rue Wellington, 514-508-5592
www.brasseriebenelux.com

Samedi-mercredi, 14h-3h ; jeudi-vendredi, 11h-3h. Soirée « cask » le jeudi. Grande terrasse avant de plus de 100 places assises sur Sherbrooke, magnifique biergarten de 200 places sur Wellington.

Une brasserie artisanale dont la réputation dépasse largement les frontières de la province. Aux pompes, de succulentes bières d'inspiration américaine, dominées par le houblon, ainsi que quelques spécialités belges (à noter que la succursale de Verdun se spécialise dans les lagers allemandes et bières anglaises). Chaque jour, on retrouve une douzaine de bières maison à l›ardoise, avec une rotation selon les saisons et l'humeur des brasseurs. Quelques grands classiques : la Flimzie (pale ale belge), la Cuda (IPA américaine), l'Ergot (triple saison au seigle), l'Armada (brown ale américaine), et la Strato (West Coast Stout). Plusieurs événements sont également organisés pendant l›année afin de vous faire découvrir des petits bijoux en édition limitée.

Avec une adresse aussi stratégique, entre le campus de l'UQÀM et celui de l'Université McGill, à deux pas du Quartier des Spectacles, la succursale de la rue

Sherbrooke est vite devenue le port d'attache des étudiants et professionnels du secteur. Et les amateurs des bières Benelux peuvent se réjouir car une deuxième adresse a ouvert dans l'ancienne Banque de Montréal sur la rue Wellington à Verdun, avec en prime, un superbe « biergarten ». Leurs atouts : design et décoration innovateurs, Internet sans fil gratuit, repas de style bistro (ses hot-dogs européens sont classés parmi les meilleurs en ville selon le site UrbanSpoon) et bien sûr, de la bière de première qualité brassée sur place.

BISTRO-BRASSERIE LES SŒURS GRISES

32, rue McGill
514-788-7635
www.bblsg.com

Ouvert en semaine dès 11h, 15h le week-end. Heures de fermeture de la cuisine : 22h dimanche-lundi, 23h mardi-mercredi, minuit jeudi-samedi. Le bar reste ouvert plus tard en fonction de l'achalandage. Items à l'effigie de la brasserie en vente sur place. Visite des installations brassicoles avec dégustation sur réservation. Terrasse.

Ce quartier général houblonné a officiellement ouvert ses portes le 1er janvier 2012, en plein cœur du Vieux-Montréal, à l'endroit même où se trouvait, à l'époque, Les Sœurs Grises, congrégation religieuse créée par Marguerite d'Youville. Le bistro-brasserie a su donner un cachet historique grâce à la récupération de nombreux éléments ayant appartenu à la congrégation et qui décorent les lieux. Sur place, on retrouve une constante de neuf bières maison aux pompes, dont trois dédiées aux éditions limitées en rotation. Également à l'ardoise : des bières d'importation privée longuement mûries en cellier, un service occasionnel de bières en cask, et une belle carte des vins en importation privée. Niveau boustifaille, un menu savoureux est offert, avec une spécialité de gibiers et de produits du terroir. Sachez aussi que les lieux possèdent deux fumoirs où les artisans de la cuisine concoctent d'excellents produits maison, tous faits avec différents types de bois afin d'aller chercher des saveurs bien distinctes. Une adresse à découvrir, si ce n'est pas déjà fait !

BRASSERIE MCAUSLAN

5080, rue Saint-Ambroise
514-939-3060
mcauslan.com

Pub Annexe St-Ambroise : mardi-jeudi, 16h-23h ; vendredi-samedi, 16h-1h. Terrasse St-Ambroise ouverte en saison estivale ainsi qu'au début octobre pour l'Oktoberfest. Informez-vous sur les visites des installations brassicoles avec dégustations. Items à l'effigie de la brasserie et produits dérivés (moutardes à la bière) en vente sur place. Programmation culturelle et musicale.

La brasserie McAuslan est le bébé de son fondateur Peter McAuslan et d'Ellen Bounsall (à noter que depuis avril 2013, la brasserie est dorénavant la propriété des Brasseurs RJ). Fondée en 1988, la première bière est lancée sur le marché dès l'hiver suivant : la St-Ambroise Pale Ale est depuis une référence en matière de style. Elle sera aussi la première bière de microbrasserie québécoise à être vendue en bouteille. En 1991, c'est avec joie que l'on déguste la première St-Ambroise noire à l'avoine. L'année suivante, on découvre la famille Griffon : l'extra-blonde et la rousse. Par la suite, pour le plus grand plaisir des amateurs de bonnes bières, 1997 marque l'arrivée sur le marché de ses quatre bières saisonnières. Plusieurs autres délices sont apparus depuis : la IPA et la Double IPA, la Scotch Ale, la bière à l'érable, ou encore le Stout Impériale Russe. La brasserie a rapidement gagné le respect des bièrophiles du monde entier et les plus grands critiques considèrent les bières McAuslan parmi les meilleures du genre.

De mai à septembre, la terrasse St-Ambroise, qui donne sur les rives du canal de Lachine, est l'endroit tout désigné pour déguster les produits de la brasserie (ouvert tous les jours dès midi). Mais sachez que la brasserie a inauguré en avril 2014 son tout nouveau pub, l'Annexe St-Ambroise, question de doubler le plaisir.

LES BRASSEURS RJ

5585, rue de la Roche
514-274-4941
www.brasseursrj.com

En 1998, M. Roger Jaar achetait tour à tour Les Brasseurs GMT, Les Brasseurs de L'Anse au Saguenay et la brasserie Cheval Blanc pour ainsi créer les Brasseurs RJ. En réunissant les trois brasseries sous une même entité, Brasseurs RJ devenait un concept unique au Québec avec la possibilité de produire des bières des trois grandes influences brassicoles : lagers (Belle Gueule, Tremblay, Canon) ales de type anglais (Lochness, Folie Douce) et ales de type belge (Blanche de Cheval Blanc, Coup de Grisou, Blonde et Brune d'Achouffe – brassées sous licence, Cap Espoir, Death Valley, etc.). À noter qu'en 2008, les Brasseurs RJ ont acquis une participation minoritaire dans la brasserie McAuslan et depuis avril 2013, ils en sont maintenant propriétaires.

La brasserie est située en plein cœur du Plateau Mont-Royal et s'étale sur une superficie de plus de 70 000 pieds carrés. En septembre 2013, Les Brasseurs RJ ont d'ailleurs inauguré une toute nouvelle salle de brassage à la fine pointe de la technologie. Avec sa gamme de produits très diversifiée, fruit du talent et de la passion de maître brasseur Jérôme C. Denys, Brasseurs RJ est rapidement devenue une des brasseries régionales les plus importantes au Québec. Elle est aussi très active dans la distribution de bières européennes telles que Bitburger, Wernesgrüner, König, Carlsberg, Kronenbourg et Grimbergen. Un incontournable de la scène brassicole québécoise !

BROUE PUB BROUHAHA

5860, avenue de Lorimier
514-271-7571
www.brouepubbrouhaha.com

Lundi-vendredi, 11h-3h ; samedi-dimanche, 15h-3h. Menu gourmand, boucanerie sur place. Programmation culturelle et musicale. Plusieurs services pour l'événementiel. Petite terrasse.

Marc Bélanger brasse de la bière depuis plus de vingt ans. En 2007, c'est son rêve qu'il réalise : celui d'avoir sa propre brasserie artisanale, le Broue Pub Brouhaha, dont il partage dorénavant la gestion avec Annie Auger et Sylfanc Côté de la boutique Les Délires du Terroir. C'est LA brasserie artisanale de Rosemont et le point de rendez-vous par excellence des bièrophiles du quartier. Ouvert « officiellement » depuis juin 2008, l'endroit ne désemplit pas et pour cause. Le menu propose d'excellentes bières maison d'inspiration belge, ainsi qu'une sélection des meilleures bières artisanales de la province et d'importation privée. Parmi les bières maison, notons la Fleur du Diable « Luxura », une Double Pale Ale belge, la Saison Voatsiperifery, une saison au poivre sauvage, et le Gaz de Course, un vin d'orge.

À essayer pour papilles gourmandes : les bières servies au Randall chaque mardi (chambre à houblon qui se place entre le fût et le robinet de tirage pour un houblonnage à cru). En plus du houblon, le calendrier des événements est fort chargé : matchs sportifs sur écran géant, ateliers et conférences sur la bière, vernissages, spectacles musicaux, d'humour, impro, etc. À ne pas manquer : l'événement « Lundi Douteux » où est présenté chaque semaine un film curieux et questionnable. Tout simplement unique !

BRUTOPIA

1219, rue Crescent
514-393-9277
www.brutopia.net

Dimanche-jeudi, 15h-3h ; vendredi, 12h-3h. Items à l'effigie de la brasserie en vente sur place. Programmation culturelle et musicale. Trois terrasses.

Brutopia a ouvert ses portes en 1997 grâce aux efforts de Jeffrey Picard, un bièrophile passionné qui a réussi à créer une petite institution sur la populaire rue Crescent. Brutopia mise depuis ses débuts sur l'implication locale, notamment en présentant gratuitement des spectacles d'artistes indépendants montréalais, en organisant des événements de levée de fonds pour des organismes communautaires, en brassant des bières à même le pub dont plusieurs renferment une bonne portion de malt québécois, et en donnant les rejets de céréales produits lors du brassage à des fermes de la région. La petite entreprise encourage donc l'économie locale tout en valorisant le respect de l'environnement dans chacune de ses opérations.

On y vient pour sa IPA, sa blonde au framboise, son Stout au chocolat, mais surtout pour cette si agréable atmosphère, un endroit où il fait tout simplement bon de déguster une bière maison entre amis. En plus des cinq bières régulières, chaque saison apporte son lot de découvertes selon les humeurs des brasseurs, Chris Downey et John Fairbrother. Pour les petits creux, jetez un coup d'œil au menu de Brutapas, de quoi faire gronder votre estomac ! Avons-nous besoin de mentionner les nombreux spectacles gratuits, les dimanches « open mic », les lundis « trivia night » (en anglais seulement), les fêtes et soirées bénéfices, et la terrasse chauffée à l'arrière !

PREMIÈRE COOP BRASSICOLE DU QUÉBEC

Projet mûri par Marc Bélanger du Broue Pub Brouhaha, MABRASSERIE verra le jour au début de l'été 2014 dans le quartier Rosemont. Cette coopérative de travailleurs, qui inclut une facette éco-responsable, regroupera différentes microbrasseries telles le Brouhaha, Noire et Blanche, La Succursale et Boquébière, par exemple. En plus de leur servir de lieu de brassage et d'embouteillage, le complexe comprendra une école de brassage, une boutique, et un salon de dégustation avec terrasse de 80 places. Bref, un véritable centre d'interprétation, de formation et de partage sur la bière et sa fabrication. On a hâte !

Plus d'info sur la coop, les cartes privilèges et la boutique en ligne : **www.mabrasserie.com**

LE CHEVAL BLANC

809, rue Ontario Est
514-522-0211
www.lechevalblanc.ca

Lundi-dimanche, 15h-3h. Items à l'effigie de la brasserie en vente sur place. Programmation culturelle et musicale. Terrasse.

Le Cheval Blanc, c'est avant tout un lieu où depuis 1924 les artistes, les gens d'affaire qui travaillent au centre-ville, les étudiants et les citoyens du quartier se retrouvent pour boire des bières de qualité et refaire le monde. C'est aussi un pionnier dans son domaine et la première brasserie à obtenir un permis de brasseur artisan, soit en 1987. À la fin 2008, des travaux de rénovation et d'agrandissement ont permis d'augmenter et d'améliorer la production brassicole, d'augmenter la capacité des lieux, d'ajouter une pleine fenestration à l'arrière donnant ainsi une vue splendide sur une cour verdoyante, et d'installer une terrasse à l'avant.

En plus de brasser d'excellentes bières et de proposer une belle sélection en importation privée, le Cheval Blanc a toujours offert une place de choix aux artistes émergents. Spectacles, lancements de livres et de disques, et expositions d'œuvres d'artistes locaux font entre autres partie de la programmation. En plus d'être active au niveau culturel, la brasserie met l'emphase sur les produits régionaux dans la conception de son menu.

Une véritable institution montréalaise, reconnue pour l'excellence et l'originalité de ses produits. Bienvenue au monde entier!

DIEU DU CIEL! - BRASSERIE ARTISANALE

29, avenue Laurier Ouest
514-490-9555
www.dieuduciel.com

Lundi-jeudi, 15h-3h ; vendredi-dimanche, 13h-3h. Terrasse. Autre adresse : 259, rue de Villemure, Saint-Jérôme, 450-436-3438 (ouvert dès 11h30 en semaine et 14h le week-end).

En mars 1993 naissait la bière Dieu du Ciel!, produit mûri et brassé à la maison par Jean-François Gravel. Puis en septembre 1998, c'est l'ouverture de la brasserie artisanale portant le même nom, sur la rue Laurier à Montréal. Sur la centaine de recettes différentes élaborées depuis les débuts de la brasserie, il s'en ajoute de nouvelles chaque année et dix-huit bières sont toujours au menu dont une en cask. Notre recommandation : l'assiette de fromages québécois accompagnée d'une de leurs excellentes bières blanches. Un pur délice !

La réputation de Dieu du Ciel! n'est plus à faire. C'est ce gage de qualité et de diversité qui attire les amateurs de bières, venant parfois même de très loin, et en réponse à cette demande croissante, Dieu du Ciel! a depuis quelques années sa propre microbrasserie à Saint-Jérôme avec un pub, une terrasse et une boutique. Une vingtaine de leurs bières y sont embouteillées, certaines qu'une seule fois par année, et sont disponibles chez les détaillants spécialisés de la province ainsi qu'aux pompes de plusieurs établissements licenciés. Chose certaine, les bières Dieu du Ciel! remportent un vif succès à voir les nombreuses reconnaissances décernées au cours des dernières années, tant ici qu'à l'étranger.

100 % SANS GLUTEN, 100 % BON GOÛT !

Seule microbrasserie au pays à brasser des bières dans un environnement exempt à 100 % de gluten, Glutenberg est le fruit des efforts et de la passion de Julien Niquet et David Cayer. Ces deux bièrophiles dans l'âme et amis de longue date vouent une véritable passion au monde de la bière de microbrasserie mais également à l'entrepreneuriat, deux éléments plus qu'indispensables pour le démarrage et la gestion d'une telle entreprise.

Pourquoi des bières sans gluten ? L'idée cheminait depuis un bon moment dans la tête de Julien, lui-même intolérant au gluten. Après des mois de recherche, c'est en janvier 2010 que l'idée pris forme pour devenir la microbrasserie que l'on connaît aujourd'hui. Les bières Glutenberg, brassées avec amour par Gabriel Charbonneau et son équipe, sont d'une qualité irréprochable et n'ont rien à envier aux bières faites à base d'orge. De plus, chaque brassin subit le test Elisa afin de dépister la présence de gluten. Leurs bières sont disponibles dans de très nombreux points de vente à travers la province ainsi qu'aux pompes de certains établissements spécialisés. À découvrir : la toute nouvelle Série Gastronomique, une gamme de bières conçue pour les plaisirs de la table et développée en collaboration avec le célèbre sommelier François Chartier, auteur du livre Papilles et Molécules. Pour info : **glutenberg.ca**

LE SAINT-BOCK

1749, rue Saint-Denis
514-680-8052
www.saintbock.com

Ouvert tous les jours de 11h30 à 3h. Programmation des événements sur leur page Facebook. Items à l'effigie de la brasserie en vente sur place. Terrasse.

Cette brasserie artisanale, qui vient tout juste de subir d'importants travaux de rénovation, a vu le jour en octobre 2006, en plein cœur du réputé Quartier latin. Depuis, sa popularité grandissante ne se dément pas. En plus d'offrir d'excellentes bières brassées sur place, Le Saint-Bock se fait également fier représentant des microbrasseries québécoises avec près d'une cinquantaine de lignes de fûts, sans compter sa carte exhaustive de bières importées et d'importation privée. C'est en tout plus de 850 bières qui figurent au menu, ce qui le classe dans le « top 3 » nord-américain et « top 15 » mondial des bars à bières selon nos recherches (en date du printemps 2014), alors il se pourrait que vous mettiez un certain temps à vous décider... Parmi les bière maison à découvrir, nous vous suggérons la Pénitente (bière de blé de type Witbier belge), l'Apôtre (ale forte de type belge), la Roggenbier (bière de seigle), la Traître (extra special bitter), la Calice (India Pale Ale), ou encore la Malédiction (stout au lactose).

Pour les fringales, vous dénicherez sans aucun doute votre plaisir gourmand dans le savoureux menu et prenez note que la cuisine reste ouverte tous les soirs jusqu'à 2h du matin. À ce fait, la brasserie organise des événements gourmands annuels dont La Cabane à Bière en avril, une version bien houblonnée de la cabane à sucre traditionnelle (édition du Temps des Fêtes en janvier). À mettre impérativement au carnet !

Bref, un incontournable du Quartier latin qui allie bière artisanale, de microbrasseries québécoises et d'importation.

LA SUCCURSALE

3188, rue Masson
514-508-1615
www.lasuccursale.com

Lundi-mardi, 15h-1h ; mercredi-jeudi, 15h-3h ; vendredi-samedi, 13h-3h ; dimanche, 13h-1h. L'horaire peut varier en fonction de l'achalandage. Items à l'effigie de la brasserie en vente sur place. Petite terrasse à l'avant. Club des chopes : 72 $ par an, incluant un verre identifié à votre nom et des invitations à des événements spéciaux.

Fière propriété de Gilles et Yves Mireault ainsi que de Jean-Philippe Lalonde, cette brasserie artisanale du Vieux-Rosemont, devenue un véritable QG dans le quartier, vient tout juste de souffler les bougies de son troisième anniversaire en mai 2014.

La Succursale a un petit penchant pour les bières d'inspiration allemande. Sur la quinzaine de recettes développées à ce jour, on retrouve une constance de six à neuf produits aux pompes avec en prime, quelques bières invitées. De la Weizen à la IPA, en passant par la blonde de type Kölsch et le Porter, chacun trouvera son bonheur. L'ardoise affiche également une sélection de scotch et quelques alcools québécois (Brandy de pomme de Michel Jodoin, gin Ungava, cidre de glace, etc.). Pour les petits creux, une belle sélection de coupe-faim vous est proposée, avec un accent sur les produits régionaux. Côté ambiance, on aime la déco au look industriel et son plafond de 12 pieds, sans oublier le mobilier construit par un ébéniste local et la superbe toile faite sur mesure par l'artiste Renaud Hébert. Plusieurs événements sont également organisés au fil des mois. Définitivement un endroit où l'on a envie de prendre racine !

ET AUSSI :

ARCHIBALD MICROBRASSERIE | RESTAURANT

Aéroport de Montréal
975, boulevard Roméo-Vachon Nord, Dorval
514-687-9977
www.archibaldmicrobrasserie.ca

Petit déjeuner dès 5h. Autres adresses : 1021, boulevard du Lac, Lac-Beauport, 418-841-2224 / 1 877-841-2224 ; 1240, autoroute Duplessis, Québec, 418-877-0123 ; 3965, rue Bellefeuille, Trois-Rivières (ouverture à l'automne 2014).

Se référer à la section « Québec » pour plus d'information.

BRASSEUR DE MONTRÉAL

Microbrasserie : 1483, rue Ottawa, 514-788-4500
Resto-bar : 1485, rue Ottawa, 514-788-4505
www.brasseurdemontreal.ca

ETOH BRASSERIE

8100, rue Saint-Denis
514-508-9894
www.etohbrasserie.com

HELM MICROBRASSERIE

273, rue Bernard Ouest
514-276-0473
www.helmmicrobrasserie.ca

L'AMÈRE À BOIRE

2049, rue Saint-Denis
514-282-7448
www.amereaboire.com

L'ESPACE PUBLIC, BRASSEURS DE QUARTIER

3632, rue Ontario Est
514-419-9979
www.lespacepublic.ca

Chocolats et confiseries

CHOCOLATS GENEVIÈVE GRANDBOIS

La fabrique : 5524, rue Saint-Patrick, 514-270-4508
Boutiques :
Le Bar à Chocolat - Quartier Dix30, Brossard, 450-462-7807
La Boutique - 162, rue Saint-Viateur Ouest, Montréal, 514-394-1000
Le Comptoir - Marché Atwater, Montréal, 514-933-1331
www.chocolatsgg.com

Horaire variable selon la succursale. Boutique en ligne également.

À Montréal, la passion pour le chocolat porte un nom : Chocolats Geneviève Grandbois. Tous les amoureux de ce divin produit savent que ses chocolats fins sont des créations uniques qui représentent l'excellence en la matière. De parfaits petits carrés faits à partir de chocolat provenant des meilleures producteurs européens ainsi que de sa plantation au Costa Rica. Original et exotique, chacun se décline comme une œuvre d'art qui vous fera voyager aux quatre coins de la planète. Il va sans dire que ces bouchées de bonheur sauront vous faire vivre une expérience gastronomique forte en intensité. En plus des différentes collections de chocolat, l'entreprise concocte d'autres plaisirs savoureux comme la tartinade à la fleur de sel, du caramel croquant, du chocolat chaud, des brindilles de chocolats à l'érable ou à la fleur de sel, ainsi quelques créations suivant les thématiques saisonnières.

L'ATELIER

5308, boulevard Saint-Laurent
514-273-7442
www.restaurantlatelier.ca

Lundi, fermé ; mardi-dimanche, dès 17h30. Deux services vendredi et samedi soir (18h et 21h). Plats principaux à la carte : à partir de 25 $. Apportez votre vin.

L'Atelier est un lieu où le naturel et la simplicité ont leur importance. Ici rien n'est superficiel ni superflu, tout se concentre dans la cuisine. Tout est dans la finesse, dans la qualité des produits, dans l'art de les marier et de les présenter. Parmi les plats, notons le magret de canard légèrement fumé, lait de mais et caramel à la lavande ; la poitrine de caille et crevettes poêlées, coulis de courge musquée, huile de genévrier et salsifis ; la bavette de cheval, salsifis au boudin, caviar de moutarde, purée de pommes de terre douces, sauce gingembre et cerise ; ou encore le pavé de thon Albacore en croûte d'épices, fenouil à confit, miel de tomate, graines de fenouil de torréfiées, algues dulce frites. Il ne reste ensuite qu'à couronner le tout d'un des savoureux desserts faits maison. Un moment de bonheur...

LE BLEU RAISIN

5237, rue Saint-Denis
514-271-2333

Lundi-dimanche, 17h30-22h30. Menu à la carte, table d'hôte et deux menus carte blanche (8 services à 65 $ et 10 services à 75 $). Apportez votre vin. Terrasse. Réservation recommandée. Certifié Terroir & Saveurs du Québec.

Un cadre sobre et élégant pour ce restaurant de cuisine française qui vous propose une ardoise axée sur les produits du terroir québécois, en tenant compte des saisons et du marché. Les plats sont généreux, bien présentés, et préparés avec talent par le chef-propriétaire, Frédéric Mey. On vous recommande les gibiers, et aussi les desserts, notamment la crème brûlée et le fondant truffé. L'ambiance est chaleureuse et souvent animée ; quant au service, il est tout à fait à la hauteur. Bref, une adresse intéressante sur le Plateau, qui accueille agréablement ses habitués et les nouveaux venus.

LE CABARET DU ROY

363, rue de la Commune Est
514-907-9000
www.oyez.ca

Mi-mai à fin juin et début septembre à mi-octobre : vendredi-dimanche, midi et soir. Fin juin à début septembre : mercredi-dimanche, midi et soir. Le reste de l'année : vendredi-dimanche, soir seulement. Réservation obligatoire pour les tablées et les festins. Ouvert en tout temps pour les groupes de 25 personnes et plus. Certifié Terroir & Saveurs du Québec.

Avez-vous l'étoffe d'un pirate ? Si oui, c'est au Cabaret du Roy qu'il faut vous rendre. Au programme, maison de jeux clandestine, musiciens et animations théâtrales interprétées par des personnages historiques d'antan. En résumé, un véritable esprit de fête autour de l'histoire, de la gastronomie ancienne et de la comédie. Le Cabaret offre un menu à la carte et en table d'hôte, des tablées (3, 4, 5 et 7 services) et des festins pour occasions spéciales en saison (Noël, cabane à sucre, etc.). A l'ardoise : rôtisseries et confits, cuisine inspirée des Premières

Nations, ou de fort bons ragoûts constitués de joues de bœuf braisées, épaule de porc « à la Jerk », pitance du capitaine ou côtes levées de porc des normands... Toutes ces sélections vous sont proposées avec un grand choix d'apéritifs typiques, de vins et de digestifs. Lors de la belle saison, une terrasse est installée avec vue sur la rue Saint-Paul, typique du quartier du Vieux-Montréal. Une bonne table pour ripailler, une ambiance festive et une décoration expressive.

LES ÎLES EN VILLE

5335, rue Wellington, Verdun
514-544-0854
www.lesilesenville.com

Lundi, fermé ; mardi, 11h-20h ; mercredi-vendredi, 11h-22h ; samedi-dimanche, 15h-22h. Le resto peut fermer plus tard vendredi en samedi, en fonction de l'achalandage. Plats principaux à la carte : moins de 35 $.

Vous retrouvez ici l'esprit des Îles de la Madeleine. Ce coin de paradis est dirigé par la famille Painchaud : Ginette, Donald et Emilie. L'accueil est joyeux à la bonne franquette. Des photos de la famille décorent le restaurant, même dans les endroits les plus originaux comme sur la porte des toilettes, où l'on retrouve grand-père et grand-mère. L'été, la famille installe une terrasse à l'arrière qu'elle embellit avec un voilier, des casiers à homard, des filets de pêches, et le drapeau acadien. Le 16 août, on y célèbre la fête de la région jusqu'au petit matin. Un bon endroit à l'ancienne, comme on les aime, avec une cuisine ouverte où l'on prépare, selon la tradition, les plus délicieux homards du monde, cuits à la vapeur et au sel de mer. On raffole du pot-en-pot de fruits de mer, des galettes à la morue, du loup marin (très riche en fer) préparé en burger, en filet ou en saucisse. Pour les indécis, l'assiette de dégustation « tour des îles » regroupe toutes les spécialités en petite quantité. Une adresse chouchou !

AUBERGISTE, À BOIRE !

BIÈRES ET COMPAGNIE

4350, rue Saint-Denis
514-844-0394
www.bieresetcompagnie.ca

Lundi-dimanche, 11h-fermeture (ouvert tard). Autre adresse : 2285, chemin Gascon, Terrebonne, 450-492-3339.

Des mets savoureux et de qualité, une carte des bières particulièrement étoffée, le tout dans un décor agréable et confortable. C'est tout cela Bières et Compagnie ! Comme son nom l'indique, le houblon est la raison d'être de ce restaurant où cuisine et bières font bon ménage : soupe à l'oignon à la Boréale Noire gratinée au cheddar blanc, braisé de bœuf à la bière Trois-Pistoles, choucroute garnie mijotée à la Krombacher Pils... Lieu de prédilection des bièrophiles, le choix est difficile

parmi la centaine de bières proposées, dont une belle sélection d'importation privée. Les produits québécois représentent une quarantaine de bières, ce qui n'est pas négligeable ! Notez que les moules sont à volonté du dimanche au mercredi pour environ 20 $, le tout accompagné d'excellentes frites belges.

BIER MARKT MONTRÉAL

1221, boulevard René-Lévesque Ouest
514-864-7575
lebiermarkt.com

Dimanche-mercredi, 11h-1h ; jeudi-samedi, 11h-3h. Plats principaux le midi et brunch : moins de 25 $, le soir et menu fin de soirée : 10 $-50 $. Plateau de charcuterie : à partir de 18 $. Huîtres à 1 $ du lundi au jeudi de 17h à 20h.

Ouvert en grande pompe à la fin de l'année 2013, le Bier Markt Montréal ne laisse aucun amateur de bières indifférent. Comme son nom l'indique, l'endroit se voue corps et âme à la bière et à la gastronomie à la bière. Plus de 150 sortes sont disponibles dont 46 en fût, provenant d'une trentaine de pays, et nous avons été ravis de constater à quel point les employés sont bien formés pour nous guider dans nos choix. Côté boustifaille, le menu s'harmonise parfaitement avec les délices houblonnés, dont une belle sélection de plats à la bière. Grillades, moules frites, huîtres, assiettes de fromages et charcuterie, flammekueches, schnitzels et autres succulents plats viendront combler les petits comme les grands appétits. De plus, le Bier Markt Montréal vous offre de la musique sur place gratuitement du vendredi au dimanche, alors que les mercredis et jeudis laissent place aux DJs avec des chansons « old school ».

SAINT-CIBOIRE PUB & TERRASSE

1693, rue Saint-Denis
514-843-6360
www.pubsaint-ciboire.com

Lundi-dimanche, 14h à 3h. Grande terrasse.

Le Saint-Ciboire pub & terrasse, c'est d'abord et avant tout un endroit convivial où l'on peut profiter de l'une des plus grandes terrasses à Montréal. Le Saint-Ciboire se démarque autant par sa programmation que par sa variété de bières de microbrasseries québécoises. On y trouve onze produits locaux en fût, une quinzaine en bouteille et une carte présentant plus d'une vingtaine de scotchs et de whiskys. On peut y savourer ses bons produits locaux tout en y découvrant les talents artistiques québécois lors des soirées musicales, d'improvisation ou d'humour.

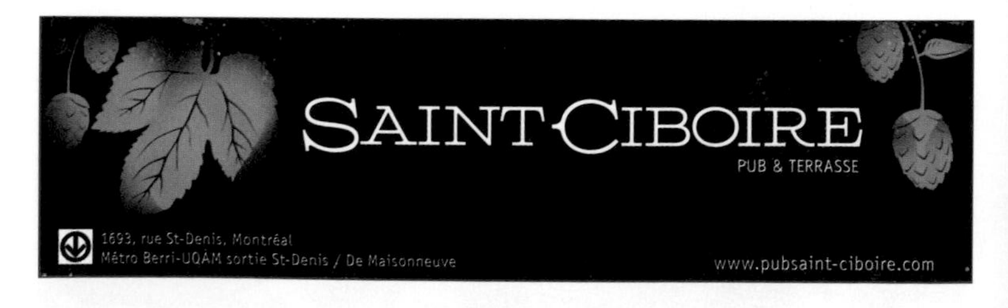

STATION HO.ST

1494, rue Ontario Est
514-564-4678
www.stationhost.ca / www.hopfenstark.com

Ouvert tous les jours de 15h à 1h. Restauration sur place. Terrasse. Pour plus d'information sur la microbrasserie, référez-vous à la rubrique « Producteurs » - « Chez le brasseur » dans région de Lanaudière.

On le souhaitait, et c'est arrivé. Le salon de dégustation de la microbrasserie Hopfenstark a fait le grand saut pour la métropole. Et avec un menu de bières maintes fois récompensées, sans oublier les nombreux palmarès sur l'incontournable site RateBeer.com, c'est tant mieux pour nous. Les lundis « bières rares », mardis « fût de chêne » et les jeudis « cask » font notamment découvrir de purs bijoux aux amateurs. Des bières invitées se taille également une place aux pompes, alors que le bar accueille une belle sélection de scotch, bourbon, rye et whisky. Un endroit convivial qui vaut vraiment le détour !

LE VESTIAIRE

6634, rue Saint-Hubert
514-564-3823
www.barlevestiaire.com

Dimanche-mardi, 16h-minuit ; mercredi, 16h-1h ; jeudi-samedi, 16h-3h. Cuisine ouverte mardi et mercredi de 17h à 21h, et du jeudi au samedi de 17h à 23h. Terrasse.

Vous aimez les ambiances décontractées, la bière de microbrasserie et le hockey ? Si vous avez répondu « oui » à au moins un de ces trois choix, vous trouverez chaussure à votre pied au Vestiaire. Bar à bières québécoises relativement récent sur la carte, il offre un choix frôlant la cinquantaine de sortes, dont une belle rotation sur les lignes de fût. D'autres types de nectars figurent au menu, ainsi qu'une section pour les petits creux, dont des pizzas et paninis composés selon vos goûts parmi une liste d'ingrédients variés. Pour savoir ce qui animera votre soirée (match de hockey, quiz, spectacle acoustique...), jetez un coup d'œil à leur site web.

VICES & VERSA

6631, boulevard Saint-Laurent
514-272-2498
www.vicesetversa.com

Lundi-mercredi, 15h-3h ; jeudi-vendredi, 12h-3h ; samedi-dimanche, 12h30-3h. Programmation culturelle et musicale. Terrasse.

Un bistro québécois et fier de l'être ! L'endroit, qui a subi des travaux d'agrandissement, propose un vaste choix de produits de microbrasseries avec au menu une trentaine de bières différentes et toutes locales ainsi qu'une petite sélection en cask, à déguster au galopin, au verre ou à la pinte. Un véritable tour de la Route des bières du Québec au cœur même de Montréal ! L'équipe de Vices & Versa se fait également la vitrine d'artisans d'ici en mettant à l'honneur les produits du terroir pour un mariage admirable aux bières proposées. À l'ardoise, des sandwichs bavarois, des pizzas, des burgers gourmands, l'assiette de fromages et terrines ainsi qu'une sélection de grignotines. Ajoutez à cela une agréable terrasse à l'arrière et des spectacles et vernissages qui rendent l'endroit plus agréable encore, et vous comprendrez notre engouement pour cette adresse.

MARCHANDS DE BONHEUR

ARHOMA

15, Place Simon-Valois
514-526-4662
www.arhoma.ca

Lundi-mercredi & samedi, 6h-19h ; jeudi-vendredi, 6h-21h ; dimanche et jours fériés, 6h-18h. Possibilité de manger sur place. Terrasse. Autre adresse : La Fabrique ArHoMa, 1700 rue Ontario Est, 514-598-1700.

ArHoMa est à la fois boulangerie, fromagerie et épicerie fine de quartier misant sur le terroir québécois. Côté boulangerie, les produits, dont plusieurs fort créatifs, sont tous faits maison, le plus demandé étant le pain (fait à partir de farine bio), ainsi que les viennoiseries telles les croissants aux pistaches et/ou sirop d'érable. Un vrai régal ! Les pâtisseries maison sont carrément décadentes, avec des découvertes variant d'une succursale à l'autre. On retrouve également près d'une centaine de variétés de fromages québécois à boutique de la Place Simon-Valois. Pour ceux qui aimeraient casser la croûte sur place, une belle sélection de sandwichs et des salades santé sont notamment proposées.

LA CONSIGNE BEER CHOPE

168, rue Fleury Ouest
514-439-2332
www.laconsigne.ca

Lundi-mercredi, 11h-19h ; jeudi-vendredi, 11h-20h ; samedi, 10h-20h ; dimanche, 11h-18h. Items à l'effigie de la boutique en vente sur place. Dégustations en boutique (voir page Facebook pour les dates).

Charmante boutique spécialisée en bières québécoises, établie dans le quartier Ahuntsic depuis quelques années. Plus d'une trentaine de microbrasseries d'ici distribuent leurs savoureux produits houblonnés pour un superbe choix tous styles confondus, sans oublier les cidres québécois. Pour vous aider dans votre vous aguiller. On y retrouve également quelques grignotines et produits fins dont ceux de La Belle Excuse, de la Maison Orphée et de la Fourmi Bionique, par exemple. Pour avoir des idées d'accords mets et bières, jeter un coup d'œil à l'ardoise, signe d'une belle entente avec le resto voisin, le Chien Rose.

LES DÉLIRES DU TERROIR

6406, rue Saint-Hubert
514-678-6406
www.lesdeliresduterroir.com

Lundi-mercredi, 11h-18h30 ; jeudi-vendredi, 11h-21h ; samedi, 11h-18h ; dimanche, 11h-17h30.

Les Délires du terroir, comme son nom l'indique, est une boutique qui vend uniquement des produits faits au Québec. La sélection de bières est si vaste qu'on se dit que de rassembler une telle collection, c'est plutôt délirant ! Triés sur le volet, les produits de microbrasseries ici représentés sauront satisfaire tant les amateurs en quête de découverte que les bièrophiles aguerris. Niveau délices, on trouve des chocolats, des produits à l'érable, des vinaigrettes, des tartinades, des confits, etc. La sélection d'une trentaine de fromages québécois est elle aussi inspirante. Les bières, gourmandises et fromages en font une bonne place pour acheter des cadeaux, et les proprios l'ont bien compris : ils vous proposent des paniers-cadeaux, mêlant bières et saveurs. N'hésitez pas à vous renseignez sur les différentes combinaisons bières et fromages que l'on vous propose en boutique.

DÉPANNEUR PELUSO

2500, rue Rachel Est
514-525-1203
www.depanneurpeluso.com

Ouvert tous les jours 7h à 23h. Items reliés au monde de la bière (verres, livres, etc.) en vente sur place. Dégustations en boutique le week-end. Conseillers sur place dès 15h (13h du vendredi au dimanche).

Le commerce d'Antonio Peluso est bien plus qu'un simple dépanneur de quartier. C'est en fait l'une des plus grandes références en bières artisanales de la province ! Il suffit de franchir la porte et de se diriger dans la grande salle du fond pour constater l'ampleur de la collection. Plus de 400 bières provenant d'une cinquantaine de microbrasseries québécoises y trônent fièrement, bien classées sur les étalages et en frigo. Et pas besoin de vous dire que les arrivages sont constants, notamment en ce qui a trait aux éditions limitées. Le paradis nous direz-vous ! Des fromages, charcuteries et autres produits du terroir québécois viennent compléter l'offre. Notez que l'année 2014 marque les 30 ans du Dépanneur Peluso. En plus d'une bière anniversaire brassée spécialement pour le commerce, des activités spéciales y seront organisées au fil des mois (voir page Facebook pour tous les détails).

FOU D'ICI

360, boulevard de Maisonneuve Ouest
514-600-3424
www.foudici.com

Lundi-vendredi, 8h-20h ; samedi, 9h-18h ; dimanche, fermé. Bar à déjeuner et menu du jour sur place. Service de traiteur.

Située en plein cœur du Quartier des spectacles, cette boutique plaira aux fous des produits arborant fièrement le fleurdelisé. En effet, plus de 75 % des rayons de cette épicerie sont consacrés aux meilleurs produits québécois, le reste étant dédié aux produits fins, dont plusieurs certifiés biologiques. Toutes les catégories sont ici représentées : boucherie, poissonnerie, boulangerie, fromagerie, potager, sans oublier les essentiels pour le garde-manger, les thés, et les cafés de l'entreprise Toi, Moi & Café. Et pour ceux qui aimeraient avoir tout cuit dans le bec, l'équipe de la boutique concocte, selon son humeur et son inspiration, des prêt-à-manger qui séduiront vos papilles.

FOU DES ÎLES, ÉPICERIE FINE ET POISSONNERIE

1253, rue Beaubien Est
514-656-1593

Lundi-mercredi, 11h-18h30 ; jeudi-vendredi, 11h-19h30 ; samedi-dimanche, 10h-17h. Service traiteur sur demande. Nombreux produits certifiés Ocean Wise et Sea Choice. Commerce certifié Fourchette bleue.

Cette charmante boutique est une brise de fraîcheur : une déco qui n'est pas sans rappeler les Iles, un accueil plus que chaleureux, de délicieux produits de qualité presque exclusivement madelinots, des conseils judicieux très souvent accompagnés de dégustations... Il ne manque que l'air salin pour se croire dans cette belle région maritime ! En plus des produits en étalage, le comptoir des produits frais a aussi de quoi faire saliver, sans oublier la large sélection de produits de loup-marin (phoque). La Gaspésie se taille également un coin dans l'épicerie ainsi que la viande salée des Maritimes. Si cuisiner n'est pas votre tasse de thé, des plats maison sont concoctés avec amour par le chef de la boutique. Avec des nouveaux arrivages frais du jour et une conscience pour les produits de pêche durable sains pour l'environnement, nous ne pouvons que vous recommander chaudement cette boutique.

FROMAGERIE COPETTE + CIE

4650, rue Wellington
514-761-2727
www.fromageriecopette.com

Lundi, fermé ; mardi-vendredi, 8h30-18h30 ; samedi-dimanche, 9h-17h. Service de conception de plateaux de fromages et charcuteries, paniers-cadeaux.

Localisée dans l'arrondissement Verdun, la fromagerie Copette+Cie est un réel petit bijou. Il suffit de franchir ses portes une seule fois pour tomber sous son charme. Le décor coloré de la vitrine, l'accueil, les délicieux effluves de fromages et tous les merveilleux produits qui nous entourent ne sont que quelques éléments qui rendent agréable une visite de ce lieu. Soucieux d'offrir des aliments sains et authentiques à leurs clients, les proprios portent une attention particulière à leur sélection. Sélection qui est d'ailleurs complète, variée et propice à la découverte. Le comptoir à fromages propose des fromages d'artisans québécois et internationaux. Copette+Cie offre aussi les pains et viennoiseries de la boulangerie ArHoMa, une belle sélection de charcuteries artisanales, sans oublier les fameuses gaufres belges faites sur place tous les dimanches. En plus, ici, on ne se gêne pas pour vous faire goûter ! Cette ambiance, qui encourage la découverte des saveurs, fait de la fromagerie Copette+Cie un incontournable lors de vos emplettes.

KEM COBA

60, rue Fairmount Ouest
514-419-1699
www.kemcoba.com

Ouvert en saison, du mardi au dimanche de midi à 21h (souvent plus). Argent comptant seulement.

Coup de cœur généralisé dans la communauté de foodies, ce petit local du Mile-End fait jaser sans cesse depuis son ouverture. À la barre du Kem Coba, la pâtissière et chocolatière Ngoc et son conjoint Vincent, chef pâtissier et maître glacier français exilé au Québec. On fait joyeusement la file à toute heure du jour pour savourer une de leurs glaces maison ou encore un sorbet. Les glaces molles ont la cote et les saveurs varient d'une visite à l'autre (celle au cheese-cake aux fraises est selon nous l'ultime gourmandise). La créativité de nos deux chefs-propriétaires s'étend également aux pâtisseries comme les sablés, brownies, tuiles aux amandes, gâteaux quatre-quarts, gâteaux-éponges... tous relevés d'une petite touche asiatique. Vous deviendrez vite accroc !

L'AUTRE MARCHÉ

514-812-0990
www.lautremarche.org

Cet organisme responsable à but non lucratif fut fondé en 2008 dans l'optique d'organiser des marchés de vente, mais également afin d'engendrer une réflexion sur les conséquences de notre consommation et de développer des liens resserrant la communauté. L'Autre Marché mise avant tout sur les aliments locaux et bios ainsi que plusieurs certifiés équitables (consultez le site Internet pour connaître l'emplacement des marchés saisonniers). En plus des marchés publics, des activités de sensibilisation à l'environnement, au développement durable et à l'écologie sont organisées (ateliers, rencontres, kiosques d'information...). Une belle initiative et espérons que nous retrouverons de plus en plus de ce type de marché dans la région.

MARCHÉ BELLEMARE

349, rue de l'Église
514-761-3406

Lundi-dimanche, 8h-21h. Autres adresses : 2121, boulevard Lapinière, Brossard, 450-466-6850 ; 5350, Grande Allée, Saint-Hubert, 450-676-0220.

Le Marché Bellemare s'est créé une solide réputation en offrant une des plus grandes sélections de bières de la province, surtout en ce qui a trait aux produits rares. C'est plus de 300 bières qui trônent sur les étalages et pratiquement toutes les microbrasseries du Québec y sont représentées. L'ambiance familiale contribue également à en faire un commerce sympathique et la famille Bellemare mise sur deux éléments-clés : la bonne bière et une gestion familiale. Le concept fonctionne à merveille car la clientèle vient parfois de très loin pour se procurer ses bières préférées !

LE MARCHÉ DES SAVEURS DU QUÉBEC

Marché Jean-Talon
280, Place du Marché-du-Nord
514-271-3811
www.lemarchedessaveurs.com

Samedi-mercredi, 9h-18h ; jeudi-vendredi, 9h-20h. Emballages-cadeaux, confection de plateaux de fromages et charcuteries.

Le Marché des Saveurs est une boutique unique en son genre puisque vous n'y trouverez pas moins de 2 500 produits régionaux québécois. Tout ce que le Québec

MARCHÉS PUBLICS DE MONTRÉAL

www.marchespublics-mtl.com

Consultez le site Internet pour connaître la liste des marchés de quartier et aux fleurs.

MARCHÉ ATWATER

138, avenue Atwater | 514-937-7754

Lundi-mercredi, 7h-18h ; jeudi, 7h-19h ; vendredi, 7h-20h ; samedi-dimanche, 7h-17h.

Situé dans le Sud-ouest de Montréal, près du canal de Lachine, le Marché Atwater tire son nom de l'avenue qui la borde et qui perpétue la mémoire d'Edwin Atwater, homme d'affaires et conseiller municipal du XIXe siècle. Le marché existe depuis 1933 et son architecture, de style art déco, lui vaut d'être classé parmi les plus beaux édifices de la ville de Montréal. Ouvert toute l'année, le marché est célèbre pour ses nombreuses boucheries et charcuteries, sa fromagerie réputée, mais aussi pour ses fleuristes et maraîchers, qui s'installent sur le pourtour de l'édifice, l'été venu. Les boutiquiers offrent une large gamme de produits frais, raffinés et originaux. Le savoir-faire des marchands vient des générations qui se sont succédé derrière les étals et de la relève qui travaille fort pour perpétuer la réputation du Marché Atwater.

MARCHÉ JEAN-TALON

7070, avenue Henri-Julien | 514-277-1588

Lundi-mercredi & samedi, 7h-18h ; jeudi-vendredi, 7h-20h ;
dimanche, 7h-17h. Stationnement intérieur sur place.

Situé au cœur de La Petite Italie, le Marché Jean-Talon est l'un des plus vieux marchés publics de Montréal. Il se distingue par son important rassemblement de producteurs locaux de fruits et légumes, et par l'offre diversifiée des nombreux boutiquiers. C'est l'un des plus gros marchés d'Amérique du Nord, dont l'effervescence est constante puisqu'il est ouvert été comme hiver. Pourtant, l'ambiance est celle d'un village, un endroit familial où des générations ont grandi, tant du côté des marchands que des clients. Vous trouverez sur place des fruits et légumes, bien sûr, mais aussi des fleurs, des épices, des huiles, des fromages, des viandes, des poissons, des boulangeries artisanales, sans oublier les savoureux produits du terroir québécois.

MARCHÉ MAISONNEUVE

4445, rue Ontario Est | 514-937-7754

Lundi-mercredi & samedi, 7h-18h ; jeudi-vendredi, 7h-20h ; dimanche, 7h-17h.

Situé dans l'arrondissement Mercier-Hochelaga-Maisonneuve, le Marché Maisonneuve ouvre ses portes au début du XXe siècle, dans une majestueuse bâtisse en pierre. Un grand nombre d'agriculteurs, d'épiciers, de bouchers et de poissonniers s'y succèdent pendant un demi-siècle. Fermé dans les années 1960 par la municipalité, c'est grâce à la persévérance des citoyens du quartier que le Marché Maisonneuve reprend son activité maraîchère en 1980. Il faut attendre encore une quinzaine d'années pour que la vie de marché renaisse au sein d'un nouvel édifice, à quelques pas de l'ancien bâtiment. Du maraîcher au boulanger en passant par le fromager, le boucher, le poissonnier, le fleuriste, vous ne trouverez au Marché Maisonneuve que des spécialistes de leurs produits, qui ont à cœur de vous offrir des produits frais et de qualité, toute l'année.

MARCHÉ DE LACHINE

1875, rue Notre-Dame
514-937-7754

Lundi-mercredi, 9h-18h ; jeudi, 9h-19h ; vendredi, 9h-20h ; samedi, 8h-17h ; dimanche, 9h-17h.

Situé à deux pas de la piste cyclable du canal de Lachine, le Marché de Lachine est riche d'une longue histoire. C'est le plus vieux marché public de Montréal. Ouvert en 1845 sur le site de l'actuelle mairie d'arrondissement, il est au cœur du centre économique de la ville. Détruit par un incendie en 1866, le marché rouvrira ses portes quarante ans plus tard sur la rue Notre-Dame. Depuis 2004, il est ouvert toute l'année. Vous y trouverez une fromagerie, une pâtisserie ainsi que des maraîchers, l'été... eh oui ! Le Marché de Lachine est aussi le plus petit marché public de Montréal !

a de meilleur se trouve dans ce marché : du saucisson des Iles de la Madeleine au caviar de la Gaspésie, en passant par une belle gamme de confitures et gelées, de fines herbes, de condiments et marinades, de produits de l'érable, et quelque 225 fromages québécois. Belle sélection de produits biologiques et/ou équitables (thés, cafés, cosmétiques, etc.). En plus de la multitude de produits gourmands, vous y découvrirez une belle variété de boissons artisanales telles que le cidre, le vin, l'hydromel, les alcools de petits fruits, les boissons à l'érable et, bien entendu, la bière de microbrasserie. Un endroit dont on ne ressort jamais les mains vides !

MARCHÉ STATION 54

760, boulevard Rosemont
514-508-8830

Ouvert tous les jours de 7h à 23h. Verres à bière de collection en vente sur place. Dégustations en boutique le jeudi et vendredi dès 17h (voir page Facebook pour les détails). Coin café (sandwichs, cafés, smoothies, jus, crèmes glacées et sorbets, etc.). Autre adresse spécialisée en bières : Dépanneur Au Coin Duluth, 418 avenue Duluth Est, 514-288-8830.

Petite épicerie de quartier fort sympa, à deux pas de la station de métro Rosemont, le Marché Station 54 recèle de succulents produits bien de chez nous. Outre les produits de base et une sélection bio, les étalages débordent de fromages québécois, de viandes et charcuteries de la Maison du rôti ou des Viandes biologiques de Charlevoix, de pots de tous formats des Délices de l'Île d'Orléans, de Lady Tartine, de Simple Malt ou encore des Délices d'antan, de choucroute de Gaspésie, de plats préparés pour tous les goûts, etc. La section arrière de la boutique est quant à elle dédiée aux bières de microbrasseries québécoises, arrivage constant de grands crus du moment et conseils avisés en prime. Une épicerie comme on les aime !

WILLIAM J. WALTER

www.williamjwalter.com

William J. Walter Saucissier est une adresse gourmande fort réputée depuis plus d'une vingtaine d'années. Création des frères Cusson dans les années 1980, ce concept unique et innovateur se retrouve maintenant un peu partout au Québec. Au départ, l'idée était de produire et de vendre eux-mêmes des saucisses haut de gamme, à l'image de ce que font les charcutiers en Europe. Allemandes, Toulouse et Italiennes étaient les produits phares de l'entreprise et au fil des ans, de nouvelles saveurs ont fait leur apparition sur les comptoirs du saucissier. On compte dorénavant plus d'une soixantaine de sortes différentes disponibles dans près d'une quarantaine de succursales à travers la province.

Pour vous donner une idée, ou plutôt envie, imaginez pouvoir savourer des saucisses de canard et herbes de Provence, de chevreuil et vin rouge, ou encore de sanglier, bleuet et cidre de glace… Ça ouvre l'appétit ! Et quoi de mieux que des bières québécoises pour accompagner le tout ! Une vingtaine de succursales ont une sélection de bières de microbrasseries particulièrement étoffée et pourront sans nul doute vous conseiller dans le choix d'accords saucisses-bières.

William J. Walter Saucissier mise sur la fraîcheur, la qualité et l'originalité dans la confection de ses produits afin de séduire l'amateur de saucisses en vous. Et si vous ne l'êtes pas, vous le deviendrez après y avoir goûté !

VEUX-TU UNE BIÈRE?

372, rue de Liège Est
514-871-2771
www.veuxtuunebiere.com

Lundi-dimanche, 9h-23h. Paniers-cadeaux sur mesure, verres à bière en vente sur place.

Ouverte depuis août 2010, cette boutique est un havre pour les amateurs de bières de microbrasseries et de produits gourmands. A la barre de cette adresse, deux amis de longue date, fins connaisseurs et bièrophiles passionnés. Cette passion se ressent partout en boutique, de la sélection des produits tous triés sur le volet au service impeccable et personnalisé. On retrouve plus de 250 sortes de bières différentes, de quoi vous permettre de faire de belles découvertes. De plus, une section gourmande propose une panoplie de bons produits tels des saucissons, des fromages du Québec, du saumon fumé, des confits, des sauces, des noix et craquelins, de la fleur de sel, des huiles, du thé du Labrador, etc. Une grande majorité est issue du terroir québécois, dans la mesure du possible. Une adresse qui mise sur la qualité, la fidélisation et des prix plus qu'alléchants.

ACTIVITÉS GOURMANDES

LOCAL MONTREAL TOURS

1 866-451-9158
www.localmontreal.ca

En opération à l'année. Visites à pied : 50 à 65 CAN $. Durée : environ 3 heures.
Visites de groupes et événements disponibles sur demande.

Pour une excursion plutôt éclatée et différente des visites guidées traditionnelles, Montréal Local Tours est à retenir. Deux visites sont proposées et plairont sans aucun doute à vos papilles. La première vous fera savourer les excellentes bières artisanales de la métropole dans trois brasseries réputées du Quartier latin et du centre-ville. La deuxième visite, quant à elle, vous mènera dans le quartier hype du Mile-End, le tout ponctué d'arrêts gourmands pour découvrir quelques spécialités culinaires du coin. Bien entendu, chacune des visites comprend également une portion historique et culturelle, saupoudrée d'anecdotes et de faits inusités. Et nul besoin de vous dire que vos guides maîtrisent fort bien le sujet. À vous de découvrir le Montréal des Montréalais !

VDM GLOBAL DMC

514-933-6674
www.montrealfoodtours.com

L'agence VDM offre des tours culinaires dont « Saveurs et Arômes du Vieux-Montréal ». Votre guide en connaît long sur le sujet et vous transportera dans un circuit des plus gourmets aux quatre coins de la vieille ville. On passe littéralement des influences amérindiennes à l'explosion des saveurs de l'Expo 67. Des arrêts gourmands, des anecdotes à la tonne et plus de 400 ans d'histoire culinaire ! L'autre visite offerte, « Savourez la Petite Italie », vous fera découvrir ce quartier de Montréal, avec son passé coloré, ses rues typiques, ses restaurants réputés et épiceries épicuriennes. Autres tours culinaires offerts au grand public : « D'un bar à l'autre... dans le Vieux-Montréal », « Montréal culinaire en vélo », « Micro-Brasseries Maxi Saveurs », et finalement « Un Quartier des Spectacles à déguster ». Pour les amateurs des plaisirs de Bacchus, trois excursions vous mèneront sur les routes des vins de la Montérégie et des Cantons-de-l'Est. Consultez le site Internet pour connaître les dates, tarifs et conditions de réservation des visites.

Québec

© TQ / Jean-François Bergeron/ Enviro Foto

Berceau de la province du Québec, bastion de la culture française en Amérique du Nord, la ville de Québec est un bijou. C'est aussi la seule ville fortifiée au nord du Mexique, et son quartier ancien, le Vieux-Québec, s'inscrit désormais sur la liste du patrimoine mondial de l'Unesco.

Le Vieux-Québec se compose d'une Haute-Ville, au sommet du cap Diamant, et d'une Basse-Ville, comprise entre la falaise et le Saint-Laurent. À pied, mille charmes s'y dévoilent, au gré de ses étroites ruelles pavées, de ses escaliers, de ses places ombragées et de ses jardins.

Vous vous baladerez très certainement dans le Vieux-Port et ferez un tour au marché couvert où sont proposées toutes sortes de spécialités québécoises. Vous flânerez dans les ruelles autour du Petit Champlain, pour admirer la pittoresque et coquette rénovation de cet ancien quartier de pêcheurs de la Basse-Ville, lequel avait sombré dans l'oubli. Peut-être encore ferez-vous du lèche-vitrines dans une des innombrables boutiques d'art et d'artisanat québécois qui ont pignon sur rue dans la vieille ville. Bref, Québec est tout sauf banale. Vous la découvrirez avec enchantement et vous la redécouvrirez toujours avec plaisir. Il faut prendre votre temps, pour déguster les spécialités culinaires de la gastronomie québécoise d'antan, vous offrir un verre en plein air sur les nombreuses terrasses de café de la vieille ville ou de la Grande Allée par une nuit de pleine lune. Et, les soirs d'été, après un dîner savoureux, vous ferez une balade digestive sur la promenade en planches de la Terrasse Dufferin, au pied du Château Frontenac illuminé comme dans un conte de fées, pour jouir de la vue sur le fleuve ou vous laisser charmer par les chanteurs et musiciens qui s'y produisent.

Les environs de Québec valent également le déplacement. Ils offrent de grandes plaines rurales, comme celles de l'Île d'Orléans, des montagnes et des grands

© Valérie Fortier

espaces, notamment au parc national de la Jacques-Cartier, des stations touristiques de grandes qualité, à Sainte-Catherine-de-la-Jacques-Cartier, à Beaupré ou à Stoneham par exemple, un village amérindien à Wendake...

Côté agrotourisme et produits régionaux, la région a beaucoup à offrir. Que ce soit les tables gourmandes et les boutiques spécialisées du Vieux-Québec, les fermes de l'Île d'Orléans, ou encore l'artisanat et les mets amérindiens de Wendake, chacun y trouvera son bonheur. Pour vous donner un aperçu de ce que la région à a offrir : **www.venezygouter.com**

Concernant l'Île d'Orléans, sachez qu'une certification locale existe sur les produits agricoles et transformés afin de garantir que la qualité, l'authenticité, la salubrité et les normes d'environnement ont été respectées. Cherchez le logo ! Pour plus d'information : **www.savoirfaire.iledorleans.com**

OFFICE DU TOURISME DE QUÉBEC

418-641-6290 / 1 877-783-1608
www.regiondequebec.com

ÉVÉNEMENTS

QUÉBEC EXQUIS

Divers endroits à Québec
418-682-8822
www.quebecexquis.com

En avril.

FESTIBIÈRE DE QUÉBEC

Espace 400e, Vieux-Port de Québec
418-948-1166
www.festibieredequebec.com

*En août. *Édition d›hiver : Houblon & Cie en mars à l'Espace Dalhousie dans le Vieux-Port.*

LA GRANDE FÊTE DE LA CÔTE-DE-BEAUPRÉ

Site de la Basilique Sainte-Anne-de-Beaupré
10 018, avenue Royale, Sainte-Anne-de-Beaupré
418-998-1856
www.lagrandefete.com

En août.

MARCHÉ DE NOËL SIGNATURE

Marché du Vieux-Port
160, Quai Saint-André, Québec
418-692-2517
www.marchevieuxport.com

Fin novembre à début janvier.

CIRCUITS AGROTOURISTIQUES ET DE DÉCOUVERTE

LES PRODUCTEURS TOQUÉS DE L'ÎLE D'ORLÉANS

www.producteurstoques.com

À parcourir… D'une superficie de près de 190 km^2, l'Île d'Orléans semble être une terre plate depuis la ville de Québec. C'est une fois qu'on y met les pieds que l'on constate les nombreuses richesses qu'elle contient. Son sol fertile est prisé des producteurs, ces derniers étant reconnus pour la qualité des produits qu'ils offrent, leur originalité et leur passion pour cette terre et les bijoux qu'elle a à nous offrir… De vrais producteurs toqués !

À découvrir / À faire… Contrairement à la majorité circuits présentés dans ce guide, ce n'est pas une route offerte dans une brochure, mais dans un livre. Gagnant du meilleur livre de cuisine locale au monde, cet ouvrage vous fera faire le tour de l'Île d'Orléans en vous proposant des recettes concoctées à partir des différents produits que l'on y fabrique. Une carte ponctuée des adresses des producteurs vous est offerte, si jamais l'envie de les visiter vous prend. Agneaux, pains, produits dérivés du cassis, cidres, légumes, volailles, petits fruits, oies, canards, produits de l'érable, fromages, bières, vins et fleurs font tous partie des produits qu'on vous invite à découvrir dans ce circuit.

PARCOURS GOURMAND

www.parcoursgourmand.com

À découvrir… Le Parcours Gourmand vous propose de découvrir plus d'une trentaine d'entreprises agroalimentaires artisanales de la grande région de la Capitale-Nationale. Peu importe le chemin que vous décidez d'emprunter, vous découvrirez des artisans passionnés, des produits fins, des sites authentiques et des paysages pittoresques. Une fudgerie et nougaterie, de la crème glacée fabriquée sur place, un musée de l'abeille, des fermes d'élevages de toutes sortes, et une conserverie qui offre plus de 300 conserves fabriquées à la main ponctuent, entre autres, cette route. La clé pour vivre une expérience inoubliable est de prendre le temps de vous arrêter, de discuter avec les gens, de sentir et goûter les différentes saveurs que l'on vous offre et de respirer le bon air du Québec. À la fin de votre parcours, vous reviendrez les bras remplis de gâteries : foie gras, fromages fins, vin de glace, crème de cassis, fudge maison...

Le site web du Parcours Gourmand vous servira d'outil additionnel au dépliant. Si vous avez envie de visiter un endroit spécifique, il vous permet de faire une recherche par type de produits ou par territoire (Côte-de-Beaupré, Île d'Orléans, La Jacques-Cartier, Portneuf, Québec).

À faire… En plus de pouvoir goûter et acheter des produits, le Parcours Gourmand vous offre l'occasion de faire une panoplie d'activités : autocueillette, visites guidées et dégustations, rencontre avec les animaux, et nous en passons. Le Parcours Gourmand propose aussi des restaurants où la cuisine régionale et ses produits sont mis à l'honneur. Bref, les possibilités sont infinies. Cassez la croûte dans un bistro, dégustez la cuisine régionale dans les meilleurs restaurants de la région ou prenez tout simplement un verre sur une des nombreuses terrasses qui surplombent le majestueux Saint-Laurent. Profitez au maximum de ce que cette belle région vous offre !

Breuvages, vins et spiritueux

CASSIS MONNA & FILLES

721, chemin Royal, Saint-Pierre, Île d'Orléans
418-828-2525
www.cassismonna.com

Cave à vins ouverte tous les jours de 10h à 19h de mai à novembre, horaire variable ou sur réservation le reste de l'année. Coin gourmand La Monnaguette ouvert tous les jours de juin à fin août, le week-end de septembre à mi-octobre, fermé le reste de l'année. Certifié Terroir & Saveurs du Québec.

Le cassis est un antioxydant naturel qui déborde de vitamine C. En plus d'être excellent pour la santé, le cassis est un vrai délice pour les papilles. Ses saveurs qui oscillent entre le sûr et le sucré semblent même les exciter. L'entreprise Cassis Monna & filles est le bébé de Bernard Monna. Né dans le Sud de la France, c'est en 1970 qu'il tombe sous le charme de l'Île d'Orléans et qu'il décide de s'y installer. Liquoriste de quatrième génération, il est le premier à produire des alcools dérivés du cassis au Québec. Cependant, l'histoire de Cassis Monna & filles ne s'arrête pas ici. Bernard a deux filles, Catherine et Anne, à qui il se fait un plaisir de transmettre ses connaissances, son savoir-faire mais surtout, sa passion et son amour pour ce fruit. L'entreprise offre de nombreux produits à base de cassis dont des liqueurs et vins, gelées, crèmes, sirops, confitures d'oignons, moutardes et autres délicieux produits. Sur place, vous pourrez visiter la cave à vin et faire des dégustations, ou encore casser la croûte à la Monnaguette. Après cette halte gourmande, pourquoi ne pas aller approfondir vos connaissances sur le métier de liquoriste, car l'entreprise est également membre du réseau ÉCONOMUSÉE.

Chez le brasseur

ARCHIBALD MICROBRASSERIE | RESTAURANT

1021, boulevard du Lac, Lac-Beauport,
418-841-2224 / 1 877-841-2224
1240, autoroute Duplessis, Québec, 418-877-0123
www.archibaldmicrobrasserie.ca

Ouvert tous les jours dès 11h30. Spectacles à 21h plusieurs soirs par semaine à Québec et Lac-Beauport. Magnifique terrasse d'une centaine de places. Objets souvenirs en vente sur place. Autres adresses : 3965, rue Bellefeuille, Trois-Rivières (ouverture à l›automne 2014) ; Aéroport de Montréal, Dorval, 514-687-9977.

Un arrêt à la microbrasserie-restaurant Archibald s'impose pour découvrir son ambiance unique, ses bières de qualité supérieure et sa cuisine originale.

Avant tout, Archibald propose une belle sélection de bières, inspirées des traditions allemandes et belges, dont la Brise du lac, la Chipie, la Joufflue, la Matante, la Valkyrie, la Veuve noire et la Ciboire. Une variété de plats savoureux, dont certains parfumés avec ses bières, est également proposée. Cuisine légère ou réconfort, les grands appétits et les fins gourmets pourront déguster les plats signatures tels que la soupe à l'oignon à la Chipie, le burger de sanglier, le saumon fumé maison, le tataki de bison, ou encore le pâté chinois au bison braisé. Une ardoise du midi ainsi qu'un menu pour enfants sont aussi disponibles.

Avec ses têtes d'orignaux et de chevreuils, ses peaux de bêtes et ses banquettes en chemises à carreaux, Archibald se distingue aussi par son décor rustique rappelant nos traditionnels chalets de chasse et de pêche. À noter que des événements très populaires ponctuent le calendrier de la microbrasserie, notamment le fameux et très bavarois Oktoberfest en octobre, bien évidemment !

Les bières Archibald sont également offertes en cannette chez de nombreux détaillants de la province.

MICROBRASSERIE DE L'ÎLE D'ORLÉANS & PUB LE MITAN

3885, chemin Royal, Sainte-Famille, Île d'Orléans
418-829-0408 (pub)
418-203-0588 (microbrasserie)
www.microorleans.com

En été : lundi-dimanche, 11h30-21h (ou plus selon l'affluence). Le reste de l'année : communiquez avec eux avant de vous rendre sur place. Terrasse.

Situé dans la charmante résidence centenaire de la famille Prémont, sur les lieux mêmes de la microbrasserie, le pub Le Mitan propose à ses visiteurs de découvrir les excellentes bières maison, à l'unité ou en palette de dégustation. Notez que les bières de la microbrasserie de l'Île d'Orléans sont toutes naturellement brassées avec une eau minérale puisée au cœur de l'île. Les propriétaires, désireux de faire connaître les lieux de production et l'histoire de l'île, ont nommé leurs bières en hommage à des personnages y ayant vécu. Une anecdote amusante figure d'ailleurs sur chaque bouteille. Côté menus, Le Mitan concocte des plats se mariant très bien à la bière, comme l'assiette de saucisses et choucroute, les burgers, le smoked meat ou encore le fish & chips. En été, laissez-vous séduire par la beauté du paysage sur leur magnifique terrasse avec vue sur le fleuve et la Côte-de-Beaupré.

MICROBRASSERIE DES BEAUX PRÉS

9430, boulevard Sainte-Anne (route 138), Sainte-Anne-de-Beaupré
418-702-1128
www.mdbp.ca

En été : ouvert tous les jours dès midi. Le reste de l'année : lundi-mardi, fermé ; mercredi, dès 15h ; jeudi-dimanche, dès midi. Items à l'effigie de la microbrasserie en vente sur place. Programmation culturelle et musicale (voir page Facebook pour les détails). Terrasse (la seule en bordure du fleuve sur la Côte-de-Beaupré !).

Bien installée dans les anciens locaux de la fromagerie Côte de Beaupré, les yeux rivés sur le fleuve et l'Île d'Orléans, cette adresse houblonnée est une première sur la route reliant Québec à Charlevoix. Les deux propriétaires, Luc Boivin et sa conjointe Johanne Guindon, ont flairé la bonne affaire, surtout lorsqu'on tient compte de la proximité du Mont-Ste-Anne et de l'achalandage sur cette route.

En décembre 2011, c'est l'ouverture officielle de leur microbrasserie, un projet épaulé par les instances locales et mené à termes grâce au support d'amis créatifs et dévoués.

La jeune entreprise propose, à l'ardoise, une douzaine de bières maison ainsi que des produits invités d'autres microbrasseries québécoises. Des palettes de dégustations de trois verres sont aussi disponibles afin de maximiser les découvertes dans un format plus raisonnable. Question de ne pas vous laisser sur votre faim, un menu bistro est proposé, allant des grignotines aux plats plus consistants (gratin dauphinois, croustillants de canard confit, fougasse provençale...), sans oublier les plateaux du terroir (fromages québécois, terrines) et BBQ sur la terrasse. Définitivement un nouveau port d'attache dans la belle région de Québec !

MICROBRASSERIE LA BARBERIE

310, rue Saint-Roch, Québec
418-522-4373 / 1 866-522-4373
www.labarberie.com

Lundi-dimanche, 12h-1h. Bières pour emporter et items à l'effigie de la microbrasserie en vente sur place. Superbe terrasse verdoyante et ambiance chaleureuse. Service de dégustation pour les groupes (bières et fromages, tapas, saucisses, terrines et chocolats).

En 1995 fut créée ce qui allait devenir une référence québécoise dans les bières artisanales : la coopérative de travail La Barberie. Un premier brassin, une rousse légère et fruitée, est concocté en mai 1997 et quelques mois plus tard, l'ouverture du salon de dégustation adjacent à la brasserie marque le début d'une longue histoire. Ce dernier permet aux bièrophiles de découvrir une sélection de près d'une soixantaine de bières en rotation, à raison de huit produits à la fois aux pompes, en plus du service cask et du randall. Si vous voulez goûter à tout, deux formats de carrousel (huit galopins ou huit verres) viendront assouvir votre soif de découverte. Et comble de bonheur, on peut se procurer de la bière pression en vrac à rapporter à la maison, dans un pot Masson en consigne ou à conserver en souvenir. Sinon, on retrouve leurs bières chez de nombreux détaillants. Sachez aussi que vous pouvez apporter votre goûter en tout temps. Côté ambiance, on s'y plaît assurément et les événements organisés sont une valeur ajoutée. En saison estivale, prélassez-vous sur la surprenante terrasse, dont les abords sont cultivés par les Urbainculteurs, un organisme à but non lucratif voué à la promotion du jardinage et de l'agriculture urbaine. Une adresse incontournable à Québec !

ET AUSSI :

LES 3 BRASSEURS

Place Ste-Foy : 2450, boulevard Laurier, Sainte-Foy
418-914-6515
www.les3brasseurs.ca

Dimanche-mercredi, 11h30-minuit ; jeudi, 11h30-1h ; vendredi-samedi, 11h30-2h. Autres adresses : Les Galeries de la Capitale, 5401 boulevard des Galeries, 418-204-2086 • 650, Grande Allée Est, 418-446-8375. Terrasse aux trois établissements.

Se référer à la section « Montréal » pour plus d'information.

BRASSERIE ARTISANALE LA SOUCHE

801, chemin de la Canardière, Québec
581-742-1144
www.lasouche.ca

LA KORRIGANE

380, rue Dorchester, Québec
418-614-0932
www.korrigane.ca

L'INOX MAÎTRES BRASSEURS

655, Grande Allée Est, Québec
418-692-2877
www.inox.qc.ca

LA VOIE MALTÉE – GASTRO PUB

1040, boulevard Pierre-Bertrand Sud, Québec
418 683 5558
www.lavoiemaltee.com

Autres adresses : 2509, rue Saint-Dominique, Saguenay (secteur Jonquière), 418-542-4373 ; 777, boulevard Talbot, Saguenay (secteur Chicoutimi), 418-549-4141.

Se référer à la section « Saguenay-Lac-Saint-Jean » pour plus d'information.

Fromages

LA MAISON ALEXIS DE PORTNEUF

Boutique Spécialité : 71, avenue Saint-Jacques, Saint-Raymond-de-Portneuf
418-337-4287, poste 240
www.alexisdeportneuf.com

Boutique : lundi-mercredi & samedi-dimanche, 8h30-17h30 ; jeudi-vendredi, 8h30-21h. Présentation audiovisuelle sur l'historique de la ferme et la fabrication du fromage avec dégustation sur réservation. Gamme de fromages d'importation disponible. Bar laitier et terrasse en été.

Reconnue dans tout le Québec pour la finesse de ses fromages, toute la petite famille de l'ancêtre Alexis Cayer, père fondateur de la ferme de Portneuf, se dévoue corps et âme pour façonner avec amour les meilleurs fromages qui soient. Parmi leur savoureux produits : des camemberts fondants et typés comme le « Camembert des Camarades » au goût de beurre, de noix et de maïs ; des bries double-crème comme le « Brie d'Alexis » ou « La Rumeur », et triple-crème comme le « Saint-Honoré », un fromage de grande classe. Ils produisent également des fromages à pâte molles, du bleu, du chèvre, de la feta de brebis et autres petits délices. En 2009, « Le Cendrillon », un fromage de chèvre cendré à pâte molle affiné en surface, à été couronné Grand champion, toutes catégories confondues, du prestigieux et influent World Cheese Awards. Il est ainsi sacré meilleur fromage au monde après s'être mesuré à 2 440 fromages provenant de 34 différents pays. En 2013, ce sont six médailles qui ont été remportées à ce concours, sans oublier celles gagnées dans diverses compétitions au fil des ans. Une grande référence dans le domaine fromager.

Viandes et charcuteries

AU GOÛT D'AUTREFOIS

4311, chemin Royal, Sainte-Famille, Île d'Orléans
418-829-9888
www.augoutdautrefois.qc.ca

Ouvert toute l'année sur réservation. Table d'hôte : 35 $-125 $. Apportez votre vin. Boutique sur place. Certifié Terroir & Saveurs du Québec.

Au Goût d'Autrefois est une ferme d'élevage biologique située à l'Île d'Orléans. Les oies, les canards et les volailles sont nourris aux quatre grains naturels sans aucun gavage forcé ou mécanique. Aucun ajout d'épices, d'additifs chimiques, de colorants ou d'agents de conservation n'est effectué, dans le but d'honorer l'écologie. Pour ceux qui aimeraient profiter de la table champêtre sur place, plusieurs menus sont offerts, tant aux groupes qu'aux individuels, dont « L'initiation » en 4 services, « Le tour du jardin et du fumoir » également en 4 services, « Le menu gourmand » en 5 services, ou encore « La tournée du terroir de l'Île d'Orléans » en 12 services. Les menus, d'inspiration amérindienne, sont tous concoctés autour de l'oie et du canard (confits, magrets, gésiers, pots au feu, rillettes), mais également de la pintade, du faisan et de la dinde sauvage. Un vrai plaisir pour les épicuriens !

FERME QUÉBEC-OIES

484, avenue Royale, Saint-Tite-des-Caps
418-808-2426
www.lafermequebecoies.com

Boutique ouverte du mercredi au dimanche, de 9h à 17h, de juillet à mi-octobre ; le week-end seulement de 11h à 17h le reste de l'année. Visites guidées tarifées offertes aux groupes d'au moins 15 personnes sur réservation. Aire de pique-nique, aire d'observation des oies, interprétation, vente et dégustation.

Cette ferme, propriété de Natacha Jobin et Simon Brousseau, est établie dans ce beau coin de pays, à la frontière de Charlevoix, depuis 2004. Sa spécialité : le foie gras d'oie, un produit délicat au goût raffiné. L'élevage, qui est passé d'une centaine d'oies à environ 800, est fait dans le plus grand respect de la tradition. En résulte une gamme de produits de qualité d'une saveur authentique : des entrées et hors-d'œuvre (terrine d'oie au cognac et poivre vert, mousse de foie gras d'oie au cidre de glace et parfum de genièvre, foie gras d'oie au torchon, gésiers d'oie confits, etc.), des mets cuisinés (oie braisée au vin rouge, cassoulet d'oie, tourtière à l'oie, pâté au confit d'oie et pommes, etc.), et des produits non-transformés (escalopes de foie gras d'oie, cuisse d'oie, graisse fine d'oie, etc.). Ces délices sont disponibles à la boutique de la ferme et ainsi que dans de nombreux points de vente à travers la province.

À TABLE

AUBERGE BAKER

8790, avenue Royale, Château-Richer
418-824-4478 / 1 866-824-4478
www.auberge-baker.com

Ouvert tous les jours de midi à 21h30. Brunch le dimanche de 10h30 à 14h : 22 $. Menu midi : à partir de 13 $, plats principaux le soir : à partir de 22 $ (ajouter 16 $ au prix du plat pour une table d'hôte). Menu dégustation pour deux personnes : 145 $. Terrasse. Certifié Terroir & Saveurs du Québec.

Depuis près de 80 ans, cet incontournable de la Côte-de-Beaupré accueille touristes et habitués des environs. Offrant l'hébergement et le couvert, il s'agit d'une adresse de choix pour une étape gourmande dans la région, à seulement 20 min de Québec et 10 min du Mont Sainte-Anne. Le restaurant, dont la table est réputée mais sans prétention, est composé d'une salle aux murs de pierres datant de 1840 et d'une autre plus spacieuse, avec une large fenestration. On y sert des plats typiques de la région, avec des ingrédients soigneusement sélectionnés provenant pour la plupart de notre terroir québécois. Le choix est varié, et les tables d'hôtes généreuses. Que ce soit pour un repas ou pour quelques jours, une auberge qui vaut le détour.

LE SAINT-AMOUR

48, rue Sainte-Ursule, Québec
418-694-0667
www.saint-amour.com

Ouvert le midi en semaine dès 11h30 et tous les soirs dès 18h (17h30 le samedi). Menu midi : 20 $-35 $, plats principaux à la carte le soir : à partir de 40 $, menu inspiration : 65 $, grand menu découverte : 115 $. Salles privées, service de traiteur, service de voiturier. Jardin intérieur avec ciel vitré ouvert à l'année. Superbe cave à vins. Certifié Terroir & Saveurs du Québec.

Ce qui frappe d'emblée, c'est la fraîcheur de la décoration. Pour ce qui est de la cuisine, on peut se fier à la réputation du Saint-Amour. Gagnante de nombreux prix, on y retrouve une gastronomie comparable aux grandes tables d'Europe, mais pour bien moins cher. Jean-Luc Boulay, originaire de la Sarthe (France), exécute une cuisine différente, raffinée qui suit le rythme des saisons : pigeonneau cuit sur le coffre, cuisses farcies et confites au foie gras, poêlée de champignons sauvages, jus de presse au Xérès ; ris de veau et crevettes sauvages, gnocchi maison à la courge butternut, fondant d'oignon et épinard, jus crémeux au muscat de samos... Les noms sont aussi beaux que les mets sont savoureux. Il faut noter que les vins sélectionnés s'apprêtent parfaitement à la qualité de cette grande table. L'extase se poursuit avec les desserts, maison, il va sans dire.

MOULIN DE ST-LAURENT

754, chemin Royal, Saint-Laurent, Île d'Orléans
418-829-3888 / 1 888-629-3888
www.moulinstlaurent.qc.ca

Restaurant ouvert de mai à mi/fin octobre : lundi-dimanche, 11h30-14h30 et 17h30-20h30 (horaire variable en mai, septembre et octobre). Menu midi : moins de 25 $, table d'hôte le soir : à partir de 35 $ (petite table d'hôte à 20 $). Menu à la carte aussi offert midi et soir. Réservation recommandée. Service de traiteur et de chef à la maison. Salon privé, deux terrasses extérieures. Certifié Terroir & Saveurs du Québec. Hébergement et forfaits disponibles sur place.

Dirigé par la famille Prémont-Lachance, cet endroit offre un cadre exceptionnel avec vue sur le fleuve. Situé dans un ancien moulin à farine datant de 1720, il propose plusieurs services et forfaits de qualité. Pour ce qui est de la table, le chef Martin Pronovost varie sa carte en fonction des saisons et des arrivages. Au menu, des mets exquis comme la bavette de veau sauce à l'érable et vin rouge ; le filet de porc DuBreton avec pommes caramélisées au sirop d'érable du Relais des Pins et fondant de fromage, sauce à la gelée de cidre de glace du Verger Bilodeau ; ou encore les pétoncles et crevettes poêlés au piment d'Espelette avec riz à la coriandre craquée. L'esprit « bon vin, bonne chère, bonne musique » prime au moulin et le dimanche soir, des spectacles musicaux sont inscrits au programme dans un décor charmant, tranquille et naturel.

PATRIARCHE

17, rue Saint-Stanislas, Québec
418-692-5488
www.lepatriarche.com

Ouvert le midi pour les groupes seulement. Le soir : mardi-samedi, à partir de 17h30 (ouvert tous les soirs en juillet et août). Menu 5 services : à partir de 82 $ (supplément d'au moins 55 $ pour l'accord des vins). Superbe cave à vins. Service de voiturier. Certifié Terroir & Saveurs du Québec.

Tout en entrant dans la catégorie des grandes tables, le Patriarche reste humble, doux et rassurant comme sa cuisine, qui apprête poissons et gibiers. Les produits du terroir sont mis à l'honneur, notamment les gibiers : lièvre, pintade et cerf sont entre autres à la carte. Les différentes saveurs se mélangent avec grâce dans les trilogies, comme le veau de Charlevoix présenté en médaillon, boudin blanc et blanquette aux morilles, ou encore la lotte pochée au vin rouge, farcie de chorizo et en croustillant. Le cadre met l'accent sur le rustique : pierres, bois, lumières tamisées... Aussi doux et judicieux que le conseil d'un patriarche.

TANIÈRE CUISINE BORÉALE

2115, rang Saint-Ange, Québec
418-872-4386
www.restaurantlataniere.com

Dimanche-mardi, fermé ; mercredi-samedi, dès 18h sur réservation. Table d'hôte 10 services : 90 $, 15 services : 120 $, 20 services : 150 $. Superbe carte des vins (supplément pour l'accord des vins).

C'est définitivement une grande table, mariant avec succès la gastronomie, la cuisine moléculaire et le gibier. Sa déco, plus moderne qu'autrefois, exhibe des tableaux, sculptures et lampes antiques d'artistes québécois. Au menu, un choix de trois menus, allant de 10 à 20 services ! Les différents plats de chaque service sont très variés et combinent parfaitement toutes sortes de viande. Parmi les assiettes proposées dans tous ces menus : foie gras, caviar de truffe, huîtres, perdrix, canard, wapiti, bison...

RESTAURANT LA TRAITE

Hôtel Musée Premières Nations
5, Place de la Rencontre « Ekionkiestha' », Wendake
418-847-0624, poste 2012
www.tourismewendake.ca/hotel

Ouvert tous les jours pour les trois repas. Menu midi : 15 $-45 $, formule bistro : moins de 20 $ le plat. Table d'hôte le soir : 3 services 42 $, 4 services 52 $, 6 services 80 $ (140 $ avec l'accord des vins). Menu à la carte aussi disponible. Brunch le dimanche : 27 $ par adulte, 14 $ pour les 6-12 ans. Salon privé, terrasse. Certifié Terroir & Saveurs du Québec. Hébergement et forfaits disponibles sur place.

Les coutumes et valeurs du peuple huron-wendat se transportent jusqu'à l'assiette du restaurant de l'Hôtel Musée Premières Nations. Célébrant l'abondance de la nature, la table gastronomique du chef Martin Gagné est une ode aux richesses de la forêt boréale, du terroir, de la chasse et de la pêche. Que ce soit le Coup de feu du midi ou la Table des Nations, par exemple, chaque menu est exclusif et prône l'harmonie avec la nature, l'authenticité, tout comme le décor et l'expérience en soi. Sachez aussi que les poissons et gibiers sont fumés sur place et que la cuisine axe ses efforts autour de produits locaux et biologiques. Définitivement une table qui respecte son histoire et ses traditions. Kwe Kwe ataro !

AUBERGISTE, À BOIRE !

LE BATEAU DE NUIT

275, rue Saint-Jean, Québec
418-977-2626
www.bateaudenuit.com

Lundi-mardi, 19h-3h ; mercredi-vendredi, 17h-3h ; samedi-dimanche, 20h-3h. L'horaire pouvant varier, consultez la page Facebook pour tous les détails. Programmation culturelle et musicale à l'année.

Situé en plein cœur du quartier Saint-Jean-Baptiste, ce bar joue la carte de la discrétion : pas d'enseigne ni rien d'évident sauf l'adresse qui nous indique être au bon endroit. Ce bar à bières nous transporte littéralement dans une atmosphère digne des bars portuaires. L'ambiance est simple, conviviale et réussie, à l'image des bistros européens. Aux pompes, huit lignes en rotation offrent des bières bien de chez nous provenant de plus d'une vingtaine de microbrasseries, dont des exclusivités que l'on ne retrouve pas ailleurs à Québec, incluant aussi des produits en cask. On y retrouve également une sélection étoffée de bières en importation privée, au grand bonheur des amateurs de houblon. Sachez finalement que les lieux accueillent plusieurs événements, comme des spectacles musicaux, des soirées de dégustation, ou encore les mercred'IPA, par exemple. Vous avez envie d'organiser une soirée thématique ou un événement sur place ? L'équipe est ouverte à toutes vos idées !

© Valérie Fortier

CAFÉ AU TEMPS PERDU

867, avenue Myrand, Québec
418-681-5601

Ouvert tous les jours de 10h à minuit (0h30 du jeudi au samedi). Terrasse.

Au Temps Perdu est un petit bistro très charmant, tout près de l'Université Laval, où se rallient amateurs de cafés et de bières. Qu'elles soient allemandes, belges, autrichiennes, danoises ou québécoises, elles sont en tout environ une centaine à trôner sur la carte de bières. Faire un choix peut vite devenir complexe ici, mais les spéciaux du 4 à 7 en semaine peuvent aider à prendre une décision. Un menu de type cuisine bistro française est également offert sans compter leurs fameux déjeuners du week-end.

LA NINKASI DU FAUBOURG

811, rue Saint-Jean, Québec
418-529-8538
www.ninkasi.ca

Lundi-dimanche, 11h-3h. Programmation culturelle et musicale à l'année. Réservation d›espace pour les petits et grands groupes (les contacter directement - reservation@ninkasi.ca).

Ninkasi fut la première divinité associée à la bière mais c'est également une excellente adresse pour les bièrophiles de la Vieille Capitale. Située à cinq minutes des fortifications du Vieux-Québec, la Ninkasi mise sur la culture québécoise, les bières artisanales, ainsi que sur le plan artistique et événementiel. Au menu, on dénombre près de cinquante sortes de bières de microbrasseries québécoises. Des vins et spiritueux, dont une belle sélection de gins et de vodkas, fabriqués par des artisans d'ici figurent également sur la carte des alcools. L'hiver, on déguste sa pinte devant un bon match du tricolore diffusé au bar, et l'été, c'est sur la terrasse qu'on s'installe sans se faire prier.

LE PROJET, SPÉCIALITÉ MICROBRASSERIES

399, rue Saint-Jean, Québec
418-914-5322

Lundi-mercredi & dimanche, 11h30-minuit (ou plus selon l'affluence) ; jeudi-samedi, 11h30-3h. Fermé le lundi hors saison. Programmation culturelle.

Tout à fait à l'image du quartier du Faubourg Saint-Jean, cette toute nouvelle adresse spécialisée en bières de microbrasseries a ouvert ses portes en février 2014. Bien installée dans un édifice plus que centenaire à l'architecture fort bien conservée, elle propose une généreuse ardoise de bières en fût et en bouteille provenant des quatre coins de la province, notamment celles de la Brasserie Dunham, de Farham Ale & Lager, de Frampton Brasse, de la Microbrasserie Charlevoix, du Trou du Diable et de Dieu du Ciel!. Pour avoir l'heure juste, consultez leur page Facebook qui tient à jour la liste des produits disponibles. Une autre ardoise fait défiler la liste des plats, concoctés à partir de produits d'artisans du quartier mais aussi de d'autres régions du Québec, le tout à 15 $ et moins le plat. On aime !

MARCHANDS DE BONHEUR

LA BOÎTE À BIÈRES

1209, route de l'Église, Québec
418-704-5400
www.laboiteabieres.com

Ouvert tous les jours de 11h à 22h. Items reliés au monde de la bière (verres, livres, etc.) en vente sur place.

Avec un tel nom, impossible de ne pas deviner la grande spécialité de la maison. La Boîte à Bières du quartier Sainte-Foy est sans contredit l'adresse par excellence pour les amateurs de houblon, mais aussi du cidre de pomme et de la bière sans alcool. Et avec une sélection de plus de 400 bières de microbrasseries québécoises et un arrivage constant de nouveautés, on les comprend ! Comble de bonheur, chaque bière est bien classée, accompagnée d'une fiche détaillée indiquant clairement le nom du produit, de la microbrasserie, le prix, ainsi qu'une description des arômes pour faire un choix plus éclairé. Un concept futé et une adresse hautement recommandée !

LA BOITE À PAIN

289, rue Saint-Joseph Est, Québec
418-647-3666
www.boiteapain.com

Lundi-samedi, 6h30-20h ; dimanche, 6h30-17h30. Menu offert aux deux adresses (soupes, salades, quiches, sandwichs, pizzas et calzones). Autre adresse : Café Napoli, 396 3e Avenue, 418-977-7571 (boulangerie et pizzéria).

Cette boulangerie artisanale du quartier Saint-Roch nous offre l'un des meilleurs pains en ville. La sélection est riche et variée pour le plus grand plaisir de nos papilles gustatives. Des baguettes blanches, belges, au levain, en passant par les pains aromatisés, les fameux pains desserts et les viennoiseries, tout est délicieux. Un petit coin avec tables est spécialement prévu pour ceux qui veulent prendre un café ou un repas sur le pouce dans les bonnes odeurs de pain fraîchement cuit.

DÉPANNEUR DE LA RIVE

4328, rue Saint-Félix, Québec
418-653-2783
www.depdelarive.com

Lundi-samedi, 7h-23h ; dimanche, 8h-23h.

Le Dépanneur de la Rive figure dans le carnet d'adresses des bièrophiles de la province et pour cause : plusieurs centaines de bières différentes se retrouvent sur les tablettes de ce commerce, sans compter l'une des plus belles collections de verres à bières au Québec. Désireux d'être une référence en la matière, le propriétaire, Danny Chabot, offre de nombreux services connexes au monde de la bière : dégustations sur place, prix spéciaux pour les grosses commandes de bières, ensemble de bières rares pour les dégustations maison au meilleur prix en ville, etc. Si vous n'êtes toujours pas convaincu, une visite sur leur site Internet vous permettra de constater l'ampleur du choix offert.

ÉPICERIE J.-A. MOISAN

699, rue Saint-Jean, Québec
418-522-0685
www.jamoisan.com

Lundi-samedi, 8h30-21h ; dimanche, 10h-19h.

Les étagères de bois rustique de cette grande épicerie sont les mêmes qu'en 1837, date à laquelle M. Moisan a ouvert sa boutique. C'est la plus vieille épicerie en Amérique du Nord, mais seule la devanture du magasin général a suivi le cours du temps. Pas un grain de poussière sur les nombreuses conserves stratégiquement distribuées. Cela sans compter les bouteilles et divers articles de collections exposés çà et là. Outres les multiples babioles, cadeaux, confiseries et produits fins importés, l'épicerie propose plusieurs produits frais. Fruits et légumes, charcuteries, fromages, viennoiseries, plats préparés (pâtés québécois, salades, sandwichs...). On piochera dans la large sélection de bières de microbrasseries pour les accompagner. Quelques tables sont disposées pour casser la croûte ou prendre un bon café.

LA FUDGERIE BOUTIQUE – LES MIGNARDISES DOUCINET

717, boulevard Louis-XIV, Québec, 418-622-9595
16, rue du Cul-de-Sac, Québec, 418-692-3834
www.lafudgerie.com

Horaire variable selon la succursale.

Avis aux amateurs de chocolat et des traditions oubliées : ici, c'est le royaume des mignardises ! Les propriétaires, Michelle Martin et Jacques Thivierge, sont de vrais gourmands de la gastronomie sucrée et des artisans passionnés. Les friandises sont faites à la main par les chocolatiers qui confectionnent au total 80 variétés de fudges. Des saucissons de fudges sont aussi cuisinés ainsi que des nougats fabriqués à la façon de Montélimar et de succulentes confiseries maison. Un beau décor et d'étonnantes saveurs !

DÉPANNEUR LA DUCHESSE D'AIGUILLON

469, rue Saint-Jean, Québec
581-742-1242

Ouvert tous les jours de 9h à 23h. Items reliés au monde de la bière (verres, livres, etc.) en vente sur place. Dégustations en boutique le vendredi et samedi soir (voir page Facebook pour tous les détails).

Un nom bien connu au sein de la communauté bière et pour cause. Plus qu'un simple dépanneur de quartier, La Duchesse d'Aiguillon peut se vanter d'avoir la plus belle sélection de bières du centre-ville de Québec. Bien installé dans son nouveau QG du Faubourg, à quelques pas de l'ancienne adresse, le dépanneur consacre une grande superficie à quelque 400 produits de microbrasseries québécoises. C'est tout dire ! Ajoutez à cela une équipe de passionnés, prêts à vous promulguer moult conseils pour des dégustations mémorables. Notez que votre hôte, Jean-François Belley, est également copropriétaire du resto-bar à bières Le Projet situé à deux pas.

MARCHÉ DU VIEUX-PORT DE QUÉBEC

160, Quai Saint-André, Québec
418-692-2517
www.marchevieuxport.com

Lundi-vendredi, 9h-18h ; samedi-dimanche, 9h-17h.

Un marché très agréable ouvert toute l'année, et qui évolue au fil des saisons. L'été on y retrouve une multitude de fleurs côtoyant des fruits et des légumes qui abondent sur les étals. À Noël, de nombreux producteurs locaux s'y donnent rendez-vous pour présenter leur spécialité : foie gras, gibiers, des alcools du terroir, etc. Parmi les kiosques ouverts à l'année, notons des poissonneries, un comptoir de pâtes fraîches, une fromagerie regroupant une sélection de 150 fromages en majorité québécois, une pâtisserie fine, un magasin de bières québécoises, etc. Aussi sur place : des producteurs de vins, des fermiers travaillant la canneberge ou encore les produits de l'érable, un stand de hot-dogs avec une variété de plus de 70 saucisses, des kiosques de produits de soins corporels (savons au lait de chèvre, produits à base d'huile d'émeu, etc.), et beaucoup plus.

LE MONDE DES BIÈRES

13, rue Marie-de-l'Incarnation, Québec
418-686-2437
www.lemondedesbieres.com

Lundi-samedi, 9h-22h ; dimanche, 10h-21h. Café Internet et comptoir-lunch sur place. Belle sélection de saucisses.

En mettant les pieds dans cette boutique, on comprend vite d'où vient son nom ! Des centaines de bières différentes, d'ici ou importées, trônent sur les étalages en attendant d'être dégustées. Pour vous aider dans vos choix, des dégustations sont organisées sur place les vendredis et samedis en fin de journée. Les collectionneurs apprécieront aussi la grande variété de verres à bière, dont plusieurs de collection, les ouvre-bouteilles et les objets promotionnels, sans oublier les ensembles-cadeaux. Une grande référence à Québec !

LA PETITE CABANE À SUCRE DE QUÉBEC

94, rue du Petit-Champlain, Québec
418-692-5875
www.petitecabaneasucre.com

Ouvert à l'année (horaire variable selon la saison).

Cette boutique aux allures de cabane à sucre, comme son nom l'indique, vend les produits de son érablière située dans les Bois-Francs. Sirops, beurres, gelées, sucres, caramels, bonbons... Tous les produits de l'érable y sont en vente, y compris quelques spécialités du terroir québécois tel le whisky à l'érable, du thé au vin de glace, etc. Hiver comme été, vous pourrez déguster de la tire d'érable devant la boutique. Lors des grosses chaleurs estivales, vous vous régalerez d'une bonne glace molle à la vanille recouverte de coulis ou de sucre à l'érable.

ACTIVITÉS GOURMANDES

CIDRERIE VERGER BILODEAU

2200, chemin Royal, Saint-Pierre, Île d'Orléans
418-828-9316
www.cidreriebilodeau.qc.ca

Ouvert de mai à octobre et sur rendez-vous de janvier à avril. Mini-ferme, aire de pique-nique. Boutique sur place. Certifié Terroir & Saveurs du Québec.

Première cidrerie à être implantée sur l'île d'Orléans, la Cidrerie Verger Bilodeau vous propose des visites guidées accompagnées de dégustations, et de l'autocueillette de mi-août à mi-octobre. Parmi les spécialités : beurre de pomme, moutarde à l'ancienne, gelée de cidre, jus de pommes, tartes aux pommes, cidre aromatisé aux petits fruits ou à l'érable, cidre mousseux, mistelle (digestif) et cidre de glace.

LES SERVICES HISTORIQUES SIX-ASSOCIÉS

418-692-3033
www.sixassocies.com

Les Services historiques Six-Associés proposent des circuits touristiques intelligents et très intéressants abordant plusieurs thèmes insolites de l'histoire de la ville de Québec. Depuis quelques années, une nouvelle visite vous transporte au cœur de l'histoire et de l'évolution de l'industrie brassicole à Québec, du régime français à aujourd'hui : L'Ordre du malt. En compagnie de David McCallum, petit-fils héritier des célèbres brasseries McCallum, apprenez-en plus sur la consommation de cette boisson, familiarisez-vous avec les plus célèbres familles de brasseurs et apprenez les recettes et techniques de nos ancêtres. Du Petit Champlain jusqu'au quartier Saint-Roch, en passant par les anciennes brasseries du Vieux-Port, le tout se termine par une dégustation à la célèbre microbrasserie La Barberie. Visite disponible en saison estivale pour les visiteurs individuels et à l'année sur réservation de groupes.

RÉGIONS

ABITIBI-TÉMISCAMINGUE

Ce qui caractérise l'Abitibi-Témiscamingue ? Avant tout, ses forêts quasi infinies, ses nombreux lacs et cours d'eau, bref, ses immenses espaces encore intacts. Ses grands parcs, ses pourvoiries, ses réserves fauniques et ses bases de plein air assurent des heures et des heures de détente en pleine nature.

Deux vagues migratoires successives ont dessiné le portrait de cette immense région, à peine centenaire, éloignée des grands centres. D'abord, celle des coureurs des bois et des défricheurs, puis celle des prospecteurs attirés par la ruée vers l'or. Fière de son histoire, l'Abitibi-Témiscamingue est une région dynamique qui mérite d'être explorée entièrement.

Si on a tendance à associer cette belle région à l'exploitation minière, il ne faut pas passer outre la découverte de ses excellents produits régionaux. Voici donc quelques bonnes adresses afin de goûter pleinement l'Abitibi-Témiscamingue.

TOURISME ABITIBI-TÉMISCAMINGUE

819-762-8181 / 1 800-808-0706
www.tourisme-abitibi-temiscamingue.org

ÉVÉNEMENTS

FOIRE GOURMANDE DE L'ABITIBI-TÉMISCAMINGUE ET DU NORD-EST ONTARIEN

Site extérieur aux abords du lac Témiscamingue
18, rue Notre-Dame Nord, Ville-Marie
819-622-0199
www.foiregourmande.ca

En août.

SALON DES VINS, BIÈRES ET SPIRITUEUX

Centre d'études supérieures Lucien-Cliche
675, 1ère Avenue, Val-d'Or
819-874-3837, poste 7247
www.salondesvinsat.com

En octobre.

PRODUCTEURS

Chez le brasseur

LE TRÈFLE NOIR

145, rue Principale, Rouyn-Noranda
819-762-6611
www.letreflenoir.com

Lundi-jeudi, 15h-1h ; vendredi-samedi, 15h-3h ; dimanche, fermé. Programmation gourmande, culturelle et musicale. Items à l'effigie de la brasserie en vente sur place. Visite des installations brassicoles et dégustation sur réservation (notez que ces installations se trouvent dans un autre bâtiment). Informez-vous sur les ateliers de dégustation et les brassins publics.

Il est originaire du Centre-du-Québec et sa conjointe, de l'Abitibi. Ensemble, Alexandre Groulx et Mireille Bournival partagent un rêve : celui de s'installer en Abitibi et d'y implanter la première brasserie artisanale de la région. À la fin juin 2009, le projet se concrétise et plus d'une centaine de personnes font la file pour l'ouverture officielle. C'est le début d'une belle aventure.

Sur la trentaine de recettes élaborées par la brasserie, une vingtaine de bières est en rotation avec une constante d'au moins six à huit aux pompes, ainsi qu'une présence régulière de bière en cask. De la blanche belge à l›Imperial Stout, il y a en a pour tous les goûts ! Depuis l'été 2012, on peut se procurer plusieurs de leurs produits en format 500 ml dans les commerces spécialisés en bières à travers la province, dont une rousse bitter, une double belge, une IPA américaine et un stout américain. De plus, le Trèfle Noir concocte chaque saison un brassin spécial d'une bière forte vieillie. Pour les petits creux, un menu de grignotines, dont plusieurs faits maison, met en valeur les produits des artisans du terroir et accompagnera à merveille votre pinte de délices houblonnés.

ET AUSSI :

MICROBRASSERIE LE PROSPECTEUR

585, 3e Avenue, Val-d'Or
819-860-9350
www.microleprospecteur.ca

Confitures, coulis, miels, etc.

LA FRAISONNÉE INC.

12, rang 3, Clerval
819-783-2314 / 1 866-783-2314
www.lafraisonnee.com

Ouvert toute l'année (horaire variable selon la saison). Vente de produits sur place. Étiquettes personnalisées et produits pour campagne de financement disponibles sur demande.

Dans un rang du village de Clerval se trouve l'entreprise de la famille Boudreault où l'on fabrique de façon artisanale de la tartinade de fruits. Ici on privilégie l'achat local en faisant appel à des producteurs québécois. Toutefois, des créations plus audacieuses, telle la tartinade de pêches à l'érable, amènent La Fraisonnée à faire appel à des producteurs extérieurs. Les propriétaires de l'entreprise ont trouvé la recette d'une bonne tartinade qui se distingue par son goût et sa texture et qui est exempte de pectine et d'agents de conservation. Contrairement à une confiture où le sucre est prédominant, à La Fraisonnée, c'est le fruit qui est la vedette. L'entreprise crée d'autres produits à base de fruits, tels que des tartinades sans sucre, en version deluxe, ou encore composées de fruits et chocolat noir 60 %. Une gamme de tartinades à cuisiner est également offerte et le site web de l'entreprise fournit d'excellentes idées de recettes. Comme le dit si bien la maison : « Gâtez-vous... de naturel! »

DE LA FORÊT À VOTRE TABLE

VersForêt, une petite entreprise du Témiscamingue, se spécialise dans l'identification, la cueillette et la transformation de produits forestiers non-ligneux. Tout est cueilli à la main, dans le plus grand respect de la tradition et de l'environnement. En résulte une gamme de produits gourmands qui viendra rehausser le goût de vos petits plats maison : bourgeons de marguerites, cœurs de quenouilles, champignons crabe, gelée et sirop de cèdre, sirop de sapin, tartinades (fraises, bleuets, framboises), thé du Labrador... Pour des suggestions d'accompagnements, des idées recettes et la liste de points de vente, consultez leur site Internet. **www.versforet.com**

MIEL NATUREL ABITEMIS

149, route 101 Sud, Saint-Bruno-de-Guigues
819-728-2087
www.mielabitemis.com

Ouvert toute l'année. Produits disponibles sur place à la miellerie : cire d'abeille pure, gelée royale, pollen et miel en rayon.

Germain Tétrault est un passionné du monde des abeilles. Natif de Sainte-Madeleine en Montérégie, ce n'est que quelques années plus tard qu'il s'installe en Abitibi-Témiscamingue pour réaliser son rêve. Fasciné par les abeilles, c'est à l'âge de 21 ans que Germain quitte le Québec pour approfondir ses connaissances en apiculture. Ayant travaillé pendant quatre ans en Saskatchewan, c'est avec tous les outils nécessaires en main qu'il revient au Québec et s'installe à Saint-Bruno-de-Guigues. Ce village est situé dans une région qui a la réputation d'être propice à l'élevage des abeilles. C'est le climat de ce petit coin de la province qui explique l'unicité de la saveur du miel produit par Abitemis. Fondée depuis maintenant plus de 25 ans, cette entreprise familiale mise sur la qualité de son produit. Son but : offrir un miel de qualité naturel et délicieux, non pasteurisé. L'entreprise produit également du miel de trèfle, de bleuet ou de fleurs sauvages, ainsi que des pastilles et bonbons au miel. Leur site Internet propose également quelques recettes qui, sans aucun doute, vous feront bourdonner l'estomac.

Fromages

LA VACHE À MAILLOTTE

604, 2e Rue Est, La Sarre
819-333-1121 / 1 866-333-1156
www.vacheamaillotte.com

Boutique ouverte : lundi-mercredi, 9h-18h ; jeudi-vendredi, 9h-20h ; samedi, 9h30-17h. Sélection de fromages québécois, de produits régionaux, de mets cuisinés et de produits de boulangerie aussi offerte sur place.

Établie en 1996, cette fromagerie est le fruit du travail de passionnés, tous d'anciens producteurs laitiers. Ils désirent, à travers leur entreprise, projeter l'image sympathique du fromage québécois du terroir. Aspect que l'on constate très bien à la vue de ces animaux dessinés qui nous observent sur l'emballage de certains de leurs fromages. Les créations de La Vache à Maillotte comprennent des fromages fins (dont l'Allegretto, un fromage de lait de brebis à pâte ferme subissant un affinage de 120 jours, gagnant de plusieurs prix Sélection Caséus et au British Empire Cheese Show), des fromages frais du jour (dont le cheddar en grains et les savoureux tortillons), et les fromages froids (dont le Jocoeur, un fromage non affiné à pâte demi ferme avec une teneur en matières grasses de seulement 17 %). Le slogan de l'entreprise : « Le bonheur est à l'intérieur! » C'est ce souci de plaire à tous et de partager le plaisir du bon fromage qui fait de La Vache à Maillotte une fromagerie que nous sommes fiers d'avoir au Québec.

À TABLE

LA ROSE DES VENTS

205, avenue Carter, Rouyn-Noranda
819-768-8833
www.restaurantlarosedesvents.com

Ouvert du mardi au samedi dès 17h. Menu à la carte et menu dégustation 8 services (avec ou sans l'accord des vins). Terrasse à venir pour l'été 2015. Certifié Terroir & Saveurs du Québec.

Fière propriété d'un bourlingueur gourmand au parcours impressionnant, ce restaurant de fine cuisine et bar à vin, nouvellement déménagé au centre-ville, propose une carte axée sur les saveurs régionales. Une fine cuisine où s'incorporent entre autres les succulents produits abitibiens, avec des plats variant au gré des saisons et des arrivages et une bonne dose de créativité. Du côté du bar à vin, on retrouve plus d'une centaine de références incluant des crus du Québec et d'ailleurs, avec une belle sélection en importation privée. À accompagner d'une tarte flambée ou d'une planche de dégustation, un délice. Une adresse chaudement recommandée !

MARCHANDS DE BONHEUR

CHEZ GIBB

25, rue d'Évain, Rouyn-Noranda (secteur Évain)
819-768-2954
www.chezgibb.com

Lundi-vendredi, 6h-22h ; samedi-dimanche, 8h-22h. Mets cuisinés sur place et variété de sandwichs, sous-marins, soupes du jour et plus.

Jacques et Laurette Gibson ont ouvert leur commerce en 1986, mais ce n'est que près de vingt ans plus tard qu'il est devenu une vitrine des produits de microbrasseries d'ici, notamment grâce à leur fils Jean-François, œuvrant dorénavant comme spécialiste en bières à la boutique. Le choix s'étend sous nos yeux à plus de 300 bières artisanales québécoises, sans oublier les produits connexes tels les verres de dégustation. La famille Gibson parcourant chaque an la Route des bières afin de visiter nos brasseurs québécois, c'est donc dire que l'inventaire se bonifie constamment au fil de ces rencontres. À découvrir : la Mafia Gibb, une pale ale américaine spécialement brassée pour eux par le Trèfle Noir de Rouyn-Noranda. À surveiller : l'ouverture d'un salon de dégustation avec terrasse situé à deux pas de la boutique (19, rue d'Évain), permettant aux brasseurs de venir faire découvrir leur savoureux produits sur place.

MAGASIN GÉNÉRAL DUMULON - 1924

191, avenue du Lac, Rouyn-Noranda
819-797-7125
www.maison-dumulon.ca

Début juin à fin août : lundi-dimanche, 8h30-17h (visites guidées à 9h, 10h30, 13h30 et 15h). Le reste de l'année : mercredi-dimanche, 10h-18h (visite guidée sur réservation). L'entrée est libre, mais la visite guidée est payante. Programmation culturelle tout au long de l'année. Autres services/attraits gérés par la corporation : Église orthodoxe russe St-Georges et Vélo Cité.

Fidèlement reconstitué, ce site historique, géré par la Corporation de la Maison Dumulon, regroupe un magasin général, un bureau de poste ainsi que la résidence familiale de l'époque. La visite guidée vaut vraiment le détour. Mais ne quittez pas les lieux sans un arrêt à la boutique cadeaux, véritable vitrine des artisans et producteurs agroalimentaires de la région. Vous y trouverez de tout pour tous les goûts et toutes les bourses, y compris des répliques d'objets d'autrefois. Paniers-cadeaux de produits régionaux faits sur mesure.

ACTIVITÉS GOURMANDES

FROMAGERIE FROMABITIBI

464, rang 10, Colombourg
819-339-3913

Vente de produits sur place. Visites commentées avec dégustations (en semaine à l'année, sur réservation) : adulte 6 $, enfant 4 $ (tarifs famille et groupe disponibles).

En 2009, Guillaume Lemieux a repris la ferme de Madame Dion, qui existait depuis 1986, en respectant toujours le même savoir-faire : l'art de l'élevage de la chèvre de manière naturelle et la fabrication de fromage. Ainsi, durant la visite commentée, il est agréable d'admirer l'architecture de cette ferme ancestrale. En effet, elle est toujours la plus ancienne productrice de fromages en Abitibi. Par la suite, le guide vous explique l'histoire de la chèvrerie, les techniques d'élevage et les différents procédés de fabrication des fromages. Lors des dégustations, vous découvrirez les spécialités tels le fromage fêta, à tartiner, en grains, roulé, ou encore le cheddar frais ou vieilli. Il est possible de se procurer ces fromages au kiosque de vente où l'on propose également des yaourts et laits de chèvre.

LES CHOCOLATS MARTINE

5, rue Sainte-Anne, Ville-Marie
819-622-0146
www.chocolatsmartine.com

Ouvert à l'année. Visites guidées : en semaine à 10h et à 15h (3 $ par personne). Durée : 30 min. (réservation requise).

Située à la marina, aux abords du magnifique lac Témiscamingue, cette entreprise fondée en 1987 est dorénavant dirigée par Line Descoteaux et Bernard Flebus depuis plus d'une quinzaine d'années. Les visites guidées vous feront découvrir l'histoire passionnante du chocolat, en passant par le secret de « La Caramelle », sans oublier la fameuse tablette de chocolat pesant quatre tonnes et demie. À la boutique, vous retrouverez leurs délices chocolatés (bouchées au chocolat de diverses saveurs, coupes à desserts ou à porto en chocolat, etc.), des pâtisseries, des fromages, du café, une sélection de produits régionaux, ainsi que de belles idées cadeaux.

BAS-SAINT-LAURENT

C'est la destination des grands espaces. À la brunante, vous admirerez les plus beaux couchers de soleil du monde. Vous y verrez parfois l'aube s'étirer dans un rouleau de brume dense et dérouler sa ouate infinie depuis les caps de Charlevoix, au nord, sur la rive opposée du fleuve. Une vision troublante. Vous constaterez que ce qu'on appelle plus communément le « Bas-du-Fleuve » présente parfois un horizon si vaste qu'on a du mal à l'embrasser du regard.

Le Bas-du-Fleuve commence à La Pocatière, dans la région gourmande de Kamouraska, qui signifie en algonquin « là où il y a des joncs au bord de l'eau ». Durant le trajet, chaque virage, chaque apparition du fleuve, attirera votre regard. Emplissez bien vos yeux, et surtout vos poumons. Ici vous respirez de l'air pur !

Cette belle région vous ouvre également les portes des saveurs agroalimentaires régionales. Que ce soit des boutiques ou marchés, des confitures et chocolats, des pâtisseries et boulangeries, des produits de l'érable ou du miel, des fromages, des fines herbes et condiments, des viandes et gibiers, des poissons et fruits de mer, des alcools et cafés, sans oublier les bonnes tables de la région, recherchez avant tout le logo Saveurs du Bas-Saint-Laurent, gage de qualité et surtout, de belles découvertes en perspective.

TOURISME BAS-SAINT-LAURENT

418-867-3015 / 1 800-563-5268
www.bassaintlaurent.ca

ÉVÉNEMENTS

BIÈRE FEST

Parc Blais et rue du Rocher, Rivière-du-Loup
www.bierefest.com

En septembre.

MARCHÉ DES SAVEURS

Tennis de Rimouski
416, avenue Rouleau, Rimouski
418-724-9068
www.saveursbsl.com

En décembre.

CIRCUITS AGROTOURISTIQUES ET DE DÉCOUVERTE

LES SAVEURS DU BAS-SAINT-LAURENT

www.saveursbsl.com

À parcourir... De La Pocatière à Rimouski, le Bas-du-fleuve se situe entre la mer et la terre. Le fleuve Saint-Laurent abreuve la région en espèces marines, comme le saumon, l'esturgeon et l'anguille. L'air marin commence à se faire sentir et les vents parfument les prés où sont élevés les agneaux. Les Saveurs du Bas-Saint-Laurent consistent en un réseau de membres œuvrant dans le domaine bioalimentaire et qui a pour mission de faire rayonner la région grâce aux produits qu'elle offre.

À découvrir... Contrairement à d'autres circuits qui figurent dans ce guide, ici on ne vous propose pas un tracé défini. On vous fait plutôt un inventaire de toutes les merveilleuses adresses gourmandes de la région. Sur plus d'une quarantaine de pages, le guide vous invite à explorer les belles traditions culinaires de la région. Il est composé de cartes de la région où sont notées les adresses gourmandes. Partez à la rencontre des producteurs, artisans, horticulteurs, agriculteurs, pêcheurs, entrepreneurs, restaurateurs. Passionnés par leur région, ils se feront un plaisir de partager avec vous leur savoir-faire et leurs traditions. Produits de la terre et de la mer sont au rendez-vous : cerfs, wapitis, chevreaux de lait, lapins, hydromels, boulangeries, charcuteries, miel, bières artisanales, petits fruits, herbes salées, fromages, produits de la mer, saucissons, gibiers, produits de l'érable, etc. Les découvertes sont infinies ! Le guide vous précise exactement ce que l'on retrouve à chaque adresse et où l'on peut acheter les produits. Cherchez le logo !

À faire... Dans une région aussi exceptionnelle où terre et mer se côtoient, les activités sont innombrables. Dégustations, achat sur place, autocueillette, visites d'entreprises et de tables gourmandes font entre autres partie des activités les plus courantes. Rien n'empêche toutefois de profiter des autres trésors de la région. Il suffit de vous informer à l'un des bureaux d'information touristique. Les Saveurs du Bas-Saint-Laurent vous proposent également des tables gourmandes afin de bien compléter votre séjour dans la région. Son site web s'avérera un complément idéal au guide : nouvelles, recettes, boutique en ligne et répertoire des membres s'y trouvent. Vous pouvez faire une recherche par produit, par nom de membres ou par MRC.

PRODUCTEURS

Breuvages, vins et spiritueux

DOMAINE ACER, ÉCONOMUSÉE DE L'ACÉRICULTURE

145, route du Vieux Moulin, Auclair
418-899-2825
www.domaineacer.com

Boutique sur place ouverte à l'année sauf les 3 semaines après Noël. Fin mars à fin avril et du 24 juin à début septembre : tous les jours de 9h à 17h. Le reste du temps : en semaine seulement. Visites commentées et dégustations offertes de fin mars à mi-octobre : 4 $ par personne.

Natif du Bas-Saint-Laurent, Vallier Robert est l'artisan acériculteur derrière tous les fabuleux produits du Domaine Acer. Ayant grandi dans une famille qui exploitait une érablière, son objectif est de créer des produits innovateurs qui ne feront pas de l'érable qu'un produit saisonnier. Il lance son entreprise en 1992 et consacre ses premières années d'entrepreneur à faire de la recherche, à partir de l'érablière familiale, sur la transformation de l'érable en boisson alcoolisée. Aujourd'hui, c'est avec sa femme Nathalie Decaigny, Belge d'origine, et ses quatre enfants qu'il développe ses produits et son entreprise. Le Domaine Acer offre toute une gamme de boissons alcoolisées à la sève d'érable, ainsi que des produits fins, tels que des sirops, des beurres, des sucres, des gelées et des chocolats. Faisant partie du réseau ÉCONOMUSÉE, il est possible d'avoir une visite commentée de l'entreprise et de ses installations.

HYDROMELLERIE SAINT-PAUL-DE-LA-CROIX

62, rue Principale Ouest, Saint-Paul-de-la-Croix
418-898-2545
www.hydromellerie.com

Lundi-jeudi, 9h-17h30 ; vendredi-samedi, 9h-19h30 ; dimanche, 8h-19h30. De Pâques à l'Action de Grâces : ouvert jeudi-dimanche (tous les jours du 24 juin à début septembre). Ouvert le dimanche jusqu'au 31 décembre (hors saison sur réservation). Boutique et café-resto sur place. Certifié Terroir & Saveurs du Québec.

Fondé à la fin des années 1970 sous le nom « Miel naturel Saint-Paul-de-la-Croix », les lieux ont accueilli nombreux amateurs de produits de la ruche au fil des ans. Suite à l'acquisition de l'entreprise par Gilles Gaudreau, une hydromellerie fut aménagée sur place afin de produire, de manière artisanale, des boissons alcoolisées à base de miel. Comme valeur ajoutée aux activités de production, un centre d'interprétation agrotouristique vise à faire découvrir aux curieux le travail de ces petites ouvrières, mais aussi les installations de production et de fermentation.

Trois hydromels (vins de miel) sont produits sur place : Les Filles du Soleil de Saint-Paul-de-la-Croix (naturel), La Coureuse des champs du Bas-du-Fleuve (fruits des champs) et Le Nectar du terroir basque (pommes). En plus de ces divins nectars, on retrouve toute une gamme de miels, des gelées d'hydromel aux fruits des champs, des vinaigrettes et moutardes au miel, des confitures de miel et fraises, du sucre à la crème au miel, du chocolat noir au miel, etc. La boutique propose également des produits de la région ainsi que des œuvres d'artisans locaux.

Chez le brasseur

LE BIEN, LE MALT

141, avenue Belzile, Rimouski
418-723-1339
www.lebienlemalt.com

Dimanche-mercredi, 15h-23h ; jeudi-samedi, 15h-2h. De mi-juin à début septembre : ouverture à 14h en semaine et midi le week-end. Items à l'effigie de la brasserie en vente sur place. Programmation culturelle et musicale. Terrasse.

Né du plaisir brassicole et du désir de partager son goût pour les produits québécois, Le Bien, le Malt a ouvert ses portes en 2008 à deux pas du fleuve. Des bières d'inspiration anglaise y sont brassées à partir d'un maximum d'ingrédients québécois. On compte plusieurs produits réguliers dont une IPA, un Stout, une Pale Ale et une Irish Red Ale. Plusieurs bières inédites sont également disponibles au gré de l'humeur du brasseur. Pour les indécis, optez pour un plateau de dégustation de bières, à accompagner d'une de leurs assiettes gourmandes composées de fromages, charcuteries et poissons. Le tout est complété par une carte d'alcools et spiritueux mettant à l'honneur les produits locaux, ainsi que des vins d'importation privée et une grande sélection de scotchs. Notez qu'ils ont entrepris l'aménagement d'une nouvelle salle de brassage afin d'embouteiller quelques-unes de leurs bières, disponibles dès l'été 2014 sur place et dans les commerces spécialisés.

MICROBRASSERIE AUX FOUS BRASSANT

262, rue Lafontaine, Rivière-du-Loup
418-605-1644
www.auxfousbrassant.com

En été : dimanche & mardi, 13h-23h ; lundi & mercredi-samedi, 13h-1h. Le reste de l'année : lundi-mardi, fermé ; mercredi-samedi, 15h-1h ; dimanche, 15h-23h. Visite des installations brassicoles et dégustation sur réservation. Items à l'effigie de la brasserie en vente sur place. Programmation culturelle et musicale. Terrasse.

Ouverte depuis mars 2012, cette belle adresse de la Route des Bières de l'Est-du-Québec est un projet bien mûri de deux comparses fous de la bière, Éric Viens et Frédéric Labrie. Aux pompes, on retrouve de délicieux nectars à base d'orge majoritairement québécois et biologique tels la Jean-Eudes (scotch ale), l'Antiquaboère (Impériale IPA), l'Huluberlue (ale rousse) ou encore la Fun Noir (dry stout). Des bières saisonnières et autres créations du brasseur sont aussi au menu. Question de vous rassasier, une ardoise de coupe-faim et de grignotines comprend, entre autres, des bruschettas maison, des nachos, des charcuteries et fromages de la région. Des expositions d'œuvres d'artistes du coin, des spectacles, des soirées micro ouvert et des projections sont également au menu. Notez que l'entreprise s'est vue décerner deux prix lors du Gala des Prestiges 2013 de la MRC de Rivière-du-Loup, dont « Entreprise de l'année ». À découvrir sans hésitation lors de votre passage dans cette magnifique région !

TÊTE D'ALLUMETTE MICROBRASSERIE

265, route 132 Ouest, Saint-André-de-Kamouraska
418-493-2222
www.tetedallumette.com

En saison estivale : ouvert tous les jours de 11h à 23h. Ouvert le reste de l'année sur horaire variable. Visite guidée des installations, bières pour emporter. Programmation culturelle et musicale. Terrasse avec vue imprenable sur le fleuve.

Difficile, voire impossible, de ne pas tomber sous le charme de cette magnifique maison bicentenaire, sans voisinage, surplombant le fleuve avec une vue à couper le souffle. L'intérieur, tout de bois vêtu avec des éléments de déco et du mobilier recyclés, poursuit l'expérience et nous plonge dans une atmosphère intime et chaleureuse. Les propriétaires, Martin Desautels et Élodie Fortin, ont ouvert les portes de la microbrasserie Tête d'Allumette à l'été 2013, et elle fonctionne à plein régime depuis. Ce qui démarque cette microbrasserie, c'est son procédé de brassage qui se fait sur feu de bois. Unique en Amérique ! D'inspiration anglaise, les bières qu'on y brasse réinventent l'essence du Kamouraska. En plus des bières brassées sur place, on retrouve à l'ardoise quelques bières d'exception et des alcools régionaux, ainsi qu'un petit menu comprenant des assortiments de fromages locaux et de poissons fumés, des pogos concoctés avec une pâte à la bière maison, etc. Un réel petit bijou, 100 % Kamouraska !

Fromages

FROMAGERIE DES BASQUES

69, route 132 Ouest, Trois-Pistoles
418-851-2189
www.fromageriedesbasques.ca

Ouvert tous les jours, 24 heures sur 24. Bar laitier et terrasse sur place.

Fondée en 1994 par la famille Pettigrew, propriétaire d'une ferme du même nom, la fromagerie représentait alors une valeur ajoutée à la production laitière de l'entreprise. Le lait de la ferme servait entièrement à la fabrication de fromages frais du jour. La demande s'accroissant rapidement, les Pettigrew décidèrent de se consacrer uniquement à la fromagerie. S'ensuit alors la fabrication de fromages selon différents procédés. Parmi les produits, le fromage qui fait « kwick-kwick » conserve sa côte de popularité, mais on y fabrique également des fromages à pâte molle ou demi-ferme en croûte fleurie et lavée, du cheddar vieilli, du fromage suisse de type gruyère, du fromage fumé au bois d'érable (un délice sur BBQ !), des fondues, etc. Question de compléter vos emplettes, vous trouverez sur place des produits de l'érable, des herbes salées, des produits régionaux, ainsi que des pâtisseries, pains et brioches maison.

Pains et viennoiseries

BOULANGERIE NIEMAND

82, avenue Morel, Kamouraska
418-492-1236
www.boulangerieniemand.com

Mai à la Saint-Jean-Baptiste & de la fête du Travail à fin octobre : jeudi-dimanche, 8h-18h. Saint-Jean-Baptiste à la fête du Travail : ouvert tous les jours de 8h à 18h. Une gamme de produits de Noël est disponible en décembre sur réservation.

Cette merveilleuse boulangerie occupe les locaux d'une résidence de style victorien datant de 1900. Elle se spécialise dans la confection de pains au levain, de biscuits et de viennoiseries, composés de grains de culture locale et de farine intégrale moulue sur place, le tout toujours frais du jour cuit sur la sole. Depuis ses débuts en 1995, Niemand mise sur la fraîcheur et la saine alimentation en développant des produits à haute valeur nutritive. Leurs différentes expérimentations mariant les saveurs locales à la tradition européenne ont donné naissance à des produits originaux permettant ainsi de diversifier et d'élargir la gamme de produits offerts. Question de vous gâter, une sélection de confitures et marmelades, de biscuits sablés pur beurre, de vinaigres à base de fruits et bien d'autres produits faits sur place n'attendent que vous.

Poissons et fruits de mer

POISSONNERIE LAUZIER

57, avenue Morel, Kamouraska
418-492-7988
www.poissonnerielauzier.com

Ouvert tous les jours de 8h30 à 19h. Livraison partout au Québec. Bistro de la mer sur place.

Propriété de la famille Lauzier, qui a su transmettre de père en fils cette grande passion pour la pêche en mer, cette poissonnerie du Kamouraska est un

Deux bonnes adresses de la mer à l'Isle-Verte

En suivant la bucolique route 132 vers l'est, vous traverserez le petit village de l'Isle-Verte, situé à mi-chemin entre Cacouna et Trois-Pistoles. Votre premier arrêt sera facile à repérer, grâce à ses fumoirs bien visibles : c'est le Marché des Trois Fumoirs (47, rue Seigneur-Côté, fermé de début janvier à fin mars). On raffole notamment de leurs filets de maquereau et harengs fumés, de leurs bourgots marinés et de leur morue séchée. Mais prenez garde, l'imposante sélection de produits frais, surgelés, marinés, salés ou fumés vous donnera envie de tout acheter !

Un peu plus loin, vous verrez la Poissonnerie Chez Louise (223, rue Seigneur-Côté, ouvert à l'année). En opération depuis plus de trente ans, la boutique de Claudette Michaud propose de succulents poissons, mollusques et fruits de mer (frais, fumés, salés ou congelés), des plats maison comme les coquilles St-Jacques, des pâtés de toutes sortes, des mousses, etc. On y retournera certainement !

incontournable pour vos emplettes. Des étals qui débordent de produits frais du jour, à peine sortis des filets, tels du hareng, de la morue, de la truite, du saumon, de l'esturgeon noir, du crabe des neiges, des moules, des palourdes et bien d'autres poissons, mollusques et fruits de mer. Les produits de leur fumoir sont également à découvrir, sans oublier la section de mets cuisinés où cipaille, bouillabaisse, mousse, quiche et autres délices sont préparés sur place pour vous simplifier la vie. Un restaurant jouxte la poissonnerie et propose de succulents plats de spécialités marines du Kamouraska, le tout à un rapport qualité-prix imbattable. À mettre au carnet !

À TABLE

AUBERGE DU CHEMIN FAISANT

12, Vieux Chemin, Cabano
418-854-9342 / 1 877-954-9342
www.cheminfaisant.qc.ca

Ouvert le matin (pour les clients de l'auberge) et le soir (pour tous). Menu découverte du soir en 8 services. Terrasse. Hébergement et forfaits disponibles sur place. Galerie-boutique d'artiste peintres originaires de la région.

Réputée pour sa table gastronomique et de fine cuisine régionale, cette superbe auberge située au cœur de la région du Témiscouata vous séduira. Liette Fortin, la sommelière, et Hugues Massey, le « créateur culinaire », vous convient à venir découvrir une cuisine évolutive et créative qui envoutera tous vos sens. Ici on mise sur l'équilibre des goûts, des saveurs, des couleurs et des textures, sans oublier l'accord mets-vins pour une expérience des plus épicuriennes. En effet, la cave à vin fera sourire les connaisseurs avec un choix qui s'étend à quelque 150 étiquettes pour un total d'environ 1 000 bouteilles. Une adresse hautement réputée !

AUBERGE DU MANGE GRENOUILLE

148, rue Sainte-Cécile, Rimouski (secteur Le Bic)
418-736-5656
www.aubergedumangegrenouille.qc.ca

Ouvert du 1er mai à la fin octobre. Menu table d'hôte : 42 $ à 54 $. Menu dégustation 7 services : 80 $ (ajoutez 60 $ avec l'accord de vin pour chaque service). Superbe carte des vins (buvette cave à vin sur place – à ne pas manquer !). Certifié Terroir & Saveurs du Québec. Boutique-cadeaux et hébergement disponibles sur place.

Sans aucun doute l'une des plus belles auberges de la région. L'édifice rouge, avec son grand jardin et sa vue imprenable sur les îles, intrigue les flâneurs. La cuisine, d'une qualité remarquable, reçoit régulièrement des lauréats. Richard Duchesneau, le chef artisan, et son équipe de bourlingueurs des marmites vous concoctent des plats à l'image des savoureux produits de la région. Chaque saison apporte d'ailleurs son lot de découvertes grâce aux recommandations des artisans et fournisseurs régionaux, précieux complices de l'auberge. Une cuisine jeune et évolutive, ouverte sur le monde, voilà ce que vous réserve la table du Mange Grenouille. Une escale d'exception, une invitation au rêve !

CHEZ ANTOINE

433, rue Lafontaine, Rivière-du-Loup
418-862-6936
www.chezantoine.ca

Ouvert le midi en semaine et tous les soirs dès 17h (fermé le dimanche). Menu midi et plats principaux le soir : à partir de 15 $ (ajouter 12 $ au prix du plat le soir pour une table d'hôte). Très belle carte des vins, terrasse. Service de traiteur.

Réputée comme étant l'une des meilleures tables de la région, cette belle maison centenaire offre de plus une ambiance chic classique, décorée de nappes blanches traditionnelles et de couleurs boisées. La salle à manger est intime et vous pourrez profiter également de la terrasse lors de la belle saison. La cuisine est classée gastronomique, et elle mise sur les produits locaux. Dans une quête de perfectionnement et de raffinement, le chef inscrit au menu des viandes biologiques, des poissons frais et des abats. La carte des vins est composée de plus de 400 références et un sommelier saura vous guider dans l'accord de vos mets.

CHEZ SAINT-PIERRE

129, Mont St-Louis, Rimouski (secteur Le Bic)
418-736-5051
www.chezstpierre.ca

Ouvert de mai à décembre (fermé en novembre). Mardi-dimanche, 11h30-14h (fin juin à début septembre). Mercredi-dimanche, 17h-21h30 (plus le mardi en été seulement). Table d'hôte du midi : à partir de 15 $, le soir : à partir de 35 $. Réservation recommandée. Terrasse ensoleillée.

Après une escapade dans le magnifique et verdoyant parc naturel du Bic, régalez-vous au restaurant Chez Saint-Pierre, situé en plein cœur du village. Colombe Saint-Pierre, chef réputée, est une autodidacte passionnée et amoureuse de la vie, et donc de la cuisine. Elle désire que les gens prennent conscience des richesses que leur offre leur propre patrimoine alimentaire, et elle reflète sa personnalité à travers ses créations. Ici les moindres ressources du terroir sont utilisées, dont les herbes, champignons et fleurs sauvages qui viennent agrémenter les plats. Une table chaudement recommandée !

CÔTÉ EST CAFÉ-BISTRO

76, avenue Morel, Kamouraska
418-308-0739
www.cote-est-a-kamouraska.com

Du 24 juin à la fête du Travail : ouvert tous les jours de 10h à 22h. Le reste de l'année : vendredi-samedi, 11h-21h ; dimanche, 11h-16h (plus le jeudi de 11h à 21h en mai, juin, septembre et octobre). Fermé de janvier à fin mars (possibilité d'ouverture pour les groupes de 8 à 20 personnes). Programmation musicale et culturelle. Superbe terrasse avec vue sur le fleuve. Accès à la plage et au parc à deux pas.

Dans un lieu chargé d'histoire, embrassant du regard le fleuve et les îles, le chef Kim Côté et sa complice Perle Morency vous invite à un voyage gourmand au cœur des saveurs régionales. L'Est du Québec se taille une place de choix dans l'assiette où se côtoient, notamment, des viandes comme l'agneau, la pintade ou le phoque, des charcuteries, des poissons, du fromage local, du pain artisanal et des légumes du jardin. On raconte que leur burger de phoque au poivre de mer, foie gras et pain de la Boulangerie Niemand est à tomber par terre ! Des vins d›importation privée et des bières de microbrasserie figurent également à l›ardoise pour des accords bien réussis. Profitez de votre passage à ce café-bistro pour découvrir les autres espaces culturels réunis sous un même toit. On aime !

MARCHANDS DE BONHEUR

LES HALLES SAINT-GERMAIN

115, rue Saint-Germain Ouest, Rimouski
418-730-0500

Lundi-jeudi & samedi, 9h-18h ; vendredi, 9h-21h ; dimanche, 11h-18h.

Situées à deux pas du fleuve, offrant ainsi une superbe vue, le marché Les Halles Saint-Germain est une adresse de choix pour vos emplettes. Remplis de comptoirs ornés de produits régionaux, vous retrouverez les éléments constitutifs d'une alimentation de qualité. Des terrasses sont à votre disposition en été afin de déguster les fruits, légumes, fromages, pains, saucisses, viandes et charcuteries, poissons et fruits de mer (frais de la région !), chocolats et autres petits délices achetés sur place.

MAGASIN GÉNÉRAL DE KAMOURASKA

98, avenue Morel, Kamouraska
418-492-2882

Mi à fin mai : samedi-dimanche, 9h-18h. Juin à fin octobre : lundi-dimanche, 9h-18h.
Comptoir de dégustation de produits du terroir, terrasse avec vue sur le fleuve.

Situé au cœur du village, le Magasin Général fera le plaisir des gourmands et des amoureux d'artisanat. Dans une immense maison, rénovée dans le but de recréer l'ambiance des années 1930, vous pourrez vous procurer tous les meilleurs produits de la région : conserves, tartinades, marmelades, produits fumés, charcuteries, fromages, etc., ainsi que des items pour la cuisine, la maison et la déco. Le restaurant L'Amuse-Bouche, à deux pas de là sur le bord de l'eau, sert ces délicieux produits.

Paniers d'Ici : votre épicerie en ligne!

www.paniersdici.com

Paniers d'Ici et Entre-Nous, les paniers du Kamouraska se sont associés afin d'offrir les produits agroalimentaires de plus d'une soixantaine d'agriculteurs, de transformateurs et d'artisans de la région aux habitants de Rimouski-Neigette et du Kamouraska. Il suffit de créer son compte en ligne moyennant une cotisation annuelle de 20 $, puis de passer sa commande parmi les produits offerts. La liste des points de chute et les horaires de cueillette sont disponibles sur le site web. Une belle manière de favoriser l'achat local tout en optant pour une formule éco-responsable.

TERROIRS D'ICI ET D'AILLEURS

424, rue Lafontaine, Rivière-du-Loup
418-867-4499
www.terroirs.ca

En été : lundi-mercredi, 9h30-18h ; jeudi-vendredi, 9h30-21h ; samedi, 9h-18h ; dimanche, 11h-17h. Fermé le lundi le reste de l'année. Service de restauration sur place. Service de traiteur sur réservation.

Lieu par excellence pour se faire un petit plaisir ou pour offrir une surprise à ses amis. Dans le but de mettre en valeur les produits régionaux, le service est attentionné, prêt à vous conseiller pour réaliser les meilleurs repas. Situé en plein centre-ville, cette boutique est facile à trouver. On y trouve des fromages, des charcuteries, des produits d'épicerie fine et du haut de gamme comme les truffes. Les idées de coffrets-cadeaux sont sympathiques comme des beurriers bretons, des plats pour camembert au four, des salières et poivrières Peugeot… Si vous avez un petit creux, il est possible de déguster sur place des sandwichs et des salades préparés par la maison.

ACTIVITÉ GOURMANDE

FERME «C'EST LA FAUTE DES BIQUETTES» BERGERIE, ETC.

1781, chemin du 3e-Rang-du-Bic, Rimouski (secteur Saint-Valérien)
418-736-5554
www.lafautedesbiquettes.com

Visites animées guidées offertes de juin à mi-octobre (à 10h ou 14h), sur réservation seulement. Durée minimum de 2 heures. Adulte : 10 $, 12 ans et moins : 5 $. Tarifs groupes disponibles. Ferme et boutique ouvertes tous les jours de juin à mi-octobre de 10h à 17h30. Certifié Terroir & Saveurs du Québec. Possibilité d'hébergement au Bic (mi-juin à mi-octobre).

Blottie dans son écrin de nature, à proximité du fleuve et du parc national du Bic, cette ferme agrotouristique d'élevage naturel plaira tant aux petits qu'aux grands. Plus d'une quinzaine d'espèces d'animaux y ont élu domicile : moutons, chèvres, lamas, lapins, cochons, autruches, poules, et autres. La visite animée ludo-éducative vous permettra de côtoyer, cajoler et nourrir ces charmantes bêtes, tout en découvrant la vie à la ferme. Les gourmands feront un tour à la boutique qui vend de la charcuterie d'agneau, des saucisses de toutes sortes, des découpes d'agneau et de brebis/bélier. Si vous désirez passer la nuit dans les environs, les propriétaire de la ferme possèdent un gîte au Bic avec quatre coquettes chambres (à partir de 95 $ en occupation double, petit déjeuner inclus).

CANTONS-DE-L'EST

Situés au sud-est de Montréal, les Cantons-de-l'Est longent la frontière des États-Unis. Ils commencent dans les plaines et montent jusqu'aux Appalaches. De vallons en vallées, de collines en montagnes, les forêts de feuillus et de conifères se succèdent ou se côtoient. Vous vous rendrez dans les Cantons-de-l'Est pour ses paysages bucoliques, sa température légèrement au-dessus de la moyenne, ses magnifiques lacs, ses montagnes skiables, et pour le petit côté nostalgique et dépaysant de sa belle architecture.

Royaume du silence et de grande paix, les Cantons-de-l'Est ne sont pas seulement très écologiques, ils offrent en prime tous les attraits d'une région viticole et gastronomique. La Route des vins de Brome-Missisquoi est à ce fait un must pour tous les amateurs de ce nectar (voir description dans la rubrique « circuits agrotouristiques » de cette région). Mais au-delà de cette route fort connue, mille petits délices vous attendent dans les Cantons. Des tables gastronomiques aux producteurs régionaux, c'est tout un circuit de saveurs et d'activités agroalimentaires qui s'offre à vous. Pour de plus amples informations sur les produits régionaux des Cantons, visitez le site de l'association touristique régionale (possibilité de commander la carte du circuit agrotouristique de la région) ou encore celui du Marché régional de solidarité au www.atestrie.com.

TOURISME CANTONS-DE-L'EST

819-820-2020 / 1 800-355-5755
www.cantonsdelest.com

ÉVÉNEMENTS

UN PRINTEMPS DE BOUSTIFAILLE

Dans les restaurants participants de la région de Granby
450-361-6069
www.rougefm.ca/boustifaille

En avril et mai.

LA FÊTE DU CHOCOLAT DE BROMONT

Vieux village de Bromont
450-534-4078
www.lafeteduchocolatdebromont.com

En mai.

FÊTE DES VENDANGES MAGOG-ORFORD

Pointe Merry de Magog
819-847-2022 / 1 888-847-2050
www.fetedesvendanges.com

Fin août - début septembre.

DÉGUSTABIÈRE

Cathédrale Saint-Michel, Sherbrooke
819-919-4665
www.degustabiere.com

Premier week-end d'octobre.

Petit nouveau dans l'univers des événements dédiés à la bière artisanale, celui-ci se démarque par son concept totalement innovateur, le tout dans un fort esprit de responsabilité sociale. Chaque jour, un duo de brasseurs québécois est jumelé à un restaurateur des Cantons-de-l'Est servant de savoureuses bouchées en accord avec les bières proposées. Les épicuriens seront ici comblés ! Chaque exposant est minutieusement sélectionné afin de promouvoir l'harmonisation de la culture brassicole québécoise et locale à l'artisanat agroalimentaire des Cantons-de-l'Est. Des conférences et performances d'artistes locaux se taillent également une place dans la programmation, sans oublier les soirées « Off » se tenant dans les microbrasseries du centre-ville. À découvrir, si ce n'est pas déjà fait !

CANARD EN FÊTE À LAC-BROME

Village de Knowlton (Lac-Brome)
450-242-2870
www.canardenfete.ca

En septembre.

LES COMPTONALES

Divers endroits à Compton et les environs
819-835-9463
www.comptonales.com

En septembre. Autre événement : Le Festin des Grâces en octobre.

CIRCUITS AGROTOURISTIQUES ET DE DÉCOUVERTE

CAFÉS DE VILLAGE, CRÉATEURS DE SAVEURS & CHEFS CRÉATEURS

www.cantonsdelest.com (onglet « Escapades gourmandes »)
www.createursdesaveurs.com

Le réseau Cafés de Village, qui compte une quinzaine d'établissements, regroupe des cafés surtout fréquentés par les gens du coin. Le but avoué est de permettre aux visiteurs de prendre le pouls de la vie quotidienne du village visité tout en offrant une restauration santé, des produits locaux et saisonniers, sans oublier les bières et vins des Cantons (dans le cas où l'établissement détient un permis d'alcool). De plus, chaque café a un étalage de produits du terroir, dont plusieurs arborant la bannière « Créateurs de Saveurs » (entreprises agroalimentaires des Cantons), question de faire découvrir les bons produits de la région.

Ces « Créateurs de Saveurs », et ils sont plus de soixante-dix, comprennent des fromagers, des boulangers, des vignerons et brasseurs, des chocolatiers, des producteurs maraîchers, des éleveurs et bien d'autres encore. Leurs savoureux produits sont disponibles en épiceries, dans les marchés publics, dans les Cafés de Village, sur les bonnes tables et dans plusieurs bureaux touristiques de la région. Repérez le logo et le tour est joué !

Pour ajouter à la découverte gourmande, une vingtaine de restaurants, regroupés sous la bannière « Chefs Créateurs », mettent en avant les produits régionaux, notamment ceux des Créateurs de Saveurs, ainsi que les vins des Cantons. Bon appétit !

LA ROUTE DES VINS DE BROME-MISSISQUOI

1 888-811-4928
www.laroutedesvins.ca

À parcourir… La Route des vins sillonne la région de Brome-Missisquoi, de Farnham à Lac-Brome (Knowlton) et relie une dizaine de municipalités sur un circuit de 120 km. Elle vous fait voir des paysages qui sont parmi les plus beaux du Québec : le lac Brome, les routes de campagne, les vignobles, les fermettes, les villages pittoresques, les montagnes, le patrimoine loyaliste et les plaines ne sont qu'un bref échantillon des attraits qui font de Brome-Missisquoi une région enchanteresse.

À découvrir… Berceau de la viticulture au Québec, la région de Brome-Missisquoi bénéficie d'un microclimat qui favorise la culture de la vigne. La Route des vins vous propose la visite d'une vingtaine de vignobles, permettant un contact avec leurs vignerons ainsi que la dégustation de leurs créations. Chacun possédant sa propre histoire, ses cépages et son savoir-faire, vous serez agréablement surpris des nombreuses découvertes que vous ferez en parcourant cette route. Pour les gourmands, quelques vignobles offrent un service de restauration et certains autres proposent une formule de paniers de pique-nique comprenant bouteille de vin, produits locaux et baguette.

À faire… Afin d'avoir une excursion des plus complètes, la Route des vins propose également la découverte d'entreprises locales, un complément idéal à votre parcours. Identifiées par un fanion distinctif, ce dernier saura vous guider vers des adresses qui vous mèneront à la rencontre des richesses culturelles de la région, du patrimoine, des entreprises agrotouristiques, des tables régionales et de plusieurs activités de plein air.

Cette route constitue l'excursion idéale pour les citadins qui ont envie de changer d'air pendant une journée, mais sachez que la région possède tous les services requis si vous avez envie d'y passer un peu plus de temps. Peu importe la saison, la Route des vins propose des suggestions d'activités qui sauront en tout temps vous divertir et vous mettre en contact avec ce merveilleux produit qu'est le vin. L'hiver, on vous offre même un marché de Noël où vous aurez l'occasion d'acheter à la fois vos cadeaux (vins et autres produits du terroir) et votre sapin de Noël. Des forfaits sont également disponibles (dont des tours guidés offerts en partenariat avec la compagnie Kava Tours, www.kavatours.com), ainsi que des activités spéciales lors des vendanges (de la mi-septembre à la mi-octobre). Bon vin, bonne cuisine régionale, auberges et gîtes douillets, activités culturelles et sportives, paysages splendides... Une route mémorable !

PRODUITS DE LA FERME DE LA VALLÉE DE COATICOOK

819-849-4803
www.produitsdelaferme.com

Cette région recèle de petits trésors agroalimentaires et nous vous proposons d'entreprendre un circuit de découverte à la rencontre de sympathiques producteurs. Fermes, vergers, vignobles, boulangeries, fromageries, bonnes tables et bien d'autres font partie de ce regroupement. Pour en savoir davantage sur les activités proposées et les entreprises participantes, consultez le site Internet.

PRODUCTEURS

Breuvages, vins et spiritueux

DOMAINE PINNACLE

150, chemin Richford, Frelighsburg
450-298-1226
www.domainepinnacle.com

Mai à fin décembre : lundi-vendredi, 10h-17h ; samedi-dimanche, 10h-18h. Le reste de l'année : vendredi-dimanche, 10h-17h. Forfaits pour les groupes et sur mesure. Boutique et terrasse sur place. Certifié Terroir & Saveurs du Québec.

C'est dans un site regorgeant d'histoire que Susan et Charles Crawford fabriquent tous les fabuleux produits de leur entreprise. Fondée en 2000 et lauréate de nombreux prix et reconnaissances, elle est l'un des plus importants producteurs de cidre de glace. Sa situation géographique contribue grandement à la production de pommes du verger. En plus de la pommeraie et de la cidrerie, l'entreprise possède également une érablière et une micro-distillerie. Une visite à cette adresse saura vous charmer autant que les produits qu'on y offre : cidre de glace, cidre de glace pétillant, cidre de glace Signature Réserve Spéciale, cidre tranquille ou pétillant, crème de pommes, crème d'érable, whisky à l'érable, gin, etc. Son cadre pittoresque, son histoire et l'accueil que l'on réserve aux invités font de ce domaine un incontournable lors d'un séjour dans la région. En plus des dégustations gratuites de leurs produits, un centre d'interprétation se consacre à la pomiculture et l'histoire de la pomme au Québec. Sur place, une boutique vous offre les produits du domaine ainsi que des produits du terroir régional.

UNION LIBRE

1047, route 202, Dunham
450 295 2223
www.unionlibre.com

Mai à fin décembre : lundi-dimanche, 10h-17h. Le reste de l'année : sur rendez-vous. Différents forfaits de dégustations et de visites offerts. Boutique sur place. Certifié Terroir & Saveurs du Québec.

Anciennement connu sous le nom « Cidrerie Fleurs de Pommiers », cette cidrerie-vignoble produit entre autres le fameux cidre de feu, maintenant reconnu par le gouvernement du Québec. Contrairement au cidre de glace, issu du gel, ce produit naît de la chaleur. Franchement différent et à découvrir absolument ! L'entreprise produit également des cidres de glace et des cidres effervescents.

Avec l'acquisition du domaine en 2010 par deux jeunes couples, les lieux ne font pas que du cidre mais également du vin. Ils ont d'ailleurs planté un peu plus d'un hectare de cépages blancs : chardonnay, riesling, pinot gris, gewurztraminer, seyval et vidal. Le but : la création d'un vin de glace dont la première cuvée sera prête au courant de l'année 2014. On a hâte !

Chez le brasseur

BOQUÉBIÈRE MICROBRASSERIE DE SHERBROOKE

50, rue Wellington Nord, Sherbrooke
819-542-1311
www.boquebiere.com

Lundi-mercredi, 16h-fermeture ; jeudi-samedi, 16h-3h ; dimanche, 19h-fermeture (septembre à fin mai – fermé le dimanche en saison estivale). Visite guidée des installations brassicoles et dégustation sur réservation. Programmation culturelle et musicale. Terrasse.

Située en plein cœur du centre-ville de Sherbrooke, cette microbrasserie abreuve fidèles et curieux de passage depuis 2008. Son objectif principal est d'offrir une expérience authentique aux amateurs de houblon en brassant des bières alliant le savoir-faire traditionnel et les produits régionaux des Cantons-de-l'Est. Bien ancré dans sa région, Boquébière contribue au développement et au rayonnement culturel local grâce à des partenariats bien établis avec plusieurs entreprises des Cantons. En résulte des bières distinctives, de grande qualité, avec une bonne touche d'originalité qui surprendra certainement vos papilles.

Boquébière est l'endroit parfait pour un 5 à 7 ou un repas entre amis. Elle arbore un look contemporain aux accents rustiques empruntés au monde de l'antiquaire ; la bière, brassée avec amour et patience, est délicieuse ; et le menu bistro est composé de produits locaux. Aux pompes, une dizaine de bières originales, brassées avec des produits du terroir, sont disponibles en tout temps, dont des saisonnières et des cuvées spéciales. Pour compléter le tout, chaque soir apporte son lot d'événements, allant des mardis Swing aux spectacles présentés en collaboration avec le Théâtre Granada, les samedis soirs, en passant par les dimanches de la ligue d'improvisation l'Abordage.

BRASSERIE DUNHAM

3809, rue Principale, local 104, Dunham
450-295-1500
www.brasseriedunham.com

Lundi-mercredi, fermé ; jeudi, 16h-minuit ; vendredi-samedi, 12h-minuit ; dimanche, 12h-22h. Visite des installations brassicoles et dégustation sur réservation. Items à l'effigie de la microbrasserie en vente sur place et en ligne. Programmation culturelle et musicale. Terrasse.

Située en plein cœur de ce charmant village, sur la Route des vins, la brasserie Dunham a vu le jour en mars 2010, alors que la microbrasserie Brasseurs & Frères fut rachetée. Elle est dorénavant la propriété de deux acteurs de la scène brassicole québécoise bien connus, Sébastien Gagnon et Eloi Deit. Plus d'une vingtaine de bières y sont concoctées avec amour et passion, dont des grands crus vieillis et des produits maturés en barriques, et elles sont offertes dans de nombreux points de vente au Québec. Elles peuvent également être dégustées sur place au pub attenant à la brasserie qui permet aux bièrophiles de découvrir les produits maison dans un cadre champêtre. Au moins une dizaine de bières figurent à l'ardoise, telles la Pale Ale Américaine, brassée avec des houblons américains, la Lapatt Porter Robuste, un porter d'inspiration américaine à la longue finale torréfiée et chocolatée, ou encore la Saison du Pinacle, une saison de type belge avec un assemblage de houblons australiens et américains. Une magnifique terrasse, située dans une cour intérieure, peut accueillir jusqu'à 60 personnes lors de la belle saison. Le pub est aussi devenu une vitrine de la culture locale en proposant vernissages et expositions d'art visuel, spectacles musicaux et bien plus encore.

FARNHAM ALE & LAGER

401, boulevard Normandie Nord, Farnham
450-293-1116
www.farnham-alelager.com

Jeudi-vendredi, 16h-minuit ; samedi, 13h-minuit ; dimanche, 13h-17h. Menu de grignotines offert sur place. Visite des installations brassicoles et dégustation sur réservation de groupe ou lors d'événements ouverts au public.

Le quatuor composé de Jean Gadoua (anciennement de chez Brasseurs & Frères), Hugues Ouellet, Alexandre Jacob et Steve Tellier caressaient le rêve d'ouvrir une microbrasserie à leur image depuis un moment. À l'été 2013, Farnham Ale & Lager ouvre enfin ses portes... et ses pompes ! On mise ici sur des produits bien exécutés, s'inspirant des grands styles de par le monde. Présentées en canette recyclable, les bières de Farnham s'offrent sous quatre styles : une blanche de type allemand, une Pilsner, une bitter anglaise et une IPA américaine. Et plutôt qu'un nom, on leur a choisi un numéro représentant le taux d'IBU, soit le niveau d'amertume. Des produits en édition limitée ont également fait leur apparition, notamment une scotch ale et une Double IPA, toutes deux disponibles en bouteille de format 500 ml. On les retrouve facilement chez les détaillants ainsi qu'aux pompes de certains bars de la province, mais une visite à leur salon de dégustation s'impose, question de découvrir la microbrasserie et ses installations.

PUB ET BRASSERIE LE LION D'OR / GOLDEN LION

2896, rue Collège, Lennoxville
Pub : 2902, rue Collège, Lennoxville
819-562-4589
www.lionlennoxville.com

Visite des installations brassicoles et dégustation sur réservation. Items à l'effigie de la microbrasserie en vente sur place. Pour le pub du Lion d'Or : horaire variable selon la saison. Possibilité de réserver les lieux pour un événement privé. Le café-terrasse est fermé en hiver.

Propriété acquise en 1971 par Robert Barnett et Stan Groves Sr., le Pub Le Lion d'Or ouvre ses portes au public en 1973. Au fil des ans, avec la popularité grandissante des bières d'importation et des produits plus typés, la décision de brasser leurs propres bières s'impose d'elle-même. Le projet se met en branle et mènera éventuellement Stan Groves Jr. à la brasserie Ringwood en Angleterre où il étudiera avec le réputé Peter Austin. En 1986 naît la microbrasserie Le Lion d'Or. C'est la plus ancienne microbrasserie au Québec toujours en opération et elle trône encore au même endroit, abreuvant ses fidèles habitués et les biérophiles de passage au pub. Propriété d'un homme pour qui la joie de vivre l'emporte sur les profits records, la microbrasserie fournit principalement en bières sa région immédiate, mais également quelques détaillants spécialisés à travers la province. Toutes les bières brassées par Le Lion d'Or figurent au menu du pub et se font volontiers les complices idéales de leur excellent fish'n'chips ou de leur gargantuesque burger. Côté ambiance, table de billard, écrans géants, DJs et groupes « live » le week-end, spéciaux, événements et partys tout au long de l'année. Lors de la belle saison, profitez du charme du café-terrasse qui peut accueillir une quarantaine de personnes.

SIBOIRE

80, rue du Dépôt, Sherbrooke
819-565-3636
www.siboire.ca

Ouvert tous les jours de 12h à 3h. Visite des installations brassicoles et dégustation sur réservation. Items à l'effigie de la brasserie en vente sur place. Terrasse de 100 places. Café Siboire adjacent à la brasserie (ouvert tous les jours de 8h à 3h).

Logée dans un édifice de 1890 qui fut autrefois la gare ferroviaire, cette brasserie artisanale a vu le jour en novembre 2007 grâce aux efforts de Carl Grenier, Pierre-Olivier Boily et Jonathan Gaudreault, ces deux derniers étant des amis de longue date, passionnés du brassage maison. Colocataires, ils avaient aménagé leur sous-sol pour la cause. Dorénavant, leurs recettes sont à la portée de tous, brassées sous nos yeux, dans un établissement au look industriel et contemporain pouvant accueillir plus de 275 personnes. De savoureuses bières maison figurent au menu, allant des six régulières aux saisonnières, sans oublier les choix du brasseur et la 10e ligne, réservée aux produits invités. Les amateurs de scotch seront heureux d'apprendre que le Siboire possède une carte d'environ soixante produits différents à déguster. Pour accompagner votre bière, le Siboire se spécialise dans la préparation d'assiettes traditionnelles de fish & chips anglais avec panure à la bière. Un délice ! Des repas de type bistro sont également servis jusqu'à tard en soirée avec, notamment, des calamars frits, des hot-dogs européens, des smoked meat, des sandwichs et des grignotines.

À surveiller au début août 2014 : l'ouverture d'un 2e Siboire à Sherbrooke, à l'angle des rues Jacques-Cartier et Marcil.

ET AUSSI :

BROUEMONT

107, boulevard Bromont, Bromont
450-534-0001

LA MEMPHRÉ

12, rue Merry Sud, Magog
819-843-3405
www.lamic.ca

Fromages

FROMAGERIE DE L'ABBAYE SAINT-BENOÎT

1, rue Principale, Saint-Benoît-du-Lac
819-843-2861
www.st-benoit-du-lac.com

Boutique sur place et en ligne sur leur site web. Juin à mi-octobre : lundi-samedi, 9h-10h45 & 11h45-18h ; dimanche, 12h15-18h. Le reste de l'année : lundi-samedi, 9h-10h45 & 11h45-17h ; dimanche, fermé.

L'abbaye Saint-Benoît fut inaugurée en 1943. À l'époque, les moines y fabriquaient exclusivement le fromage bleu l'Ermite. La production n'a cessée de s'accroître et on compte maintenant une dizaine de fromages à l'abbaye : le Mont Saint-Benoît (demi-ferme très doux à saveur de noisette), le Saint-Augustin (ferme de type suisse), le bleu Bénédictin (demi-ferme à pâte persillée), et Le Moine (de type gruyère) sont entre autres en vente au magasin. Pour accompagner le tout, les moines récoltent les pommes du verger pour en faire du cidre. Les fruits sont entreposés jusqu'à maturation complète avant le pressage pour une première fermentation. Les bouteilles reposent ensuite pendant un an en cave. Lorsqu'il est prêt à déguster, le mariage se célèbrera parfaitement avec les fromages. Autres produits disponibles à la boutique : les chocolats de la Chocolaterie des Pères Trappistes de Mistassini, le café équitable El Palto, des vinaigrettes maison, les produits de la pomme des vergers de l'Abbaye (compotes, vinaigres), les produits de l'Abbaye Val Notre-Dame (beurre d'arachides, caramels, gâteaux aux fruits...), etc.

Viandes et charcuteries

LE LAPIN DE STANSTEAD

1270, chemin Stage, Stanstead
819-876-7333
www.lelapindestanstead.com

La particularité de ce plus grand producteur québécois de lapin réside dans ses méthodes d'élevage considérées comme uniques. Les lapins, élevés dans des conditions contrôlées et respectueuses de l'animal, sont nourris avec une moulée 100 % luzerne et leur diète est exempte de médication préventive, d'hormones de croissance et de farine animale. Sa traçabilité est complète et lors de la transformation, aucun porc, poulet ou sous-produit n'est ajouté. Pour ceux qui se soucient de leur santé, sachez que le lapin est une viande douce, maigre, peu calorique, et qu'elle contient moins de cholestérol que la plupart des viandes rouges. Grande source de protéines, le lapin de Stanstead est une source naturelle d'oméga-3 et il contient d'importantes quantités de sélénium (antioxidant reconnu) en plus d'être riche en vitamines B12 et en vitamine E. Entièrement naturels, sans agents de conservation, nitrites et gluten, leurs produits sont en plus un véritable délice : lapin entier ou en morceaux, épaule et cuisse confite, râble, saucisse, terrine et pâté, etc. Grâce à une entente exclusive, on les retrouve dans tous les IGA du Québec, mais également au menu des meilleures tables de la province. Et pour des idées recette, consultez leur site Internet, de quoi vous creuser l'appétit !

À TABLE

Cette région est fort réputée pour l'excellence de ses tables qui mettent si bien en valeur les produits du terroir régional. Comme il est impossible d'inclure toutes ces bonnes adresses dans cette section, voici quelques suggestions supplémentaires : L'Iris Bleu à Bolton Est, Le Cinquième Élément et Le Bocage à Compton, La Ruée vers Gould à Gould/Lingwick, Au Gré du Vent à Magog, et Haut Bois Dormant à Notre-Dame-des-Bois. Bon appétit !

AUBERGE-RESTAURANT LA MARA

127, chemin Gosford-Sud, Ham-Sud
819-877-5189
www.aubergelamara.com

Ouvert à l'année sur réservation. Table d'hôte 4 services et menu sans gluten offerts. Apportez votre vin. Certifié Terroir & Saveurs du Québec. Hébergement et forfaits disponibles sur place.

Cette belle grande maison fut construite entre le XVIIIe et le XIXe siècle, à proximité du mont Ham. Les marmitons y préparent une cuisine raffinée composée de produits locaux fermiers. Leur mission première consiste à faire voyager les herbes, les fruits et les légumes du potager jusqu'à votre assiette. Autant vous dire que la fraîcheur est incroyable. La maison cultive aussi des fleurs comestibles qui servent à décorer vos plats et vous familiariser avec de nouvelles saveurs. L'agneau d'Ham-Sud est l'une des spécialités, proposé fumé en chiffonnade ou en côtelettes grillées. Le feuilleté d'huîtres fumées sous un manteau de sauce au bleu de Saint-Benoît comblera vos papilles. Les champignons se promènent de la forêt jusqu'au menu pour copiner avec les gibiers comme dans le contre-filet de bison sauce aux chanterelles. La fraicheur des légumes, fruits et champignons, les gibiers des chasseurs, l'agneau ainsi que les petites douceurs sauront vous épater en toute simplicité.

AUX JARDINS CHAMPÊTRES

1575, chemin des Pères, Magog
819-868-0665 / 1 877-868-0665
www.auxjardinschampetres.com

Ouvert à l'année (horaire variable selon la saison). Menu 4 à 6 services de la table champêtre : à partir de 30 $. Menu dégustation 6 services : environ 45 $. Brunch et souper-concert aussi offerts. Apportez votre vin. Certifié Terroir & Saveurs du Québec. Hébergement et forfaits disponibles sur place.

Cette magnifique maison bleue reflète l'architecture typique des Cantons. En plus de l'hébergement douillet, la table de ce gîte du passant rend hommage au terroir régional. En effet, elle met en valeur les produits régionaux tels que les fromages de l'abbaye Saint-Benoît-du-Lac, le foie gras de la ferme La Girondine, de la viande de cerf des fermes d'élevage Highwater, l'agneau de la ferme Le Seigneur des Agneaux, etc. Les fruits et légumes de saison proviennent soit des producteurs maraîchers de la région soit directement de leur jardin. L'ambiance est chaleureuse et le service impeccable. Une adresse hautement recommandée !

LA GIRONDINE

104, route 237 Sud, Frelighsburg
450-298-5206
www.lagirondine.ca

Restaurant ouvert à l›année, sur réservation d'au moins 10 personnes (max 50). Menus 4 et 7 services offerts. Apportez votre vin. Service de traiteur. Boutique sur place : lundi-dimanche, 10h-17h (ouvert du vendredi au dimanche de début janvier à mi-mai). Certifié Terroir & Saveurs du Québec.

La famille Desautels vous accueille à sa ferme, située dans l'un des plus beaux villages du Québec, où elle élève canards, agneaux, pintades et lapins servant à la conception des repas champêtres ainsi que des plats préparés et produits en vente sur place. Sylvie tient les rennes du restaurant et œuvre à vous faire découvrir un éventail d'arômes et de saveurs locales. Chaque menu est une véritable symphonie culinaire qui s'adapte aux saisons et aux arrivages : magret de canard à la liqueur de cassis, feuilleté de lapin au vin blanc, cuisse de pintade confite, agneau braisé, assiettes de fromages québécois... Vous pouvez également concevoir avec eux un menu adapté à vos besoins.

LA MAISON CHEZ NOUS

847, rue Mountain, Granby
450-372-2991
www.lamaisoncheznous.com

Mercredi-dimanche, dès 17h. Table d'hôte 5 services : à partir de 40 $. Apportez votre vin. Certifié Terroir & Saveurs du Québec.

Propriété de deux passionnés et gourmands jusqu'au bout des ongles, ce restaurant gastronomique mise sur le gibier et la cuisine régionale. Cette superbe table vous propose une découverte du terroir haute en saveurs qui reflète les récoltes et les saisons. Au menu, pourquoi ne pas débuter avec le canard de Marieville fumé et sa gelée d'érable au brandy, ou encore la queue de homard croustillante au sésame... Suivent ensuite les plats de résistance où figurent, entre autres, le bison, l'agneau, la pintade et les arrivages de la mer. Il ne reste plus alors qu'à sombrer dans la gourmandise avec l'un des succulents desserts que l'on peut accompagner d'une assiette de fromages fins québécois. Une adresse champêtre qui ne déçoit jamais et qui mérite amplement ses trois étoiles au guide Debeur.

PLAISIR GOURMAND

2225, route 143, Hatley
819-838-1061
www.plaisirgourmand.com

Ouvert du jeudi au dimanche dès 18h30 (ouvert également le mercredi en saison estivale). Menu 4 services du terroir : 49 $. Menu dégustation 6 services : 65 $ (ajouter 42 $ pour l'accord des vins). Menus spéciaux selon la saison aussi offerts (Noël, cabane à sucre, fête des vendanges, etc.). Belle carte des vins. Service de traiteur et de chef à domicile, plats à emporter. Certifié Terroir & Saveurs du Québec.

Nos hôtes tiennent tout d'abord à remercier les artisans du Québec car c'est avant tout grâce à eux qu'ils peuvent offrir à leur clientèle les meilleures textures et saveurs. Ainsi, tout le monde contribue à l'économie locale afin de préserver les vraies valeurs et surtout, le réel patrimoine culinaire et traditionnel québécois. Vous serez accueilli dans une maison datant de 1860 où la cuisine bat des ailes pour rechercher les meilleurs mariages de produits. Notre couple de cuisiniers a reçu une formation québécoise et française dans le milieu de la haute gastronomie : Jinny Dufour maitrise la pâtisserie et Éric Garand la cuisine. La carte est fantastique et très originale, initiée des deux cultures francophones. Des bouchées façon tapas sont préparées lors des services traiteurs ainsi que des plats plus copieux en 4 services et des boîtes à lunch aux saveurs du terroir. Une belle imagination !

AUBERGISTE, À BOIRE !

BIÈRE Ô LOO

5239, rue Foster (route 112), Waterloo
450-734-4004
www.biereoloo.ca

Dimanche-lundi, fermé ; mardi-jeudi & samedi, 15h-3h ; vendredi, 12h-3h. L'heure de fermeture peut varier en fonction de l'affluence. Terrasse. Chansonniers les vendredis et samedis soirs.

Ce petit bar des plus chaleureux a décidemment de quoi séduire les amateurs de houblon. Au menu, une centaine de bières différentes provenant des nos brasseurs québécois ainsi que de Belgique, d'Hollande, de République Tchèque ou encore d'Allemagne, par exemple, sans oublier une belle sélection de bières trappistes. Avis aux amateurs : la carte comprend également plus de 115 whiskys ainsi que près d'une trentaine de rhums. Pour les ventres creux, des coupe-faim et de bons petits plats viendront apaiser votre estomac : assiette de fromages, salade printanière, hamburger au vin, smoked meat, sandwich au roastbeef ou à la dinde fumée, plats végétariens (mardi seulement), etc. Une adresse conviviale et hautement recommandée !

LA COMBINE BRASSERIE & CAFÉ

41, rue King Ouest, Sherbrooke
819-791-3909
www.lacombine.com

Ouvert tous les jours de 9h à minuit. Programmation musicale et culturelle.

Nouveau spot branché en plein cœur du centre-ville, La Combine réunit deux univers distincts. De jour, l'ambiance est au café-croissant, blotti dans l'un des fauteuils, journal à la main. On y vient aussi pour luncher entre amis et se régaler d'un de leurs succulents grilled cheese maison. En fin de journée, le happy hour et le menu de coupe-faim attire les abonnés de ce rituel, alors qu'en soirée, la bière artisanale québécoise coule à flot, avec une douzaine de lignes en rotation. Le menu du soir propose des plats de type bistro, composés de produits régionaux, en parfait accord avec l'ardoise des bières. Nos suggestions : le grilled cheese « Le Père Canard » (magret de canard fumé, gelée de pomme, fromage Mont St-Benoit), la salade tiède de bavette à la bière noire, et l'assiette « La Combine indécente » (fondue du maître brasseur, rillettes, saucisses, charcuteries, porc effiloché, marinades, raisins et condiments).

MARCHANDS DE BONHEUR

BIÈRES DÉPÔT AU VENT DU NORD

338, rue Belvédère Nord, Sherbrooke
819-569-9534
www.bieresdepot.com

Lundi-mercredi, 12h-20h ; jeudi-samedi, 10h-23h ; dimanche, 11h-21h. Produits dérivés en vente sur place (verres à bière, sous-verres, t-shirts, etc.). Service de dégustation à domicile ou en entreprise.

Autrefois connu sous le nom « Dépanneur Au Vent du Nord », c'est dorénavant Nicolas Ratthé qui en est le fier propriétaire, reprenant ainsi le flambeau de son prédécesseur, Marcel Sévigny. L'établissement, qui a célébré son 12e anniversaire en 2014, est sans contredit LE grand spécialiste de bières de microbrasseries québécoises en Estrie. Plus de 500 bières différentes, en plus des cidres, trônent sur les étalages. Le personnel, de véritables connaisseurs dans le domaine, se feront un plaisir de vous aiguiller dans vos choix pour un service conseil des plus personnalisés. Et comble de bonheur, des dégustations gratuites sont offertes tous les premiers dimanches du mois, de 14h à 17h, afin de vous faire découvrir le monde de la dégustation de la bonne bière. Une adresse à mettre impérativement au carnet de route !

BOUTIQUE GOURMET DE CANARDS DU LAC BROME

40, chemin Centre, Lac-Brome (Knowlton)
450-242-3825, poste 221
www.canardsdulacbrome.com

Lundi-jeudi, 8h-17h ; vendredi, 8h-18h ; samedi-dimanche, 9h30-17h. Boutique spécialisée dans la vente des produits « Canards du Lac Brome ». Autre adresse : Marché Jean-Talon, Montréal, 514-286-1286.

Lorsque se dévoile la première page du site Internet, on voit tout de suite ce que la maison aime : une savoureuse pièce de canard dorée à point, photographié en couleur pour nos beaux yeux, accompagnée de la recette du mois, question de s'offrir ce plat gourmet à la maison. L'entreprise est donc l'héritière d'une longue tradition en la matière. En effet, c'est le plus ancien établissement spécialisé dans l'élevage du canard de Pékin. Son fondateur, un New-Yorkais d'origine, choisi cette espèce importée aux États-Unis en 1873 pour sa chair tendre et goûteuse. C'est en 1912 que les lieux furent aménagés sur la rive ouest du lac Brome pour permettre aux canards de gambader dans les berges sablonneuses et de nager pendant l'été. Excellente source en fer et oméga-6, le canard se présente sous différentes formes : saucisses parfumées à la tomate séchée et à l'ail, à l'orange et aux canneberges, poitrines désossées, confits, côtelettes, cuisses, pilons d'ailes, canards entiers, rillettes, pâtés et terrines... Une référence de qualité !

FERME GROLEAU

225, chemin Cochrane, Compton
819-835-9373
www.fermegroleau.com

Boutique ouverte : lundi-mardi, 9h30-17h30 ; jeudi-dimanche, 9h30-16h. Fermé mercredi pour livraisons. Visites guidées offertes de mi-mai à fin octobre (le week-end à 10h30, 7 $ par adulte et 3 $ par enfant). Certifié Biologique par Ecocert Canada.

Cette entreprise, tenue par la famille Groleau, est composée d'une ferme laitière, d'un centre d'interprétation de la vache laitière, de la Beurrerie du Patrimoine, de l'ÉCONOMUSÉE du beurre, et d'une érablière. Prévoyez donc plusieurs heures pour en faire le tour ! Tous les produits de la ferme sont entièrement biologiques et préparés à l'ancienne. En plus des produits laitiers (laits, fromages, yogourts, crèmes et beurres), vous pourrez vous procurer des produits de l'érable (gelées, sirops, sucre) dont certains plus inusités comme le poivre d'érable et les épices à BBQ et salade à l'érable. Une belle gamme de saucisses est également concoctée sur place. Si vous ne pouvez pas vous déplacer, consultez leur site Internet pour connaître le point de vente le plus près de chez vous. Notez également que plusieurs bonnes tables de la région incorporent les produits de la Ferme Groleau dans la conception de leurs menus.

MARCHÉ DE LA GARE

720, Place de la Gare, Sherbrooke
819-821-1919
www.marchedelagare.com

Marché intérieur ouvert tous les jours à l'année. Marché extérieur ouvert le samedi de 9h à 17h, de fin juin à mi-septembre.

Ce marché occupe les locaux de l'ancienne gare ferroviaire, à quelques pas seulement du lac des Nations. À l'intérieur, arômes, couleurs et gourmandises se partagent les lieux. Même si l'endroit n'est pas immense, vous trouverez ici plusieurs commerces intéressants : le saucisisser William J. Walter, la Boucherie du Terroir, la Fromagerie de la Gare, et Savoroso (restaurant, café, gelato). En saison estivale, vous retrouverez en plus un marché extérieur, des kiosques de restauration, un marché d'artistes et artisans, ainsi que de nombreuses animations. En mars, ne ratez pas le Village d'Antan, organisé dans le cadre du Carnaval de Sherbrooke, avec au programme du patin à glace, une mini ferme, de la musique traditionnelle et des kiosques du terroir et des produits de l'érable.

FROMAGERIE LA STATION

440, chemin de Hatley (route 208), Compton
819-835-5301
www.fromagerielastation.com

Mi-juin à mi-octobre : lundi-dimanche, 10h-18h. Le reste de l'année : jeudi-dimanche, 10h-17h. Visites guidées, libres, et forfaits corporatifs offerts. Boutique sur place, dégustations gratuites.

Situés dans un cadre des plus champêtres, la ferme et l'atelier de cette fromagerie sont le fruit du travail de quatre générations d'agriculteurs passionnés. On y produit des fromages fermiers au lait cru de vache issus d'une agriculture biologique, certification à l'appui. Afin de découvrir le lien qui unit ces artisans à la terre et leurs bêtes, deux visites guidées proposent de plonger au cœur du sujet : l'une chez le fromager, incluant une petite visite des caves d'affinage, l'autre chez le fermier, axée sur les méthodes de travail biologiques. Vous pouvez également profiter en tout temps des sentiers mis à votre disposition sur le domaine, sans oublier un petit tour à la boutique pour faire le plein de fromages, de sirop d'érable, et d'une foule d'autres produits gourmands de la région.

VERGER CHAMPÊTRE

2300, rue Cowie, Granby
450-379-5155
www.vergerchampetre.com

Juillet à fin décembre : lundi-vendredi, 8h-18h ; samedi, 8h-17h ; dimanche, 9h-17h. Fermé le reste de l'année. Certifié Terroir & Saveurs du Québec.

Ce grand domaine de 250 acres compte de nombreux vergers mais également une mini-ferme avec centre d'interprétation, une boutique de produits maison et du terroir, et plus encore. Nombreuses activités sont offertes sur le site, tant pour les petits que les grands : autocueillette, balade en tracteur, randonnée pédestre, visite des jardins, participation aux récoltes… De quoi occuper toute votre journée !

LES VERGERS DE LA COLLINE

5, route 137, Sainte-Cécile-de-Milton
450-777-2442
www.lesvergersdelacolline.com

Ouvert de mars à fin décembre : lundi-dimanche, 9h-18h. Relâche en janvier et février. Boutique et bistro sur place. Dégustations gratuites. Certifié Terroir & Saveurs du Québec.

La tradition pomicole de la famille Lasnier se transmet d'une génération à l'autre depuis 1927. La grande spécialité des Vergers de la Colline est sans contredit le cidre artisanal (tranquille, mousseaux et liquoreux). L'entreprise crée également des produits innovateurs, parfois en édition limitée, comme le cidre Houblon Api-Hop, une fusion entre les pommes et le houblon, fermentée en bouteille. L'entreprise concocte d'autres produits, tous disponibles à la boutique, dont du jus de pommes et fraises pétillant, des tartes maison, du vinaigre de cidre artisanal, et autres délices. On vous suggère plusieurs activités sur place telles l'autocueillette de pommes dans les champs, la visite guidée de la cidrerie avec dégustation, la balade en tracteur, ou encore la visite de la mini ferme. Un parc pour enfants est à votre disposition ainsi qu'un espace pour pique-niquer.

VIGNOBLE LE CEP D'ARGENT

1257, chemin de la Rivière, Magog
819-864-4441 / 1 877-864-4441
www.cepdargent.com

Ouvert toute l'année (horaire variable selon la saison). Visites guidées, dégustations, activités et forfaits offerts. Réservation recommandée.

Le Cep d'Argent vous ouvre ses portes pour une visite de son vignoble et une dégustation de ses excellents produits. Profitez-en également pour visiter le Centre d'interprétation de la méthode champenoise (entrée libre). Les plus gourmets opteront pour la Visite Champenoise qui inclut six vins accompagnés de savoureuses bouchées du terroir. Un autre forfait inclut, par exemple, la visite du vignoble et des champs de Bleu Lavande avec un repas aux saveurs du terroir. En automne, vous êtes convié à vivre l'expérience des vendanges. Au programme, cueillette des raisins, visite du domaine et de la boutique, repas buffet du midi, et dégustations des produits maison, bien entendu.

© TQ / Jean-François Bergeron / Enviro Foto

CENTRE-DU-QUÉBEC

Abénaquis, Français, Irlandais, Écossais et loyalistes anglais ont marqué le Centre-du-Québec de leur présence, laissant en héritage un riche patrimoine à cette région située à mi-chemin entre Montréal et Québec. La région propose plus de 25 circuits cyclables qui permettent de découvrir la splendeur des paysages en traversant allègrement villes, forêts et milieux agricoles, dont le Parc linéaire des Bois-Francs et le Circuit des Traditions. Nombreux parcs offrent également des activités de plein air en toute saison.

Le Centre-du-Québec, bien connu également pour son terroir, abrite la capitale mondiale de l'érable, Plessisville, ainsi que la capitale provinciale de la canneberge, Saint-Louis-de-Blandford. Si vous désirez en apprendre davantage sur le secteur bioalimentaire de la région, visitez le site www.bioalimentairecq.ca (Développement bioalimentaire Centre-du-Québec).

TOURISME CENTRE-DU-QUÉBEC

819-364-7177 / 1 888-816-4007
www.tourismecentreduquebec.com

ÉVÉNEMENTS

FESTIVAL DE L'ÉRABLE DE PLESSISVILLE

Divers endroits à Plessisville
819-621-5285
www.festivaldelerable.com

En mai.

FESTIVAL DES FROMAGES DE VICTORIAVILLE

Pavillon Agri-Sports
4, rue de l'Exposition, Victoriaville
819-751-9990 / 1 855-751-9990
www.festivaldesfromages.qc.ca

En juin.

FESTIVAL DU COCHON DE SAINTE-PERPÉTUE

113, rue Saint-Charles, Sainte-Perpétue
819-336-6190 / 1 888-926-2466
www.festivalducochon.com

Fin juillet - début août.

BALADE GOURMANDE

Divers endroits à Victoriaville et sa région
819-758-9451 / 1 888-758-9451
www.baladegourmande.ca / www.tourismeregionvictoriaville.com

Les deux premiers week-ends d'octobre.

LA GRANDE TABLÉE DES OIES

Centre communautaire de Baie-du-Febvre
228, rue Principale, Baie-du-Febvre
819-336-6190
www.baie-du-febvre.net/tablee.asp

En octobre.

CIRCUITS AGROTOURISTIQUES ET DE DÉCOUVERTE

Nous avons jugé bon d'inclure ici deux circuits provinciaux qui se prêtent bien à la région du Centre-du-Québec : la Route de l'érable et la Route gourmande des fromages fins.

LA ROUTE DE L'ÉRABLE

www.laroutedelerable.ca (guide-répertoire à télécharger sur le site web)

À parcourir... Partez à la découverte des Créatifs de l'érable ! Répartis à travers la province, ces derniers sauront vous présenter leur propre façon de servir l'érable.

À découvrir / À faire... Des Îles de la Madeleine à Montréal, en passant par Charlevoix et le Centre-du-Québec, cette route est pavée de délices. Restaurants, auberges, boutiques gourmandes, boulangeries, chocolateries, glaciers, etc., font tous partie des adresses qui ont été si méticuleusement sélectionnées par la Fédération des producteurs acéricoles du Québec. Une chose est certaine, vous serez impressionné par tous les produits concoctés à partir de cette merveille du terroir québécois. Parmi les nombreuses découvertes à faire, en voici quelques-unes : la crème brûlée caramélisée à l'érable de la boulangerie-pâtisserie St-Honoré en Abitibi-Témiscamingue, les boissons alcoolisées d'érable du Domaine Acer dans le Bas-Saint-Laurent, le fameux vinaigre aigre-doux d'érable de la Cabane du Pic-Bois dans les Cantons-de-l'Est, le magret de canard à l'érable et porto de l'Auberge Godefroy dans le Centre-du-Québec, le pâté de campagne aux canneberges et sirop d'érable des Viandes biologiques de Charlevoix dans la région du même nom, les râbles de lapin farci et laqué au sirop d'érable biologique du Restaurant Gîte du Mont-Albert en Gaspésie, les macarons à l'érable de Jérôme Ferrer disponibles à la boutique Espace Europea de Montréal, et nous en passons. À vous de poursuivre cette fabuleuse découverte !

LA ROUTE DES FROMAGES FINS DU QUÉBEC

www.routedesfromages.com
www.fromagesdici.com

À parcourir... La Route des fromages fins du Québec convie les amoureux des pâtes persillées, molles, demi-fermes, du lait cru de vache, de brebis ou de chèvre, à sillonner la Belle Province pour découvrir des fromageries artisanales mais aussi des boutiques spécialisées. De l'Abitibi aux Îles de la Madeleine, tout un monde de saveurs et de passion est à découvrir.

À découvrir... Cette route fait honneur aux producteurs qui transmettent dans leurs fromages les terroirs multiples et singuliers du Québec. Comprenant plusieurs régions du Québec, ce parcours n'a pas un tracé spécifique. En d'autres mots, il est quasiment impossible d'en faire le tour. L'idéal, c'est de choisir la ou les régions qui vous intéressent et de tracer votre itinéraire à l'aide de la carte proposée. Cette carte du Québec est ponctuée de numéros qui vous réfèrent à différents fromagers. Peu importe ce que vous déciderez de faire, une chose est certaine, tous les paysages québécois sont au rendez-vous. La Route des fromages fins parcourt des villes, des villages pittoresques et historiques, le bord du fleuve et de la mer, serpente des lacs, rivières, forêts et montagnes. En fait, de nombreuses fromageries sont localisées sur des sites enchanteurs qui regorgent d'histoire. Sur votre route, vous découvrirez des fromages de toutes sortes, du fromage en grains au fromage fin, en passant même par le premier fromage fabriqué en Amérique !

Plusieurs adresses vous offrent d'autres produits faits à partir du lait de leur troupeau, comme de la crème, du beurre, du yogourt, des savons et des mets préparés avec du fromage. Partez donc à la découverte des fromagers, ils partageront avec vous leur passion et leur savoir-faire, et encore mieux, ils vous feront goûter leurs délicieuses créations.

À faire… De nombreuses fromageries offrent des activités, telles que des dégustations, la visite des lieux qui, parfois, est beaucoup plus que la visite de la fromagerie (ex. : chapelle, abbaye, etc.), des visite guidées, l'accès à des centres d'interprétation, des expositions d'équipements anciens et l'observation de la fabrication. De plus, certaines adresses offrent sur place terrasse, bistro, restaurant, bar laitier, aire de pique-nique, boutique et comptoir de produits.

Un guide gratuit est disponible et comprend la carte des fromagers ainsi que plusieurs petits conseils sur ce produit. Il offre aussi une carte virtuelle de la route, un répertoire d'adresses, ainsi qu'une panoplie d'informations sur les fromages.

ROUTE DES TROUVAILLES GOURMANDES

www.tourismecentreduquebec.com (onglet « Circuits & Routes »)

Le Centre-du-Québec est réputé pour son agrotourisme et vous invite à partir à la rencontre de ses producteurs, transformateurs et artisans. Cinq belles routes sillonnent la région et comprennent également des visites chez les producteurs, des comptoirs de produits régionaux, des événements gourmands, des tables régionales et des hébergements. Gageons que vous ne repartirez pas le ventre et les mains vides ! Toutes les informations relatives à ces circuits et aux entreprises participantes sont disponibles sur le site Internet de l'office régional du tourisme.

PRODUCTEURS

Confitures, coulis, miels, etc.

VERGER DUHAIME... NATURELLEMENT !

405, route 239, Saint-Germain-de-Grantham
819-395-2433
www.vergerduhaime.com

Ouvert tous les jours de mi-juillet à mi-novembre dès 9h30. Le reste de l'année : sur réservation. Boutique et aire de pique-nique sur place. Dégustation des divers produits, balade en tracteur et visites de groupes possibles.

Le grand verger de Jacques Duhaime offre environ 25 variétés de pommes provenant de ses milliers de pommiers nains. L'autocueillette s'effectue de août à mi-octobre. Une sélection appréciable de produits du terroir et de pâtisseries maison y est disponible, de même que la gamme complète des produits dérivés de la pomme : tartinades, caramels, coulis, gelées... Ces produits haut de gamme sont composés exclusivement de produits naturels et sont exempts de sucre additionné ou d'agents de conservation. Certaines tartinades de l'entreprise sont même relevées d'un soupçon d'alcool, par exemple du champagne. Verger Duhaime offre ses produits dans les boutiques-gourmets, les pâtisseries, les boutiques-cadeaux et dans les épiceries fines au pays. Ces produits sont également disponibles en exportation, notamment au Japon, au Mexique, aux États-Unis et en Europe. Bonne dégustation !

Fromages

FROMAGERIE L'ANCÊTRE

1615, boulevard Port-Royal, Bécancour
819-233-9157
www.fromagerieancetre.com

Ouvert tous les jours à l'année dès 9h (heure de fermeture variable selon la saison). Service de restauration avec repas santé et boutique de produits régionaux et charcuterie fine. Diverses dégustations gratuites, visites guidées offertes aux groupes sur réservation. Terrasse et mezzanine avec vue sur les procédés de fabrication de l'usine. Certifié biologique par Québec Vrai et par Biologique Canada.

La fromagerie l'Ancêtre, c'est l'histoire de dix producteurs laitiers qui se sont regroupés dans le but de fabriquer du fromage selon les méthodes traditionnelles et biologiques afin de retrouver le vrai goût naturel de cet aliment. Dans une dynamique d'excellence, toute la gamme proposée est biologique au lait non-pasteurisé, sans oublier la fabrication de fromage en grains frais du jour. On y façonne du cheddar à divers degrés de maturation (doux, moyen, fort, extra-fort, vieilli d'un à cinq ans). À cela se juxtapose le cheddar doux marbré, le Frugal à 7 % M.G., le mozzarella 15 et 20 % M.G., le parmesan, l'emmental-suisse, le chèvre, et le beurre (salé et non-salé). D'autres fromages d'importation québécoise sont aussi en vente à la boutique. De plus, de mai à septembre, des crèmes glacées et sorbets artisanaux peuvent être dégustés à la boutique, composés de 60 à 80 % de vrais fruits du Québec. Parfait pour se rafraichir sous le chaud soleil de l'été !

Viandes et charcuteries

FERME DES HAUTES TERRES

801, Rang 8 et 9, Saint-Rémi-de-Tingwick
819-359-2900
www.fermedeshautesterres.com

Visites guidées (juillet et août) : tous les jeudis à 10h15. Durée : environ 1h45. Adulte : 8 $, 12 ans et moins : 5 $, famille : 22 $. Forfaits pour groupes scolaires et camps de jour. Boutique sur place ouverte de début mai à fin octobre : mercredi, 13h-16h30 ; jeudi-vendredi, 10h-16h30 ; samedi, 10h-13h.

Établie en 2006, cette ferme agrotouristique se trouve dans l'un des plus beaux villages de la région. Vous partirez ici à la découverte des champs de Valérie Houle et sa petite famille. Amoureux de la nature et des animaux, ils s'occupent de leurs cinquante vaches et veaux de boucherie, de leurs centaine de porcs élevés au pâturage, d'un petit élevage de Holstein bio qu'ils réservent pour un producteur de lait bio de la région, ainsi que de la boucherie à la ferme. La visite vous fera découvrir les méthodes d'élevages naturels sans hormones de croissance, la vie à la ferme et le métier d'agriculteur. Les viandes sont bien évidemment plus savoureuses et parfaites pour voyager du champ jusqu'à votre assiette. Profitez donc d'une visite à la boutique pour faire le plein de viandes et charcuteries, de mets préparés et de quelques produits régionaux (farines bio, produits de la pomme et de l'érable, poulets de grain, tissages, etc.).

À TABLE

À LA BONNE VÔTRE

207, rue Lindsay, Drummondville
819-474-0008 / 1 866-474-0008
www.alabonnevotre.ca

Lundi-mercredi, 11h-21h ; jeudi-vendredi, 11h-22h ; samedi, 17h-22h ; dimanche, 17h-21h. Table d'hôte le midi : 25 $ et moins, plats le soir : 15 $-35 $. Service de traiteur et de boîte à lunch. Terrasse. Certifié Terroir & Saveurs du Québec.

Très beau resto en plein cœur du centre-ville, À la Bonne Vôtre propose une fine cuisine du terroir, à la fois originale et savoureuse. Le chef mise sur les produits locaux et varie sa carte selon les arrivages : foie de bœuf Highland des Cantons de la charcuterie du marché avec sauce moutarde à l'ancienne, rognons de veau de la ferme Danielle et Martin Tessier de Saint-Eugène à l'ancienne, côte de porc de la ferme la Viande du bassin de Saint-Joachim-de-Courval, pièce de wapiti du Québec avec sauce aux cerises de terre... Une table qui respecte bien son terroir !

AUBERGE GODEFROY

17 575, boulevard Bécancour, Bécancour (secteur Saint-Grégoire)
819-233-2200 / 1 800-361-1620
www.aubergegodefroy.com

Ouvert tous les jours à l'année, du matin au soir. Buffet du midi en semaine : 21,25 $ par adulte. Table d'hôte du midi aussi offerte. Brunch du dimanche : 27,25 $ par adulte. Menu du soir à la carte : 20 $-50 $ (ajouter 19 $ au prix du plat pour une table d'hôte). Menu dégustation : 65 $ (ajouter 32 $ pour l'accord mets-vins). Petite carte disponible tous les jours entre 11h30 et 22h. Certifié Terroir & Saveurs du Québec. Hébergement, forfaits et activités disponibles sur place.

Magnifique établissement membre de la chaîne Hôtellerie Champêtre. En plus de l'hébergement dans de belles chambres spacieuses, la table de l'auberge propose une cuisine gastronomique axée sur les produits du terroir. En effet, le chef exécutif, Stéphane Hubert, et sa brigade des cuisines vous feront redécouvrir les saveurs d'ici : rillettes de lapin avec chips de prosciutto, croûtons et chutney de prunes ; feuilleté de noix de ris de veau, fondant fromage de chèvre, poires rouges poêlées érable et xérès, sauce cidre de pomme ; magret de canard poêlé, croustillant fleur de sel, canneberges caramélisées au cidre de glace, sauce porto et érable ; médaillon de bison poêlé, oignons perlés au balsamique, sauce aux mûres et cassis ; assiette de fromages québécois... Pour parfaire l'accord mets et vins, le sommelier vous aidera à faire votre sélection parmi quelque 400 étiquettes. Une adresse hautement recommandée !

AUBERGISTE, À BOIRE !

CACTUS RESTO-BAR

139, boulevard des Bois-Francs Sud, Victoriaville
819-758-5311
www.cactusrestobar.com

Dimanche-mercredi, 11h-23h (la cuisine ferme à 21h) ; jeudi-samedi, 11h-1h30 (la cuisine ferme à 23h). Programmation culturelle et musicale. Terrasse.

On vient au Cactus pour savourer l'une de ses spécialités tex-mex, pour ses soirées et spectacles déjantés ou tout simplement pour déguster une bonne pinte entre amis. Parlant de bières, ce resto-bar est une belle vitrine pour les produits de microbrasseries québécoises : McAuslan, Brasseurs RJ, Unibroue, Brasseur de Montréal, Dieu du Ciel!, Microbrasserie Charlevoix, Les Frères Houblon, Brasseurs du Monde... De plus, vous pourrez en tout temps découvrir des produits saisonniers de microbrasseries québécoises en rotation. Profitez des spéciaux quotidiens du 4 à 8 où les prix sont réduits sur les bières en bouteille, et les jeudis soirs, les produits Belle Gueule sont en vedette à petits prix dès 20h.

BIÈRES ET SAVEURS

65, rue Saint-Louis, Victoriaville
819-604-1304
www.bieresetsaveurs.ca

Lundi-mercredi, 11h-18h ; jeudi-vendredi, 11h-21h ; samedi, 10h-18h ; dimanche, 11h-17h. Service de dégustations sur mesure sur réservation (ex. : bières, fromages, saucisses, rillettes, etc.). Très belle sélection de verres à bière.

Une boutique qui porte définitivement bien son nom ! Spécialiste des bières de microbrasseries d'ici, la sélection a de quoi séduire tout amateur de délices houblonnés. Profitez également des dégustations offertes à même la boutique (suivez leur page Facebook pour les nouveautés et les dégustations de la semaine). L'endroit propose de surcroît de savoureux produits du terroir pour un mariage des plus réussis. On retrouve ainsi les denrées de la Jambonnière, de la Brûlerie des Cantons, de la Fromagerie Du Charme, du Duc de Montrichard, de L'Olivier Del Mondo et de Simon Turcotte Confiturier, pour ne nommer que ceux-ci. Une adresse dont vous ne sortirez pas les mains vides !

MARCHÉS PUBLICS

Rien de mieux pour découvrir les saveurs locales qu'une balade dans un marché public. Producteurs, transformateurs et artisans s'y donnent rendez-vous et remplissent les étals de leurs savoureux produits : fromages, produits maraîchers, viandes et charcuteries, poissons, chocolats et confiseries, produits de l'érable et de la ruche... Bref, tout ce dont vous aurez besoin pour un pique-nique des plus gourmets ou pour rapporter un peu de cette région sur votre table !

MARCHÉ GODEFROY

Ouvert : samedi de mi-mai à fin octobre, dimanche de mi-juin à fin octobre.
Marché de Noël les trois premiers week-ends de décembre.
1700, avenue Descôteaux, Bécancour (secteur Saint-Grégoire)
819-233-3700
www.marchegodefroy.com

MARCHÉ PUBLIC DE DRUMMONDVILLE

Ouvert : vendredi et samedi à l'année, le mardi de début mai à fin octobre.
Angle boulevard Saint-Joseph et rue Saint-Jean à Drummondville
819-472-7123
www.marchepublicdrummondville.com

MARCHÉ PUBLIC DES BOIS-FRANCS

Ouvert : tous les jours de fin avril à fin décembre.
1, boulevard Jutras Ouest, Victoriaville
819-758-1773
www.marcheboisfrancs.com

MOULIN MICHEL DE GENTILLY

675, boulevard Bécancour, Bécancour (secteur Gentilly)
819-298-2882 / 1 866-998-2882
www.moulinmichel.qc.ca

Mi-juin à début septembre : lundi-dimanche, 10h-17h. Mi-septembre à mi-octobre : samedi-dimanche, 10h-17h. Droits d'accès et visite guidée : 5 $ par personne, 10 $ par famille. Accès gratuit au site le week-end à l'achat d'un repas à la Crêperie champêtre. Programmation d'activités et d'événements.

Construit à l'époque de la Nouvelle-France, en bordure du fleuve, il est l'un des rares moulins à farine ayant conservé sa vocation d'origine. Les visites guidées couvrent le moulin, la meunerie, l'architecture et les expositions. Pour les petits creux, la Crêperie champêtre offre un menu composé de crêpes et galettes de sarrasin, accompagnés de produits régionaux (tables d'hôte en semaine). Elle est ouverte tous les jours en saison estivale entre 11h et 14h (le dimanche seulement en septembre). Sur le site, vous croisez un belvédère, un sentier pédestre, des aires de pique-nique, un café-terrasse, et une boutique d'artisanat et de produits régionaux avec bien entendu, une belle sélection de produits dérivés du sarrasin.

ACTIVITÉS GOURMANDES

CANNEBERGE EN FÊTE (CENTRE D'INTERPRÉTATION DE LA CANNEBERGE)

80, rue Principale, Saint-Louis-de-Blandford
819-364-5112
www.canneberge.qc.ca

Mi-septembre à mi-octobre : jeudi-dimanche, 10h-16h. Adulte : 12 $, aîné : 11 $, 6-17 ans : 6 $ (gratuit pour les plus jeunes), famille : 25 $. Forfait visite au champ et parcours découverte écologique : 18 $. Belvédère, aires de détente, service de restauration. Certifié Terroir & Saveurs du Québec. Membre de la Route des trouvailles gourmandes du Centre-du-Québec.

En pleine capitale de la canneberge, ce centre d'interprétation, attrait majeur des circuits agroalimentaires de la région, vous explique tout ce qu'il y a à savoir sur ce petit fruit, de sa plantation à la récolte. L'équipe offre aux visiteurs une restauration gourmande mettant en valeur la canneberge, des démonstrations culinaires par des chefs réputés, des dégustations gratuites de canneberges fraîches et transformées, ainsi que la vente de produits de la canneberge et de petits fruits dans un marché intérieur (entrée libre). Autres activités disponibles sur place : visite commentée avec excursion aux champs, salle d'exploration avec activités interactives, randonnée écologique guidée de 8 km.

FERME BEL ALPAGA ET FERME BON AUTRUCHE

1331, rang 2, Saint-Bonaventure
819-396-1498
www.fermebelalpaga.com

Visite guidée offerte sur rendez-vous. Durée : environ 1h30. Adulte : 7 $, 12 ans et moins : 5 $. Boutique sur place et en ligne.

Cette ferme d'élevage ravira petits et grands avec ses adorables animaux exotiques que sont les alpagas (à ne pas confondre avec le lama malgré la ressemblance). La visite guidée vous en apprendra davantage sur cette jolie bête et vous permettra de vous en approcher comme jamais. La ferme compte également des lamas et des autruches, sans oublier l'élevage de bergers allemands et ses magnifiques chiots prêts pour l'adoption. Une petite boutique vend les produits faits à partir de la laine d'alpaga, tous filés et tricotés à la main, ainsi que des produits corporels dérivés de l'autruche (huile, crème, savon...). On y retrouve également différentes découpes de viande d'alpaga et d'autruche, ainsi que des produits gourmands maison tels la terrine d'autruche canneberges et vin blanc ou encore la terrine d'alpaga au poivre vert. Une belle visite en perspective !

FROMAGERIE ST-GUILLAUME – CENTRE D'INTERPRÉTATION DU FROMAGE

83, route de l'Église, Saint-Guillaume
819-396-2022, poste 275
www.agrilaitcoop.com

Centre d'interprétation : mardi-vendredi, 10h-17h30 ; samedi-dimanche, 11h-17h30. Ouvert le lundi en été. Visite guidée tarifée : dimanche à 14h (à l'année) ; jeudi-vendredi à 14h (juillet et août).

Cette coopérative fabrique le réputé fromage St-Guillaume depuis les années 1940 : cheddar frais du jour ou vieilli, tortillon et fromage en grains, Monterey Jack, suisse, emmental, brick, mozzarella, etc. Afin de vous initier à sa fabrication et à l'histoire de la fromagerie, des visites guidées sont offertes à l'année et vous permettront de presser vous-même votre fromage (à conserver – cadeau de la maison !) et de savourer leurs produits. Ils sont d'ailleurs tous en vente sur place, question de rapporter de bons souvenirs.

CHARLEVOIX

Charlevoix est un territoire de 6 000 km^2, situé au cœur du Bouclier canadien, le plus vieux sol géologique de la terre. La chaîne de montagnes qui le caractérise, et qui se termine dans le Saint-Laurent, est celle des Laurentides, largement couverte par la forêt boréale. Une partie de sa région a été proclamée réserve mondiale de la biosphère par l'Unesco en 1988, rien de moins. À partir de Québec, la route 138 Est caresse le fleuve sur sa rive nord, en lacet de Sainte-Trinité-des-Caps jusqu'à l'embouchure de la rivière Saguenay, à Baie-Sainte-Catherine. C'est l'itinéraire le plus romantique du Québec, le plus agréable et le plus pittoresque, celui dont les panoramas imprégneront vos rêves à venir.

Charlevoix est peuplée d'un peu plus de 30 000 habitants vivant principalement de la forêt, du tourisme et de l'agriculture. Elle est également reconnue au Québec comme étant la région gastronomique et touristique par excellence. À ce fait, plus d'une quarantaine d'entreprises vous ouvrent leurs portes afin de vous faire découvrir l'excellence des produits de la région. Plusieurs activités et dégustations sont également au menu. Fiez-vous au logo « Route des saveurs de Charlevoix » qui vous indiquera les bonnes adresses à visiter. Sachez aussi que la Table agrotouristique de Charlevoix lancera la première certification d'origine au Québec avec son sceau « Certifié Terroir Charlevoix » et ce, au courant de l'année 2014. Cette nouvelle certification comptera plusieurs normes pour chacune des étapes, du champ à la table du consommateur, dont un processus de traçabilité. Vous aurez ainsi l'assurance que vos produits gourmands viennent de Charlevoix tout en ayant suivi des critères strictes et bien établis.

TOURISME CHARLEVOIX

418-665-4454 / 1 800-667-2276
www.tourisme-charlevoix.com

ÉVÉNEMENTS

MARCHÉ PUBLIC DE L'HÔTEL LA FERME

50, rue de la Ferme, Baie-Saint-Paul
418-240-4100
www.lemassif.com

De mi-mai à mi-octobre (dimanche, 10h-15h30).

LE GRAND MARCHÉ DE CHARLEVOIX

Rue Saint-Étienne, La Malbaie
www.grandmarchedecharlevoix.com

Début juillet à mi-septembre (samedi avant-midi).

GALA DES GRANDS CHEFS

Fairmont Le Manoir Richelieu
181, rue Richelieu, La Malbaie (secteur Pointe-au-Pic)
418-665-3703 / 1 866-540-4464
www.fairmont.fr/richelieu-charlevoix

En novembre.

MARCHÉ DE NOËL

Rue Saint-Jean-Baptiste, Baie-Saint-Paul
418-435-3673 / 1 877-837-7647
www.marchedenoelbsp.com

Dernier week-end de novembre et premier week-end de décembre (vendredi au dimanche).

CIRCUIT AGROTOURISTIQUE ET DE DÉCOUVERTE

LA ROUTE DES SAVEURS DE CHARLEVOIX

www.routedesaveurs.com (magazine disponible en ligne et chez les commerces participants)

À parcourir... Première initiative pour promouvoir les produits régionaux du Québec, la Route des Saveurs est née de l'alliance entre les producteurs agricoles de la région et les restaurateurs. Cette route agrotouristique vous mènera à la rencontre de plus d'une trentaine producteurs, transformateurs et restaurateurs charlevoisiens. En suivant cette route, vous emprunterez des sentiers chargés de chaleur humaine.

À découvrir... Tout en soulignant la présence des restaurants qui font honneur aux produits régionaux, cette route est ponctuée de haltes gourmandes permettant aux visiteurs de découvrir le travail acharné et passionné des artisans de Charlevoix, question de mieux connaître l'agriculture, l'élevage et les richesses de cette superbe région. Reconnue pour sa bonne chère et ses excellents produits régionaux, cette région s'appuie sur de véritables traditions. Produits frais et transformés sont au rendez-vous. Glaces et chocolats, fromages fins, bières artisanales et cidres, gibiers à plumes, agneaux, veaux, poissons fumés, fruits et légumes, pains et viennoiseries sont tous des produits que vous aurez le plaisir de déguster.

À faire... Ce circuit, grâce à ses paysages, ses produits régionaux, ses routes calmes et le bon air du fleuve, fait appel à tous vos sens. Les activités sont variées et, en tout temps, vous aurez l'occasion d'en apprendre davantage sur le terroir de Charlevoix et surtout, d'y goûter. Certaines visites vous mettront en contact direct avec les traditions ancestrales, soit en vous expliquant les rudiments du métier, soit en vous faisant entrer dans des lieux centenaires tels les économusées. D'autres endroits vous demanderont d'être plus actif en vous permettant, par exemple, de faire de l'autocueillette ou des balades à vélo dans les vergers.

La multitude des produits régionaux offerts dans la région a entraîné la création de bonnes tables. Des auberges et des restaurants situés dans des sites enchanteurs ancestraux vous offrent mille et une façons de déguster une cuisine du terroir hors pair. Sur votre route, vous aurez une vue imprenable sur le fleuve et vous croiserez des villages pittoresques et des paysages montagneux. C'est dans ce havre de paix qu'on vous propose de venir déguster les meilleurs plats de la région. La plupart des tables proposées sont également des auberges ou des hôtels où confort douillet et accueil chaleureux sont au rendez-vous. Quoi de mieux pour recharger vos batteries et poursuivre votre escapade gourmande !

PRODUCTEURS

Breuvages, vins et spiritueux

DOMAINE DE LA VALLÉE DU BRAS

328, rang Saint-Antoine Nord, Baie-Saint-Paul
418-435-6872
www.domainevb.ca

Mi-juin à mi-octobre : tous les jours de 10h à 17h. Le reste de l'année : sur rendez-vous. Visite guidée et dégustation sur réservation. Boutique sur place et en ligne (vins Omerto, coffrets cadeaux, accessoires). Certifié biologique Ecocert Canada.

Cette entreprise, fière propriété de Pascal Miche, concocte un produit des plus insusités : un vin apéritif de tomate, l'Omerto, qui titre à 16 %. Tradition familiale sur quatre générations dans son pays d'origine, la Belgique, Pascal désirait recréer ici la recette de ses aïeux. Si le produit est couronné de succès, quelques obstacles ont parsemé le parcours de l'entreprise. En effet, mettre en marché un produit du terroir unique et entièrement biologique demande plusieurs étapes, particulièrement auprès de la Régie des alcools. Mais toutes ces années de labeur ont été récompensées par la mise en marché de ce vin offert sous deux millésimes : sec et moelleux. On le retrouve sur les tablettes du Marché des Saveurs à Montréal, du Marché du Vieux-Port à Québec et bien entendu, au domaine directement, sans oublier les bonnes tables de la région. Et pour ceux qui se posent la question : un vin de tomate, ça ne goûte pas la tomate ! Un produit à découvrir et qui se marie très bien aux fruits de mer.

Chez le brasseur

MICROBRASSERIE CHARLEVOIX

6, Paul-René Tremblay, Baie-Saint-Paul
418-435-3877
www.microbrasserie.com

Visites sur réservation (dégustation des bières, vidéo sur les étapes de production, animation). Boutique sur place (bières, paquets-cadeaux, verres, vêtements et accessoires, etc.) : ouverte tous les jours en été, fermé le week-end hors saison. Pour plus d'information sur le resto-pub de la microbrasserie, référez-vous à la rubrique « À table » de cette région.

En 1998, pris d'un élan de passion, Caroline Bandulet et Frédérick Tremblay laissent leurs emplois pour donner vie à leur rêve : ouvrir et maintenir une microbrasserie dans leur région natale, Charlevoix. Le 3 juillet de la même année, la Microbrasserie Charlevoix ouvre ses portes pour produire des bières destinées principalement à la région immédiate. Plus de quinze ans plus tard, elle fait partie des microbrasseries les plus en vue de la province, offrant des bières de spécialité de haut calibre. Ces dernières se divisent en deux gammes : « Dominus Vobiscum » et « Vache Folle ». Les Dominus Vobiscum sont des bières d'inspiration belge composées de malts spéciaux et fermentées avec une levure belge. On y retrouve, entre autres, la Blanche, la Double, la Triple, et la Sainte-Réserve Hibernus, une bière d'hiver d'exception. Vient ensuite la gamme de la Vache Folle qui comprend notamment une noire au lactose, un porter à la chicorée, une rousse extra special bitter, une série mono-houblon Double IPA, une bière de seigle d'inspiration du style IPA, etc. La microbrasserie brasse également des bières saisonnières, des cuvées spéciales et d'autres exclusives pour certains établissements. Une passion, un gage de qualité !

Fromages

MAISON D'AFFINAGE MAURICE DUFOUR – FAMILLE MIGNERON

1339, boulevard Mgr-de-Laval, Baie-Saint-Paul
418-435-5692
www.famillemigneron.com

Vente de produits, visite guidée gratuite et dégustation en saison estivale : lundi-dimanche, 9h-18h. Le reste de l'année : lundi-vendredi, 8h-16h ; samedi-dimanche, 9h-17h. Plusieurs formules proposées sur demande pour les groupes (réservations requises).

La maison d'affinage Maurice Dufour fut inaugurée en 1994. Le premier fromage artisanal confectionné et distribué fut Le Migneron de Charlevoix, fabriqué au lait de vache pasteurisé à pâte demi-ferme et à croûte lavée, encore et toujours aussi populaire. Tendant vers la création de fromages fins très typés, un deuxième fromage, Le Ciel de Charlevoix, fait au lait entier de vache à pâte persillée, fut apprêté. En 2005, la maison commença à travailler le lait de brebis, créa une ferme et d'autres fromages tels que celui à pâte ferme affiné en surface (La Tomme de Brebis), celui à pâte demi-ferme persillée (Le Bleu de Brebis), le fromage de lait mixte (La Tomme d'Elles), sans oublier Le Secret de Maurice, un pâte molle à croûte fleurie fait de lait de brebis, dont le procédé secret tire son origine d'Espagne. L'entreprise a obtenu de nombreux prix et distinctions pour ses fromages et gageons que l'avenir en réserve tout autant.

Viandes et charcuteries

CENTRE DE L'ÉMEU DE CHARLEVOIX

706, rue Saint-Édouard, Saint-Urbain
418-639-2205 / 418-639-2606
www.emeucharlevoix.com

Vente de produits, visite guidée et dégustation sur place. Mi-mai à mi-octobre : lundi-dimanche, 9h30-16h30 (9h-17h30 de fin juin à début septembre). Visites guidées (fin juin à début septembre) : départs à 10h30, 12h, 13h30 et 15h. Adulte : 6,50 $, enfant : 3,25 $. Visites autoguidées avec panneaux d'interprétation offertes pendant les heures d'ouverture. Adulte : 3,50 $, enfant : 1,75 $. Grande terrasse. Forfaits et repas disponibles pour les groupes sur réservation. Autres boutiques : Marché du Vieux-Port à Québec ; 683 avenue Royale à Beauport. Certifié Terroir & Saveurs du Québec.

L'émeu, deuxième plus gros oiseau après l'autruche, fait partie de la famille des ratites, une espèce d'oiseau coureur qui ne vole pas. Il y a plus d'une quinzaine d'années, dans la région de Charlevoix, il a été choisi pour sa facilité d'élevage, sa gamme diversifiée de produits dérivés, ainsi que ses bienfaits sur la santé. La boutique de la ferme offre une belle gamme de produits corporels dérivés de l'émeu (huile d'émeu 100 % pure, exfoliant d'algues et boues marines, shampoing hydratant à l'huile d'émeu, etc.), présentés individuellement ou en emballages cadeaux. Une sélection de viandes d'émeu et de plats prêt-à-manger est également en vente, ainsi que des produits du terroir de la région. Services d'achat en ligne (produits corporels seulement) et de livraison disponibles via leur site web.

FERME BASQUE DE CHARLEVOIX

813, rue Saint-Édouard, Saint-Urbain
418-639-2246
www.lafermebasque.ca

Mai à octobre : lundi-dimanche, 10h-17h. Le reste de l'année : sur réservation. Visites guidées des installations d'élevage extérieures et de gavage (adulte 5 $, gratuit pour les moins de 12 ans). Vente et dégustation de produits à la ferme. Aire de pique-nique, sentiers de randonnée.

Originaires du pays basque, dans le Sud-Ouest de la France, et installés au Québec depuis 1999, Isabelle Mihura et Jean-Jacques Etcheberrigaray ont été séduits par la région. Située à la porte du parc national des Grands-Jardins, la production artisanale de canards à foie gras travaille fort pour respecter les éléments naturels afin de donner à cet oiseau les conditions de vie les plus saines possibles. La politique de la ferme n'est pas axée sur une production de masse ou sur une maximisation de rendement, mais plutôt sur une production respectueuse de l'environnement et de qualité supérieure. L'atelier de transformation a été établit à la ferme pour vous assurer la meilleure fraîcheur. Sur place, vous pourrez vous procurer des foies gras entier, mi-cuit ou cuit au naturel, des pâtés, rillettes, cretons et mousses de canard, des magrets entiers ou séchés, des cuisses et des gésiers confits, de la graisse, et du cassoulet (bon de commande disponible sur le site Internet).

LES VIANDES BIOLOGIQUES DE CHARLEVOIX

125, rue Saint-Édouard, Saint-Urbain
418-639-1111 / 1 888-435-6785
www.viandesbiocharlevoix.com

Lundi-vendredi, 8h-17h. Comptoir de vente sur place.

Cette entreprise de Charlevoix, fondée en 2001 par Damien Girard et Natasha McNicoll, est réputée pour sa production et sa distribution de porcs, poulets et charcuteries certifiés biologiques par Ecocert Canada. Tous ses produits sont exempts de nitrites, de phosphates, d'agents de conservation chimiques et d'OGM car l'élevage se fait sans pesticides, hormones de croissance et antibiotiques. L'entreprise veut également inciter les producteurs régionaux à produire non seulement des viandes biologiques mais aussi des céréales afin d'alimenter les élevages et de créer un levier économique important pour la région. En plus des différentes pièces de viande de poulet et de porc offertes, de la charcuterie séchée ou cuite, des saucissons secs et des verrines sont également en vente sur place ou dans l'un des nombreux points de vente à travers la province. Une savoureuse initiative !

© Anne Mov

AUBERGE DES TROIS CANARDS

115, Côte Bellevue, La Malbaie (secteur Pointe-au-Pic)
418-665-3761 / 1 800-461-3761
www.auberge3canards.com

Ouvert tous les soirs de 17h30 à 21h30. Menu table d'hôte : 64 $ par personne. Hébergement, forfaits, massothérapie et activités disponibles sur place.

Le restaurant gastronomique de cette magnifique auberge possède une solide réputation dans toute la région. Le Chef Mario Chabot mise sur une cuisine régionale charlevoisienne aux accents français, et son menu ne peut que vous donner envie de vivre une expérience des plus épicuriennes : magret de canard de la Ferme Basque, pesto de piment et menthe fraîche ; noix de Saint-Jacques aux aromates de La Ferme des Monts, risotto à la gourgane ; ou encore cerf rouge du Québec grillé façon Rossini, poêlée de foie gras et gelée de cèdre maison. À conclure avec la merveilleuse assiette de fromages québécois ou un de leurs desserts maison. Une belle adresse gourmande !

AUBERGE LA MAISON SOUS LES PINS

352, rue Félix-Antoine-Savard, Saint-Joseph-de-la-Rive
418-635-2583 / 1 877-529-7994
www.maisonsouslespins.com

Menu terrasse (midi et soir, en saison estivale) : moins de 25 $. Plats à la carte le soir : à partir de 20 $, table d'hôte : 38 $. Terrasse. Certifié Terroir & Saveurs du Québec. Hébergement et forfaits disponibles sur place.

Cette magnifique auberge, ancienne maison du capitaine Maurice Desgagnés, offre un hébergement à la fois champêtre et contemporain, ainsi qu'une savoureuse table rendant honneur au terroir charlevoisien. Pour ceux séjournant sur place, vous aurez droit, le matin venu, à un superbe petit déjeuner gourmand, question de faire le plein d'énergie. Le menu terrasse, parfait pour un repas sur le pouce, propose entre autres la trilogie de fromage de Charlevoix, le burger aux trois gibiers (wapiti, sanglier, bison), ou encore la saucisse lapin, pommes et fines herbes des Gibiers Canabec. Le soir, l'auberge propose une fine cuisine gourmande où canard, pintade, veau, bœuf AAA, poisson selon arrivage et autres., se partagent la carte (possibilité d'inclure le repas du soir en forfait).

CHEZ BOUQUET ÉCO-BISTRO

39, rue Saint-Jean-Baptiste, Baie-Saint-Paul
418-435-6839 / 1 800-841-6839
www.chezbouquet.com

Ouvert tous les jours, du matin au soir. Menu petit déjeuner, midi, à la carte, et table d'hôte du soir. Terrasse. Hébergement et forfaits disponibles sur place.

Ce bistro, situé dans l'Auberge La Muse, mise sur une philosophie d'équilibre social, économique et environnemental, question de joindre le durable à l'agréable. On y propose une fine cuisine imaginative mettant en vedette plus d'une vingtaine de producteurs de Charlevoix : terrine de foie gras avec gelée de vin Omerto, brioche et ketchup aux fruits (Ferme Basque, Domaine de la Vallée du Bras, Pains d'Exclamation) ; fondue aux fromages de Charlevoix et croûtons (Laiterie Charlevoix, Maison d'affinage Maurice Dufour) ; pintade au miel de Charlevoix et lavande (Volières Baie-St-Paul, Miel des Grands Jardins) ; tartare de chevreau (Ferme Caprivoix)… Un menu constamment renouvelé qui saura plaire aux fins gourmets. Et ne ratez pas les savoureux petits déjeuners constitués des produits frais de la région (servis jusqu'à 13h le week-end).

LE MOUTON NOIR

43, rue Sainte-Anne, Baie-Saint-Paul
418-240-3030
www.moutonnoirresto.com

Ouvert tous les jours en été : le midi dès 11h et le soir de 17h à 22h. Fermé le midi hors saison. Plats principaux le midi : moins de 20 $. Table d'hôte du soir : à partir de 30 $. Superbe terrasse en bordure de la rivière du Gouffre avec foyer extérieur, jardin avec petit terrain de pétanque. Programmation culturelle et musicale. Certifié Terroir & Saveurs du Québec.

Thierry Ferré, Breton de souche et Québécois d'adoption, est le chef-propriétaire de cette adresse gourmande, avec une équipe dynamique en salle. Au menu, une cuisine bistro créative qui s'inspire du Vieux Continent, avec une touche de terroir qui rend honneur aux savoureux produits québécois. Tout est simplement délicieux, de l'entrée au dessert, et sachez que le restaurant est membre des « Créatifs de l'érable »... Ça promet ! Pour accompagner le tout, les bières de la Microbrasserie Charlevoix figurent à l'ardoise, ou alors, optez pour une des bouteilles de leur cave à vin. Une adresse chouchou, tant des habitués que des petits futés !

LE SAINT-PUB - MICROBRASSERIE

2, rue Racine, Baie-Saint-Paul
418-240-2332
www.saint-pub.com

Ouvert tous les jours dès 11h30. Plats principaux à la carte : moins de 30 $. Table d'hôte et menu bistro aussi disponibles. Belle carte des vins avec sélection en importation privée. Terrasse. Pour plus d'information sur la microbrasserie, référez-vous à la rubrique « Producteurs » - « Chez le brasseur » de cette région.

En plein cœur de Baie-Saint-Paul, municipalité nichée entre fleuve et montagnes, se trouve le Saint-Pub, l'incontournable restaurant appartenant à la Microbrasserie Charlevoix. Au menu, une cuisine régionale où les produits du terroir sont à l'honneur, notamment ceux de la Route des Saveurs de Charlevoix, ainsi que plusieurs recettes à la bière : carpaccio d'émeu de Saint-Urbain, foie gras de la Ferme Basque au torchon mariné à la bière Vache Folle Double IPA, moules à la bière Dominus Vobiscum, croque-smoked au fromage Hercule de la Laiterie Charlevoix… Pour accompagner le tout, la maison propose une belle sélection de bières locales de qualité, brassées avec amour et patience, dont des saisonnières qui font leur apparition selon l'humeur des brasseurs. Malgré le déménagement de la microbrasserie, les installations du Saint-Pub sont encore utilisées pour le brassage sur place de bières exclusives au resto-pub. Un lieu à découvrir pour une bonne boustifaille dans le cadre champêtre de cette magnifique région.

LES PETITS BRASSEURS

36, rue Saint-Joseph, Baie-Saint-Paul
418-760-8023
www.lespetitsbrasseurs.ca

Occupation double : à partir de 80 $ en basse saison et 95 $ en haute saison, petit déjeuner et bière de bienvenue inclus. Rabais de 5 $ par nuitée si réservation par téléphone ou courriel.

Luc est flamand, Laurence est bruxelloise, Charlevoix est leur terre d'adoption. Fiers de leurs racines, esprit d'entrepreneur en prime, ils ont ouvert ce merveilleux gîte en plein cœur du village, aux abords de la rivière du Gouffre. Tous deux passionnés de la bière (à savoir que Luc est au développement des affaires à la Microbrasserie Charlevoix), le gîte rend hommage à ce délicieux nectar. Le nom de l'établissement et de ses trois coquettes chambres, la collection de bouteilles de bières belges, les plats à la bière au petit déjeuner... Un univers tout en bulles vous attend ! La Microbrasserie Charlevoix lui brasse même une bière exclusive, une Belgian Pale Ale, que vous pourrez savourer à votre arrivée. Le matin venu, Laurence concocte de vrais petits délices à partir de produits frais de la région ainsi que quelques primeurs du plats pays. Elle cultive même certains fruits, légumes et fines herbes dans son petit jardin lors de la belle saison. L'endroit idéal pour faire une halte lors de votre virée gourmande dans Charlevoix !

MARCHANDS DE BONHEUR

AL DENTE

30, rue Leclerc, Baie-Saint-Paul
418-435-6695
www.aldente-charlevoix.com

Ouvert tous les jours dès 10h. Comptoir de vente, service de traiteur sur réservation. Terrasse.

Légèrement croquantes sous la dent, c'est ainsi que les Italiens aiment leurs pâtes : al dente ! Ces dernières sont ici faites maison de manière artisanale et pour les accompagner, des sauces typiques sont également préparées sur place. L'épicerie fine propose des plats cuisinés, des olives, des antipasti, du foie gras et des terrines, des fromages, des pains chauds, des huiles d'appellations, des cafés... Sans oublier la fameuse tarte au chocolat, framboises et bleuets, aussi en vente à plusieurs endroits dans la province.

CHOCOLATERIE DU VILLAGE, POTERIE LINE ST-PIERRE, FORGE DU VILLAGE

194, rue du Village, Les Éboulements
418-635-1651 / 1 888-635-1651

Forge et poterie : ouverts du 24 juin à début septembre. Chocolaterie : ouvert tous les jours à l'année (fermé lundi-mardi d'octobre à mai). Horaire : 10h-18h. Démonstrations et visites commentées. Entrée libre.

Site pittoresque datant de 1891 qui réunit sous le même toit une chocolaterie artisanale (50 variétés de chocolats belges, fudges, créations thématiques et pièces personnalisées sur demande), une forge fonctionnelle avec ses outils d'origine et une boutique de poterie (créations décoratives et utilitaires).

PAINS D'EXCLAMATION!

398, rue Saint-Étienne, La Malbaie
418-665-4000
www. painsdexclamation.com

Mi-juin à début septembre : ouvert tous les jours de 6h30 à 17h30. Le reste de l'année : fermé dimanche et lundi. Coin café, terrasse. Espace galerie pour les artistes et photographes de la région.

Josée Gervais, votre artiste boulangère en chef, vous accueille dans son agréable commerce en plein cœur du centre-ville. Depuis plus de dix ans, elle confectionne une succulente variété de pains, au levain ou à la levure, aux noix, aux fruits séchés et tutti quanti. Les viennoiseries sont également un pur délice, notamment les croissants aux amandes et les brioches au caramel, sans oublier les tartes, les brownies, les confitures maison, etc. Les produits charlevoisiens ont ici une belle vitrine, tant dans les créations de la boulangerie que sur les étalages de la boutique. Il est également possible de s'y attabler pour savourer un petit déjeuner, un sandwich, une quiche, une tartine, une salade-repas ou tout autre plat maison inscrit à l'ardoise.

ACTIVITÉS GOURMANDES

CIDRES ET VERGERS PEDNEAULT, ÉCONOMUSÉE DE LA POMICULTURE

3384, chemin des Coudriers, Isle-aux-Coudres
418-438-2365
www.vergerspedneault.com

Ouvert tous les jours à l'année. Entrée libre. Présentation et dégustation commentée tous les jours de juin à octobre (5 $ par personne). Autocueillette de début septembre à fin octobre. Groupes sur réservation. Sentier de vélo sur le site. Certifié Terroir & Saveurs du Québec. Boutiques à Baie-Saint-Paul (centre-ville) et à La Malbaie (Fairmont Le Manoir Richelieu).

Le verger a été créé en 1918 avec la plantation, à titre expérimental, de 300 pommiers sur cette terre ancestrale. Quelques générations se sont succédé pour faire des cidres, bien sûr, mais aussi divers produits dérivés de la pomme et d'autres fruits : mistelles, crèmes, vinaigres, confitures, gelées, beurres, miels et sirops. Profitez donc de votre passage sur l'ile pour aller visiter le verger et la cidrerie, faire de l'autocueillette en saison, goûter à ses excellents produits et bien entendu, rapporter quelques souvenirs de la boutique. Pour les groupes d'au moins dix personnes, des visites guidées tarifées, incluant la dégustation de leurs produits, sont offerte en tout temps sur réservation.

LAITERIE CHARLEVOIX, ÉCONOMUSÉE DU FROMAGE

1167, boulevard Mgr-de-Laval, Baie-Saint-Paul
418-435-2184
www.fromagescharlevoix.com

En été : lundi-dimanche, 8h-19h. Le reste de l'année : lundi-vendredi, 8h-17h30 ; samedi-dimanche, 9h-17h. Entrée libre, visite guidée et dégustation payantes.

Cette entreprise produit des fromages depuis plus de 65 ans : fromage à pâte molle à croûte fleurie, cheddar frais du jour ou vieilli, fromage affiné en surface à pâte cuite, etc. Prenez quelques échantillons à la boutique, et question d'accompagner le tout, des produits charlevoisiens garnissent aussi les étalages. C'est également un centre d'interprétation où l'on vous expliquera les différentes étapes de fabrication du fromage avec, en démonstration, des équipements anciens.

© Anne Moy

CHAUDIÈRE-APPALACHES

S'étendant sur la rive sud du fleuve Saint-Laurent sur 200 km, entre le Centre-du-Québec et le Bas-Saint-Laurent, la région de Chaudière-Appalaches fait face à Québec et à Charlevoix. Traversée par la rivière Chaudière, qui parcourt la Beauce avant de se jeter dans le fleuve, la région est également marquée au sud par la chaîne montagneuse des Appalaches. Cette région compte aussi dans ses rangs cinq villages membres de l'Association des plus beaux villages du Québec : L'Islet, Lotbinière, Saint-Antoine-de-Tilly, Saint-Michel-de-Bellechasse et Saint-Vallier. Soulignons aussi le riche patrimoine historique, culturel et naturel de la région.

Chaudière-Appalaches est également réputée pour l'abondance des produits de la terre, la gastronomie régionale, les boutiques spécialisées en produits du terroir, etc. Plusieurs routes gourmandes la sillonnent et vous mettront en contact avec les producteurs et les passionnés du terroir. Il ne vous reste donc qu'à partir à la découverte de ses richesses agroalimentaires !

TOURISME CHAUDIÈRE-APPALACHES

418-831-4411 / 1 888-831-4411
www.chaudiereappalaches.com

CIRCUITS AGROTOURISTIQUES ET DE DÉCOUVERTE

Voici une belle façon de découvrir la région. Différents trajets sont présentés, orientés autour de la visite de fermes, d'entreprises de transformation agroalimentaire, de tables champêtres et de boutiques spécialisées. Le panneau de signalisation « Arrêt gourmand » identifie les entreprises participantes tout au long de la route (www.arretsgourmands.com).

IDÉES DE PARCOURS

Arrêts gourmands de Lotbinière : www.tourismelotbiniere.com
Arrêts gourmands des Appalaches : www.produitsdesappalaches.com
Arrêts gourmands de Lévis : www.tourismelevis.com
Arrêts gourmands de Bellechasse : www.tourisme-bellechasse.com
Arrêts gourmands de Cap-Saint-Ignace : www.montmagnyetlesiles.com
Arrêts gourmands de la région de Montmagny : www.montmagnyetlesiles.com
Le regroupement des Arrêts gourmands région de l'Islet : www.lacotedusud.com
Le Chemin de la fraîcheur : www.chemindelafraicheur.com

LA ROUTE DES VINS

En parcourant les magnifiques vallées de la région, l'univers viticole s'ouvre à vous avec plusieurs vignobles qui vous feront découvrir des vins et mousseux originaux. Quelques bonnes adresses : La Cache à Maxime à Scott, Le Clos Lambert à Lévis (Saint-Jean-Chrysostome), Vignoble Le Nordet à Lévis (Pintendre), La Charloise à Lotbinière, Vignoble Domaine Bel-Chas à Saint-Charles-de-Bellechasse, et Vignoble du Faubourg à Saint-Jean-Port-Joli.

Une route officielle vient également de voir le jour : la Route des vins de Bellechasse qui regroupe Le Ricaneux, le Vignoble Domaine Bel-Chas et le Verger et vignoble Casa Breton. Pour plus d'info sur ce circuit, consultez le site web de l'office du tourisme.

PRODUCTEURS

Breuvages, vins et spiritueux

LE RICANEUX

5540, rang Sud-Est, Saint-Charles-de-Bellechasse
418-887-3789
www.ricaneux.com

Mai à fin octobre : lundi-dimanche, 10h-18h. Novembre et décembre : samedi-dimanche, 10h-17h. Le reste de l'année : contactez-les directement. Visites guidées pour groupe sur réservation (deux forfaits disponibles) et visites autoguidées individuelles, observation des activités de production, dégustations, sentier d'interprétation, aire de pique-nique. Certifié Terroir & Saveurs du Québec.

Dans la région gourmande de Bellechasse, la famille McIsaac élabore des vins et des apéritifs de petits fruits depuis plus d'une vingtaine d'années avec, entre autres, certaines espèces parfois oubliées telles la casseille, l'amélanche, l'aronia (gueule noire) et le sureau blanc. Leurs produits sont destinés à être servis très frais, à l'apéritif ou en digestif, nature ou sur glace, et pourquoi pas, dans la préparation de vos sauces. En plus des crèmes (sureau blanc, framboise, caseille, pimbina...), l'entreprise conçoit Le Ricaneux comme celui à base de fraises et de framboises, ou le rosé, inspiré des alcools de fruits de nos grands-mères. Un autre alcool s'ajoute à la gamme : Le Portageur, défini par son origine. En effet, c'était l'alcool que l'on retrouvait le long des sentiers de portage, légèrement boisé aux effluves de fruits rouges, rond et souple avec un parfum de sirop d'érable. Ce dernier se marie très bien avec des fromages forts de la famille des bleus ou encore, avec du chocolat. Consultez le site Internet pour découvrir tous les autres produits du Ricaneux.

Chez le brasseur

FRAMPTON BRASSE

430, 5e Rang, Frampton
418-479-5683
www.framptonbrasse.com

Juin à mi-octobre : mardi-dimanche, 13h-18h. Le reste de l'année : jeudi-samedi, 13h-18h. Fermé en février. Visite des installations brassicoles sur réservation et dégustation pendant les heures d'ouverture du salon de dégustation (le reste du temps sur réservation, groupes sur réservation en tout temps). Items à l'effigie de la microbrasserie et bières pour emporter en vente sur place.

Propriété de la famille Poulin et située dans un décor des plus champêtres, cette ferme brassicole cultive l'orge et une variété de houblon, en plus d'utiliser l'eau puisée à même la source. La jeune entreprise écolo mise sur l'authenticité telle que définie par le décret sur la pureté de la bière édicté en 1516. Ce qui distingue Frampton Brasse est sans contredit l'usage de technologies vertes dont la géothermie qui utilise la température du sol pour garder constant le degré voulu des cuves de fermentation. Lors de l'empâtage (étape où le malt est mélangé avec l'eau), la petite brasserie se sert entre autres de la méthode par décoction, un procédé largement utilisée en Allemagne, ce qui confère à la bière un caractère unique tout en ayant plus de contrôle sur le brassage.

Frampton Brasse propose des bières savoureuses auxquelles s'ajoutent des produits saisonniers. Pour les découvrir, et question de prendre un bon bol d'air frais à la campagne, un salon de dégustation est à votre disposition, magnifique terrasse et superbe vue en prime. Vous pourrez prolonger le plaisir en séjournant à leur charmant gîte, La Chanterelle, situé à même le site. Sinon, sachez que l'on retrouve les bières de Frampton Brasse dans plus de 250 points de vente au Québec, que ce soit dans les bars ou chez les détaillants spécialisés.

MICROBRASSERIE DE BELLECHASSE & PUB DE LA CONTRÉE, COOP DE SOLIDARITÉ

2020, rue de l'Église, Buckland
418-789-4444
www.microbrasseriedebellechasse.ca

Lundi-mardi, fermé ; mercredi, 15h-22h ; jeudi, 11h-22h ; vendredi, 11h-minuit ; samedi, 14h-minuit ; dimanche, 14h-20h. Table d'hôte du soir disponible du jeudi au samedi sur réservation ; menu soupe, sandwichs grillés, dessert en tout temps. Café torréfié sur place. Terrasse. Items à l'effigie de la microbrasserie en vente sur place.

Située dans la belle région de Bellechasse, à quelques minutes à peine du parc du Massif du Sud, cette charmante microbrasserie a ouvert ses portes en novembre 2013 dans ce qui faisait autrefois office de Caisse populaire. Fondée en tant que coopérative de solidarité, sa mission consiste à « brasser et commercialiser solidairement des bières aux couleurs de Bellechasse qui plaisent autant aux connaisseurs qu'aux néophytes, tout en favorisant la création d'emploi, le tourisme de créneau, l'achat local, les activités culturelles et le développement durable de la Contrée en Montagnes dans Bellechasse. » Spécialisée surtout dans les bières de basse fermentation (Lagers), elle puise l'eau nécessaire au brassage à même la source des montagnes. Sur place, vous pourrez découvrir ces petits bijoux, à accompagner de coupe-faim ou d'un plat plus consistant comme les boulettes liégeoises ou encore la choucroute à la bière. Sachez que l'embouteillage est prévu pour décembre 2014, et d'ici là, vous pourrez les savourer aux pompes des certains bars et microbrasseries de la région, ainsi qu'à Québec.

ET AUSSI :

LA BOÎTE À MALT

585, route 116, Lévis (secteur Saint-Nicolas)
418-836-1000
www.boiteamalt.com

CORSAIRE MICROBRASSERIE

5955, rue Saint-Laurent, Lévis
418-380-2505
www.corsairemicro.com

Salon de dégustation et commandes de bière : 8780, boulevard de la Rive-Sud, Lévis, 418-903-9105.

Fromages

FROMAGERIE ÎLE-AUX-GRUES

210, chemin du Roi, L'Isle-aux-Grues
418-248-5842
www.fromagesileauxgrues.com

Mi-mai à mi-septembre : lundi-vendredi, 9h-17h ; samedi, 10h-16h ; dimanche, 12h-16h. Le reste de l'année : fermeture à 16h en semaine. Certifié Terroir & Saveurs du Québec.

Entreprise ancestrale, pilier de la conservation du patrimoine agricole et du développement durable de la région, cette fromagerie repose aujourd'hui sur cinq producteurs laitiers regroupés en coopérative. Leurs fromages, qui jouissent d'une belle notoriété et récompensés à maintes reprises, sont un pur régal. Le Mi-Carême, par exemple, est un fromage artisanal de la famille des bries, à pâte molle à croûte mixte veloutée. Son nom provient d'une vieille tradition locale où, chaque hiver, les habitants de l'île confectionnent leurs costumes et célèbrent en grande pompe la mi-carême. Il y a aussi Le Riopelle de l'Isle, un crémeux enrobé d'une croûte fleurie avec un bon goût de beurre. Rendant hommage à l'artiste Jean-Paul Riopelle, il s'accompagne volontiers d'un bourgogne. D'autres délices composent la gamme de la fromagerie, dont le Tomme de Grosse-Île, à pâte demi-ferme aux arômes de sous-bois avec un petit goût fruité et acidulé, ainsi que des cheddars à des stades de maturation de six mois à deux ans, pour ne nommer que ceux-ci.

Produits fumés

LES FUMETS SYLVESTRE

226, rue Industrielle, Sainte-Marguerite
418-935-3911 / 1 877-370-3911
www.fumetssylvestre.com

Consultez le site Internet pour connaître la liste des points de vente au Québec.

Les Fumets Sylvestre conçoivent des viandes, des poissons et des fruits de mer fumés. Principalement destinés aux restaurants, aux établissements hôteliers et aux épiceries fines, vous retrouverez également leurs produits dans de nombreux points de vente à travers la province. Le respect des traditions et l'amour de la nature font partie intégrante de la philosophie de l'entreprise, de l'approvisionnement à la production. Les maîtres fumeurs créent ici de véritables œuvres d'art gastronomiques avec, au menu, caribou, bison, autruche, cerf, canard et autres viandes, poissons à chair tendre (saumon, truite, pétoncle, esturgeon), sans oublier les produits cuits comme la cuisse de canard confite ou le foie gras style torchon. Les aliments sont soit fumés à chaud soit à froid. La méthode à chaud est inspirée de celle qu'utilisaient les Amérindiens et les Inuits alors qu'à froid, ils utilisent une cuisson par le sel à basse température. Définitivement à mettre au carnet d'épicerie !

Viandes et charcuteries

ÉLEVAGE DE CERFS ROUGES CLÉMENT LABRECQUE

1595, rang Saint-Étienne Nord, Sainte-Marie
418-387-8346
www.lecerflabrecque.com

Comptoir de vente (coupes de viande fraîches, mets préparés, produits du Québec) et coin repas ouverts du mercredi au dimanche. Nombreux points de vente au Québec (voir site Internet).

À Sainte-Marie de Beauce, à 30 minutes au sud de Québec, Clément Labrecque, déjà producteur de porcs depuis une trentaine d'années, et sa conjointe Nathalie LeBlanc possèdent depuis l'an 2000 un élevage familial et précieux de cerfs rouges. Élevé au Québec depuis le milieu des années 1980 et d'origine européenne, ce cervidé fait parti de la famille des wapitis. Sa viande est maigre, raffinée, et riche en protéines nécessaires pour une bonne santé. De plus, l'élevage est exempt d'OGM, d'hormones de croissance et d'antibiotiques. L'histoire des cerfs rouges, leurs origines, leurs caractéristiques physiologiques et leurs habitudes de vie sont expliquées lors de la visite. Au comptoir de vente, vous pourrez vous procurer des tournedos, des filets mignons, des fesses entières pour vos méchouis, des steaks de surlonge, du smoked meat, des saucisses et des terrines, ainsi que des tourtières, des fondues, des cubes à brochettes ou à mijoter... Une riche aventure !

LE CANARD GOULU

524, rang Bois Joly Ouest, Saint-Apollinaire
418-881-2729
www.canardgoulu.com

Boutique ouverte tous les jours de 10h à 17h. Dégustations en terrasse du mercredi au dimanche de 11h à 16h30, du 24 juin à début septembre. Certifié Terroir & Saveurs du Québec. Petite ferme sur place. Boutiques à Québec : 1281, avenue Maguire (arr. Sillery), 418-687-5116 ; 955, route Jean-Gauvin (arr. Cap-Rouge), 418-871-9339.

Avec le désir de bien vivre et de bien manger, tout en voulant partager leur passion, Marie-Josée Garneau, Sébastien Lesage et leur équipe élèvent et gavent les canards de Barbarie depuis plus de quinze ans afin de concevoir toute une gamme de produits dérivés. Ils possèdent leur propre abattoir, ce qui est assez rare au Québec. Du caneton au produit noble, c'est au total 30 000 canards qui courent dans la basse-cour pour éveiller vos sens du goût et de la nature. Autant vous dire que l'équipe s'y applique ! Parmi les produits disponibles : rillettes, magret fumé, bloc de foie gras, confit, cassoulet, saucisse, smoked meat, plats préparés et autres délices que l'on peut se procurer sur place. Vous serez aussi heureux d'apprendre qu'elle possède deux autres boutiques à Québec dans les arrondissements de Sillery et de Cap-Rouge. À Sillery se trouve également un restaurant pour les groupes (10 à 40 personnes) où le menu mise sur le canard et le foie gras de la ferme ainsi que les produits de la région. C'est un véritable voyage au cœur des saveurs que vous réserve le Canard Goulu !

À TABLE

AUBERGE DES GLACIS

46, route Tortue, L'Islet (secteur Saint-Eugène)
418-247-7486 / 1 877-245-2247
www.aubergedesglacis.com

Ouvert tous les soirs à l'année. Table gastronomique du soir 5 services, brunch le dimanche (sur réservation pour les visiteurs), repas du midi pour groupe sur réservation. 45 places en salle à manger. Superbe carte des vins. Certifié Terroir & Saveurs du Québec, membre de la Route Gourmande de L'Islet et des Créatifs de l'érable. Hébergement et forfaits disponibles sur place.

Récemment rénovée et agrandie, cette auberge de charme niche dans un magnifique parc de 5 hectares. En après-midi, on vous proposera de déguster des thés Kusmi, le thé des Tsars, accompagnés de quelques pâtisseries, à savourer dans la verrière ou sur la terrasse. Du côté du restaurant, le chef fait des merveilles. Sancerrois de naissance, Québécois d'adoption, Olivier Raffestin combine ces deux traditions gastronomiques. Embauché à l'auberge en 2000, à la base comme sous-chef, il gravit les échelons et fut nommé Chef en 2006. Misant sur les produits régionaux (table gourmande concoctée à partir de 55 produits de la région), avec un mélange d'audace et de raffinement, la grande réputation de la table de l'auberge dépasse les frontières de la région. Sa grande spécialité est la quenelle lyonnaise, de quoi faire gronder l'estomac. Une adresse hautement recommandée !

AUBERGE DES MOISSONS

512, route Kennedy, Vallée-Jonction
418-253-1447
www.aubergedesmoissons.com

Mercredi-vendredi, 11h-14h ; mercredi-dimanche, dès 17h30. Brunch le dimanche (service à 10h et à 12h) : 17,95 $ par adulte. Table d'hôte le midi : à purtlr de 11,95 $, le soir : à partir de 27,95 $. Certifié Terroir & Suveurs du Québec. Terrasses. Hébergement et forfaits disponibles sur place.

L'Auberge des Moissons est une magnifique maison de campagne installée sur un site des plus bucoliques. Bâtie en 1829, c'est l'une des plus vieilles habitations de la Beauce, et elle appartient encore et toujours à la même famille. Afin de garder ce cachet ancestral, les quatre chambres de l'auberge ont toutes été décorées avec le mobilier ayant appartenu à la famille. Soyez avertis, pour ceux désirant prolonger le plaisir par une nuitée sur place ! Côté gourmand, la table fait honneur au terroir régional et son chef, Robert Lessard, choisit méticuleusement ses ingrédients pour des plats confectionnés avec soin : feuilleté de ris de veau à la crème d'érable, fricassée des sous-bois au Porto ; râble de lapin farci de ris de veau et épinards, purée de panais, infusion de cacao ; poêlée de pétoncles et crevettes, beurre blanc à l'échalote et saké… Sans oublier les desserts et pâtisseries maison, un vrai régal. Un relais champêtre qui vaut amplement le détour !

CAFÉ LA COUREUSE DES GRÈVES

300, route de l'Église, Saint-Jean-Port-Joli
418-598-9111
www.coureusedesgreves.com

Ouvert tous les jours de 8h à 22h (fermé lundi hors saison). Menu midi : moins de 20 $, plats principaux à la carte : 10 $-30 $, table d'hôte le soir : à partir de 25 $. Réservation suggérée. Terrasse, bar avec billard et terrasse au 2e étage, service de traiteur. Programmation culturelle et musicale.

Ce restaurant de type café-bistro offre une fine cuisine dans une ambiance des plus champêtres. La carte est composée en grande partie de produits du terroir avec une nette préférence pour la cuisine régionale, française et même asiatique. Il y en a pour tous les goûts, selon les saisons, les arrivages et les envies du chef, Patrick Gonfond. Le menu est constamment réinventé, innové pour y ajouter de nouvelles pincées de couleurs et de saveurs. Ne quittez pas les lieux sans avoir lu la légende de la « coureuse des grèves » qui figure en première page du menu…

CHEZ OCTAVE AUBERGE RESTAURANT

100, rue Saint-Jean-Baptiste Est, Montmagny
418-248-3373
www.chezoctave.com

En été : ouvert tous les jours, midi et soir. Hors saison : ouvert le midi en semaine et du mercredi au samedi soir. Menu midi : moins de 25 $, plats principaux le soir : 10 $-40 $. Ajouter 9,95 $ au plat principal pour la table d'hôte et 15,95 $ pour la formule découverte. Certifié Terroir & Saveurs du Québec. Bar à cocktails, terrasse avec fontaine. Hébergement et forfaits disponibles sur place.

Située en plein cœur du Vieux-Montmagny, cette belle auberge de pierres, datant de 1847, est un havre pour les fines bouches. Sa table d'exception propose, entre autres, des plats bistro traditionnels revisités, des classiques sur le grill, de savoureux mijotés, des assiettes de fromages québécois, et des desserts gourmands. La composition du menu est un véritable hymne aux saveurs et à la recherche de la qualité, avec une touche d'inspiration internationale. La carte des vins qui accompagne le tout est très élaborée et plaira à tout public, en particulier les fins connaisseurs. Une belle adresse pour se faire plaisir.

MARCHANDS DE BONHEUR

BOUTIQUE DU TERROIR DE BELLECHASSE

201, autoroute Jean-Lesage, Saint-Michel-de-Bellechasse
418-884-3726
www.tourisme-bellechasse.com

Ouvert de mi-mai à début janvier (horaire variable selon la saison).

Le terroir de Bellechasse est ici au rendez-vous ! Ce magasin mise sur la valorisation touristique des terres de cette belle région gourmande. On y trouve uniquement des produits fabriqués par les artisans et les producteurs de Bellechasse comme des confitures, des miels, des produits de boulangerie, des terrines, des fromages et des alcools régionaux. Bellechasse regroupe vingt municipalités sur un territoire de 1 760 km^2 : une vaste contrée aux multiples facettes qui mérite amplement d'être explorée et savourée.

COOP LA MAUVE

348, rue Principale, Saint-Vallier
418-884-2888
www.lamauve.com

Lundi-vendredi, 9h-18h ; samedi, 9h-17h30 ; dimanche, 9h-17h. Fermé le lundi de janvier à mi-mai. Terrasse.

La Mauve est la coopérative de solidarité en développement durable de Bellechasse. De par sa mission, la coop met en place des structures et des activités dans les domaines de l'environnement et de l'alimentation. Elle gère entre autres un magasin d'alimentation avec boucherie artisanale. L'accent est mis sur l'approvisionnement local et le regroupement des services collectifs de transformation et de distribution pour ses membres producteurs. Sur place, vous retrouverez des viandes et du gibier (porc, agneau, wapiti, bison, lapin, etc.), de la charcuterie et des fromages (fumoir artisanal, terrines, fromages québécois, etc.), des fruits et légumes bios, des produits d'herboristerie (tisanes, savons, crèmes, etc.) ainsi que des produits d'épicerie. Paniers-cadeaux et service de buffet disponibles. Service de livraison de paniers agroalimentaires (inscriptions requises).

DÉPANNEUR TOUT PRÈS

97, rue Wolfe, Lévis
418-837-1633
www.depanneurtoutpres.com

Lundi-vendredi, 6h15-23h ; samedi, 7h-23h ; dimanche, 8h-23h.

Au Dépanneur Tout Près, plus de 650 bières de microbrasseries québécoises trônent sur les étalages, sans oublier les produits d'importation et une petite sélection de cidres. Si le choix devient ardu, faites appel aux employés, ils en connaissent long sur le sujet. Des paniers-cadeaux (possibilité d'en faire sur mesure), des verres de dégustation et autres items reliés au monde de la bière viennent compléter le tout. Prenez note que la boutique organise des dégustations de bières afin de faire découvrir ces délices houblonnés et d'élargir les horizons gustatifs (consultez leur site web ou page Facebook pour connaître les dates).

LE MOULE À SUCRE

248, avenue de Gaspé Est, Saint-Jean-Port-Joli
418-598-7828
www.lemouleasucre.com

Ouvert de mai à mi-octobre et les trois premières semaines de décembre. Forfaits-activités pour les groupes, activités et ateliers pour les individuels et les familles. Jardin de plantes de santé aux usages thérapeutiques, culinaires, cosmétiques et décoratifs sur place (fin juin à début septembre).

Cette grange à quatre versants de style Mansart fut construite par la famille Fortin en 1954. En raison de sa grande capacité de stockage, elle fut d'abord exploitée comme fenil à foin et étable. L'endroit changea de vocation à de multiples reprises et ce n'est qu'au début des années 2000, avec l'arrivée de nouveaux propriétaires, Nathalie Niemeyer et Roberto Di Giulio, qu'allait éventuellement « naître » le magasin général. On y retrouve une très large sélection de produits du terroir et importés, des mets pour emporter, une confiserie, des produits équitables des quatre coins de la planète, et des métiers d'art de créateurs québécois. Prévoyez donc un bon moment pour faire le tour de tous les étalages.

FERME PÉDAGOGIQUE MARICHEL

809, rang Bois Franc, Sainte-Agathe-de-Lotbinière
418-599-2949
www.fermemarichel.com

Boutique sur place ouvert le vendredi en été de 15h à 16h (viande d'agneau, peaux de moutons, miels, cafés équitables, etc.). Certifié Ecocert Canada, certifié Terroir & Saveurs du Québec.

Marielle Martineau et Michel Gendreau, également cofondateurs du groupe Environnement Jeunesse (ENJEU) à la fin des années 1970, rêvaient depuis longtemps de rétablir le lien qui unit les gens et la terre qui les nourrit. En 1995 naquit la ferme dont l'objectif principal est l'éducation et la sensibilisation à la production agricole. Des camps de vacances, des classes nature et une foule d'activités pour les groupes et les familles sont disponibles à même le site de la ferme, avec ou sans hébergement. Contactez-les ou consultez leur site Internet pour connaître les programmes offerts, les dates, les coûts et les modalités d'inscription (si applicables).

LES BISONS CHOUINARD

308, avenue de Gaspé Est, Saint-Jean-Port-Joli
418-598-3230
www.bisonchouinard.com

Boutique : tous les jours de 9h à 17h du 24 juin à fin août. Le reste de l'année : lundi-vendredi, 12h-13h et après 16h30 ; samedi-dimanche, 9h-17h. Boutique en ligne également. Visites guidées à 13h en été.

Établis depuis 1988 sur une ferme de 67 hectares, Mary-Jo Gibson et Jean-Luc Chouinard élèvent plus d'une centaine de bisons. Soucieux de l'environnement et de la qualité de vie de leur troupeau, les propriétaires leur fournissent un habitat naturel et une nourriture saine exempte de pesticides et d'herbicides. Afin de se familiariser avec ces bêtes, des visites guidées sont offertes au coût de 7 $ par adulte (4 $ par enfant). Des dégustations des produits du bison sont également au menu. Il est aussi possible de faire une visite libre du site (4 $ par personne). Avant de quitter les lieux, faites un saut à leur boutique, question de rapporter quelques provisions.

CÔTE-NORD, BAIE-JAMES & LE GRAND NORD

La Côte-Nord s'étire le long de l'estuaire du golfe du Saint-Laurent, de Tadoussac, à l'embouchure du Saguenay, jusqu'à Blanc-Sablon, à la frontière du Labrador. Cette longue côte se subdivise en deux régions touristiques principales : Manicouagan (de Tadoussac à Baie-Trinité) et Duplessis (de Pointe-aux-Anglais à Blanc-Sablon). La route s'arrête à Natashquan où commence la Basse-Côte-Nord peuplée de réserves amérindiennes, et dont les petits villages ne sont accessibles que par avion ou par bateau.

Manicouagan est le lieu de rencontre de deux mondes, la mer et une forêt majestueuse. Ses 300 km de rivages bordés par le fleuve Saint-Laurent permettent l'observation des baleines dans une région privilégiée par le nombre de sites et d'espèces présentes.

La région de Duplessis, un éden de la nature, présente un littoral bordé d'interminables plages de sable fin avec quelques hameaux disséminés ici et là. La nature a sculpté des décors féeriques, dont l'immense jardin de monolithes dans l'archipel de Mingan et l'arrière-pays. Vous y verrez entre autres de nombreux villages de pêcheurs et des réserves amérindiennes.

Le Nord du Québec est la plus vaste région touristique du Québec. Il comprend, entre les 49e et 55e parallèles, le territoire de la Baie-James - Eeyou-Istchee et, au-delà du 55e parallèle, le Nunavik. Bordée par les mers boréales, voilà l'ultime frontière où Inuits, Cris, Naskapis et quelques Blancs partagent la moitié de la superficie du Québec, avec une faune et une flore adaptées aux rudes conditions de ce pays farouche. Attirant les bâtisseurs d'ouvrages hydro-électriques, les rivières tumultueuses donnent naissance à d'énormes projets, ouverts aux visiteurs. Des monts arides s'offrent à la randonnée, gibiers et poissons appellent chasseurs et pêcheurs sportifs, alors que l'immensité du territoire se prête à la découverte en quad et en motoneige.

Imaginez alors la diversité et l'unicité des produits agroalimentaires de ces régions, sans oublier l'artisanat local. Des petits fruits nordiques, comme la chicoutai, aux produits frais de la mer, en passant par les herbes consommées par les peuples autochtones pour leurs qualités nutritives et médicinales, ces régions constituent un fleuron des produits régionaux de la province. Bonnes découvertes !

TOURISME CÔTE-NORD MANICOUAGAN

418-294-2876 / 1 888-463-5319
www.cotenord-manicouagan.com

TOURISME CÔTE-NORD DUPLESSIS

418-962-0808 / 1 888-463-0808
www.tourismeduplessis.com

TOURISME BAIE-JAMES

418-748-8140 / 1 888-748-8140
www.decrochezcommejamais.com

TOURISME EEYOU-ISTCHEE

418-745-2220 / 1 888-268-2682
www.decrochezcommejamais.com

ASSOCIATION TOURISTIQUE DU NUNAVIK

819-964-2876 / 1 888-594-3424
www.nunavik-tourism.com

ÉVÉNEMENT

FESTIVAL DE LA BIÈRE DE LA CÔTE-NORD

Parc des Pionniers, Baie-Comeau
418-294-4176
www.festivalbierecotenord.com

En août.

CIRCUITS AGROTOURISTIQUES ET DE DÉCOUVERTE

LA NATURE AUX MILLE DÉLICES... SUR LA ROUTE DES BALEINES

www.circuit-gourmand.ca

Ce circuit gourmand, qui s'étend de Tadoussac dans Manicouagan à Blanc-Sablon dans Duplessis, regroupe près d'une quarantaine de membres producteurs, transformateurs/distributeurs, restaurateurs et hôteliers. Le but avoué est de faire découvrir les produits nord-côtiers et ceux qui leur rendent leurs lettres de noblesse. C'est donc via ce réseau que vous pourrez découvrir les saveurs locales, notamment les petits fruits sauvages (airelle du Nord, chicoutai, bleuet, poire sauvage...), la bière artisanale, le chocolat fin, les produits de l'érable, les viennoiseries et pains artisanaux, les soins corporels à base d'argile marine, etc. Bien évidemment, nous ne pourrions passer sous silence les poissons et fruits de mer qui composent en grande partie les spécialités culinaires de la région, sans oublier certains produits inusités comme la mactre de Stimpson ou le buccin. En saison estivale, on retrouve également plusieurs marchés publics dans la région. Bref, la Côte-Nord est un haut lieu des saveurs et ce circuit vous mènera à la rencontre de ces passionnés pour leur région et son terroir. Pour en savoir davantage sur les membres et le circuit gourmand, ou pour obtenir le dépliant, informez-vous auprès des bureaux touristiques de la région ou visitez le site www.circuit-gourmand.ca.

PRODUCTEURS

Chez le brasseur

MICROBRASSERIE ST-PANCRACE

55, Place LaSalle, Baie-Comeau
418-296-0099
www.stpancrace.com

Lundi, fermé ; mardi & dimanche, 15h-23h ; mercredi-samedi, 15h-1h. Items à l'effigie de la microbrasserie en vente sur place. Informez-vous sur les cartes de membre du Imperial Club. Programmation culturelle et musicale. Terrasse.

On l'attendait depuis longtemps. Ou plutôt, on LES attendait, ceux qui allaient faire vivre cette passion pour la bière artisanale en créant la toute première microbrasserie de la région de la Côte-Nord. Et c'est maintenant chose faite depuis l'été 2013 ! Déjà, on adore les lieux et ses matériaux bruts qui s'insèrent parfaitement dans le décor, le long bar de bois, et cette grande ardoise où s'affichent les bières maison et invitées, ainsi que les bons petits plats et coupe-faim rendant honneur aux produits nord-côtiers. Côté houblon, la maison propose une witbier (bière de blé épicée de coriandre et d'écorce d'orange) ainsi qu'une pale ale (pour ceux ayant un penchant pour les saveurs bien houblonnées). Bien entendu, d'autres recettes feront leur apparition au fil des mois et l'embouteillage fait partie des projets à court terme. L'établissement complète son menu avec des bières et des vins d'artisans d'importation privée, une sélection de whisky single malt et des alcools québécois. Un vent de fraîcheur à Baie-Comeau et une adresse à mettre au carnet !

Chocolats et confiseries

CONFISERIE LA MÈRE MICHÈLE

704, rue de Puyjalon, Baie-Comeau
418-589-2364 / 1 888-530-2364
www.meremichele.ca

Lundi-vendredi, 9h30-21h ; samedi, 9h30-17h ; dimanche, 10h-17h. Dégustations gratuites.

Parce que les activités en plein air, ça creuse l'appétit, venez donc « reprendre des forces » à la boutique de la Mère Michèle ! Cette bonne odeur sucrée vous attirera jusqu'aux lieux où sont fabriqués à la main ces purs délices. La confiserie s'approvisionne en petits fruits auprès des cueilleurs côtiers de la région (chicoutai, airelle, argousier, bleuet, canneberge…), pour ensuite les marier au chocolat où chaque saveur a son propre moule. On y trouve également des caramels, des bonbons chocolatés, des confitures, un coin épicerie (produits sans gluten, épicerie fine, produits asiatiques, thés), des accessoires pour la fabrication de chocolats et de gâteaux, de la vaisselle fine, etc. Une excellente adresse pour ceux qui ont la dent sucrée.

Confitures, coulis, miels, etc.

MAISON DE LA CHICOUTAI

6, rue de l'Église, Rivière-au-Tonnerre
418-465-2140
www.chicoutai.ca

Ouvert tous les jours de fin mai à mi-octobre. Visites commentées et dégustations offertes sur place.

Considéré comme l'un des plus beaux villages de la Côte-Nord, Rivière-au-Tonnerre héberge la Maison de la Chicoutai, un incontournable du circuit agrotouristique. Ce petit fruit oranger est cultivé depuis des centaines d'années au Canada. Riche en antioxydant, d'une saveur acidulée aux légères touches de mangue et d'abricot, la chicoutai est préparée ici en coulis, en gelée, en confiture, en tartinade, en beurre, en vinaigrette et depuis quelques années, en tisane. Bruno Duguay ne peut qu'être fier de ce produit qu'est la tisane puisqu'il est le seul à en faire. Il prépare aussi des recettes à base d'airelles et de camarines. Pour des suggestions d'accompagnements et des idées recettes, consultez le site Internet.

UNGAVA GOURMANDE

554, rue Bordeleau, Chibougamau
418-748-8114
www.ungavagourmande.icr.qc.ca

Suivant les pas des autochtones Cris, c'est dans la forêt boréale tout près de Chibougamau, dans la région touristique de la Baie-James, que l'on cueille les ingrédients qui sont à la base des produits fabriqués par l'entreprise Ungava Gourmande : gelée de cèdre sauvage, gelée de thé du Labrador sauvage, sirop de petit thé sauvage, et coulis d'atocas sauvages et vin rouge. Passionnée de sa région et amoureuse de la nature, Valérie Laprise, propriétaire de l'entreprise, consacre ses étés à la cueillette et ses hivers à la popote. À travers ses créations, elle veut rendre hommage aux Autochtones qui ont transmis leurs connaissances au peuple québécois sur les aspects nutritifs et médicinaux des plantes que l'on retrouve dans nos forêts. De plus, elle désire développer des saveurs qui sont typiques du Nord-du-Québec. Aujourd'hui, les différentes créations de Valérie sont convoitées pour leur originalité et méritent amplement d'être explorés dans votre cuisine. Des produits qui inspireront les plus fins gourmets et qui épateront les convives !

Pains et viennoiseries

À L'EMPORTÉE

164B, rue Morin, Tadoussac
418-235-4752
www.alemportee.com

Ouvert tous les jours de 6h30 à 18h30 en période estivale. Hors saison : les contacter pour les horaires.

Cette coopérative de travail fondée par Danielle, Galadrielle et Karine fait fureur dans le village pittoresque de Tadoussac. Malgré le fait que nos trois comparses ne sont pas originaires de la région, elles ont su saisir l'occasion au bon moment afin de reprendre en main l'ancienne boulangerie. Ici on opte pour la fraîcheur, la qualité des ingrédients locaux et la saine nutrition. Un seul coup d'œil au comptoir de la boulangerie fait déjà gronder l'estomac ! Question de bien commencer la journée, nous vous conseillons fortement leurs viennoiseries pur beurre dont les chocolatines aux petits fruits sauvages. Un vrai délice ! Les sandwichs et salades faits maison, sans oublier les plats à emporter, sont également une excellente option le midi. Et pendant que vous y êtes, remplissez votre panier des succulents produits régionaux qui trônent un peu partout dans la boutique : quiches, tartes, terrines, pâtés, fromages, farines bio, confitures, tisanes, cafés bio et équitables… À ce fait, vous y trouverez le meilleur café à emporter de toute la région.

À TABLE

EDGAR CAFÉ BAR

490, avenue Arnaud, Sept-Îles
418-968-6789

Ouvert toute l'année (horaire variable selon la saison). Terrasse. Café Santropol en vente sur place et pour emporter.

Une excellente adresse à Sept-Îles où les produits régionaux sont à l'honneur. Situé à quelques pas de la « mer », c'est l'endroit idéal pour savourer des bons petits plats du terroir. Et que dire de leur sélection de fromages québécois, d'autant plus qu'on peut les prendre pour emporter. Côté houblon, on y retrouve que des produits « bien de chez nous ». Spectacles musicaux et autres événements y sont organisés.

LA GALOUINE AUBERGE ET RESTAURANT

251, rue des Pionniers, Tadoussac
418-235-4380
www.lagalouine.com

Ouvert tous les jours dès 7h, de fin avril à fin octobre. Menu midi : 10 $-30 $, table d'hôte le soir : 30 $-40 $. Terrasse. Hébergement et forfaits disponibles sur place.

Situé en plein cœur du village, en face de l'église, ce bon restaurant se spécialise dans les grillades et les fruits de mer. Le saumon et la truite fumés sur place sont aussi succulents, sans oublier les délicieuses pâtes fraîches et sauces faites maison. On vous recommande l'assiette conviviale de produits maison, un vrai délice : saumon, truite et magret de canard fumés, terrine, trois confits d'oignon et trois fromages régionaux (tous ces produits sont vendus pour emporter sous la marque maison « Terroir Boréal »). À accompagner d'une bière ou d'un bon verre de vin, sur la terrasse lors de belle saison. Pour conclure un repas des plus gourmets, prenez un des desserts aux petits fruits régionaux.

MARCHANDS DE BONHEUR

L'AQUILON MARCHÉ DU TERROIR

251, rue des Pionniers, Tadoussac
418-235-4380
www.lagalouine.com

Juin à l'Action de Grâces : lundi-dimanche, 9h-21h (parfois plus tard selon l'achalandage).

Située dans la Galouine, cette boutique-marché du terroir vous en mettra plein les sens. Produits fins (chocolats, confits d'oignons, produits de l'érable, miels, vinaigrettes, etc.), produits du fumoir et de Terroir Boréal, artisanat et arts, vêtements et bien plus encore. Infusions et thés en dégustation sur place.

L'ANTIPASTO ÉPICERIE FINE

1, Place La Salle, Baie-Comeau
418-296-0222
www.antipastoepiceriefine.ca

Lundi-mercredi, 9h30-17h30 ; jeudi-vendredi, 9h30-19h30 ; samedi, 9h30-17h ; dimanche, 11h-16h. Service de traiteur.

Située près du parc des Pionniers, cette épicerie offre un grand échantillon de produits du terroir et d'importation de qualité, comme des huiles et vinaigres, des gelées et confitures, des fromages fins, de la charcuterie, du pain et des viennoiseries, des pâtisseries, etc., tous destinés à promouvoir la région de la Côte-Nord, magnifique et sauvage, sans oublier le reste de la province. Il est possible de manger sur place avec au menu des salades fraîches ou des sandwichs. Sinon prenez le tout pour emporter, question de pique-niquer lors de la belle saison.

LE RÊVE DOUX

287, route 138, Les Escoumins
418-233-3724
www.lerevedoux.com

En opération deux semaines avant Pâques jusqu'au 1er janvier. Ouvert tous les jours du 1er juin à l'Action de Grâce. Restaurant sur place.

Originaires de Flandres en Belgique, Els De Schutter et Rudy Cuyers ont posé leurs valises au Québec il y a plus de dix ans. L'art culinaire a toujours été une passion pour eux : en plus d'enseigner la cuisine et d'être propriétaires de restaurants dans le « plat pays », ils ont à leur actif des cours de fabrication de chocolat et de fines pâtisseries. Alors imaginez le bonheur quand on met les pieds au Rêve Doux ! En plus de fabriquer à la main de bons chocolats de tradition belge, on trouve également sur place une boulangerie artisanale qui offre une grande variété de pains, et une gamme succulente de viennoiseries et de pâtisseries. C'est sans compter la table de ce bistro belge dont l'énorme menu fait à tout coup gronder l'estomac. Une adresse à retenir !

POISSONNERIE FORTIER

1, rue Père-Divet, Sept-Îles
418-962-9187 / 1 800-463-1754
www.poissonneriefortier.ca

Lundi-mercredi, 8h30-17h30 ; jeudi-vendredi, 8h30-18h ; samedi, 9h-17h ; dimanche, 10h-17h. Service d'emballage gratuit des poissons et fruits de mer frais ou congelés, d'emballage sous vide, et de livraison à domicile.

Une adresse à retenir pour les amoureux des poissons et des fruits de mer, le tout pêché à quelques pas de la boutique. Le crabe des neiges, le homard, le pétoncle géant, la palourde, la crevette nordique, le mactre de Stimpson et le buccin commun s'agitent sur les étalages en attendant d'être mangés. L'aménagement d'une cuisine dans l'enceinte de la poissonnerie permet de préparer sur place des plats cuisinés de la mer. Un incontournable du circuit La Nature aux Mille Délices !

GASPÉSIE

La péninsule gaspésienne est l'une des destinations privilégiées du Québec. Qui plus est, elle fut classée comme l'une des 20 meilleures destinations 2011 par le National Geographic, rien de moins. Quand on dit Gaspésie, on pense aussitôt homard, saumon, crevette. On pense aussi rocher Percé, île Bonaventure, fous de Bassan, baie des Chaleurs, Forillon, Jardins de Métis, forêts de conifères, rivières, caps, anses, grèves, fossiles et agates. Immense avancée dans l'océan où se confrontent sans cesse la mer et les montagnes vieilles de plusieurs millions d'années, territoire des Micmacs, les Indiens de la mer, qui l'occupent depuis plus de 2 500 ans. Sur cette terre, tous ont fait halte : les Acadiens, les loyalistes, les Bretons, les Basques, les Anglais, les Jersiais, les Écossais.

Comprise entre l'estuaire du Saint-Laurent, le Nouveau-Brunswick et le golfe du Saint-Laurent, la Gaspésie est dominée au nord par les monts Chic-Chocs, aux versants couverts de l'épaisse forêt boréale. Ses parcs naturels (Gaspésie, Forillon) et ses réserves d'oiseaux (fous de Bassan de l'île Bonaventure) jouissent d'une réputation internationale. Du côté de l'estuaire, son littoral est parsemé de paisibles villages de pêcheurs, tandis que sa pointe orientale, rocheuse, découpée et brossée par les flots, est particulièrement sauvage et spectaculaire, notamment à Forillon et à Percé. Au sud, les hautes terres, dépourvues de lacs, sont profondément entaillées par des rivières qui se jettent dans la baie des Chaleurs. Protégée des vents polaires, cette région bénéficie effectivement d'un microclimat méridional.

Découvrir une région par sa table et ses produits régionaux étant toujours une excellente idée, Gaspésie Gourmande vous en fera goûter de toutes les couleurs. Boulangeries et pâtisseries, viandes et charcuteries, brûleries et herboristeries, bières artisanales et alcools du terroir, sans oublier les poissons et fruits de mer qui font la réputation de la région, tout y est et beaucoup plus encore.

TOURISME GASPÉSIE

418-775-2223 / 1 800-463-0323
www.gaspesiejetaime.com

CIRCUIT AGROTOURISTIQUE ET DE DÉCOUVERTE

TOUR GOURMAND DE LA GASPÉSIE

www.gaspesiegourmande.com (guide-magazine annuel également disponible, boutique en ligne)

À parcourir… Quoi de mieux que de remplir vos poumons d'air salin tout en parcourant la péninsule gaspésienne à la découverte de ses trésors gourmands ! Le Tour gourmand, reconnu comme étant l'un des plus beaux parcours en Amérique du Nord, vous suggère un circuit rempli de bonnes choses.

À découvrir… Avec plus de 140 adresses, le Tour gourmand vous invite à venir rencontrer ses producteurs, restaurateurs, aubergistes, hôteliers, épiciers, boulangers et pâtissiers, poissonniers, et encore plus. Des adresses qui feront de votre séjour en Gaspésie une visite complète et absolument délicieuse.

Le Tour gourmand vous invite à rencontrer deux types de membres : les artisans producteurs et transformateurs de produits agricoles, marins et forestiers, et les membres complices qui offrent des services complémentaires afin de rendre votre séjour plus agréable (commerçants, restaurateurs, aubergistes, etc.). Ces derniers proposent également les produits de la région sur leurs étalages ou à leurs tables. Du côté des producteurs, les avenues sont multiples : culture de petits fruits, de légumes et de champignons sauvages, jardin bio, élevage (agneau, bœuf, yack...), poissonnerie, charcuterie, fumoir, boulangerie, pâtisserie, herboristerie, microbrasserie, hydromellerie, production de confitures, gelées et autres, érablière, plats cuisinés, et nous en passons. Pour les autres adresses, le circuit vous propose plusieurs endroits pour vous ressourcer : marchés et épiceries pour vous procurer des souvenirs de vos découvertes, bistros et restaurants pour déguster la cuisine régionale, jardins pour vous dégourdir les jambes, gîtes et auberges pour vous reposer et profiter de leur bonne table avec produits du terroir.

Le Tour gourmand se divisant en cinq grandes régions, n'hésitez pas à communiquer avec Gaspésie Gourmande pour obtenir de l'aide dans la planification de votre itinéraire. Découvertes au bord de la mer ou en forêt, ce circuit vous offre assurément ce que la Gaspésie a de meilleur. Allez-y, parcourez les nombreux paysages de ce beau coin de pays !

À faire... Les différentes adresses du Tour gourmand proposent des activités qui sauront répondre aux goûts de chacun. Que vous soyez seul, en couple, entre amis ou en famille, vous trouverez certainement une activité qui suscitera votre intérêt. De la visite guidée agrotouristique à l'autocueillette de petits fruits, en passant par des dégustations de toutes sortes, vos sens seront tout simplement ravis par toute cette beauté visuelle et gustative.

PRODUCTEURS

Breuvages, vins et spiritueux

HYDROMELLERIE DU VIEUX MOULIN

141, route de la Mer, Sainte-Flavie
418-775-8383
www.vieuxmoulin.qc.ca

Lundi-dimanche, 8h-21h. Visite et dégustation gratuite à l'hydromellerie. Emballages et paniers-cadeaux disponibles. Musée historique sur l'histoire de la Nouvelle-France et des Premières nations (2,50 $ par personne). Durée de la visite : 40 minutes pour le musée, 20 minutes pour l'hydromellerie.

Installée dans un ancien moulin à farine datant de 1830, l'entreprise fut créée il y a plus d'une trentaine d'années afin d'y confectionner du miel. Quinze ans plus tard, la création de l'hydromel se met en place et présente plusieurs saveurs : sec, doux, bleuet, framboise, pomme, cuvée « Divin Nectar » (édition limitée d'un savoureux hydromel boisé). Au fil des ans, ces hydromels ont été récompensés à maintes reprises, dont quatre médailles en 2013 au Finger Lakes International Wine Competition, l'une des plus importantes compétitions de vins aux États-Unis. Au rez-de-chaussée, vous trouverez des informations pratiques sur l'historique de la production ainsi qu'une cinquantaine de produits fins de la ruche : miels de toutes sortes, pollens, tartinades (marmelades, confitures, gelées, caramels...), coulis, moutardes, ketchups et confits, vinaigrettes.

LA FABRIQUE BRASSERIE ARTISANALE ET RESTO-PUB

360, avenue Saint-Jérôme, Matane
418-566-4020
www.publafabrique.com

En été : ouvert tous les jours de 11h30 à 1h. Le reste de l'année : lundi, fermé ; mardi-vendredi, 11h30-1h ; samedi-dimanche, 15h-1h. Visite des installations brassicoles et dégustation : mardi et jeudi à 15h30, sur demande le reste du temps. Items à l'effigie de la brasserie en vente sur place. Programmation culturelle et musicale. Terrasse.

La Fabrique, située en plein cœur du centre-ville de Matane, est tenue par la coopérative de travail Le Cabestan. Cette brasserie artisanale offre dix-neuf bières en fût dont une quinzaine brassées sur place et quelques bières invitées de microbrasseries québécoises. Une sélection de vingt-cinq scotchs ainsi que des bières importées en bouteille figurent également au menu. Pour casser la croûte, la cuisine de style pub met en vedette les produits locaux et régionaux dans ses burgers et sandwiches, et frites à la belge, fish & chips, poutine, fruits de mer et amuse-bouches complètent le tableau. Plusieurs événements viennent ponctuer les semaines : spectacles musicaux, expositions d'œuvres d'artistes locaux, projections de films, conférences, soirées de conte, etc., sans oublier les célébrations de la St-Patrick ou encore de l'Oktoberfest. À mettre au carnet de route !

MICROBRASSERIE LA CAPTIVE

140, boulevard Saint-Benoît Ouest, Amqui
418-631-1343
www.lacaptive.ca

Lundi-mercredi, 8h-23h ; jeudi-samedi, 8h-1h ; dimanche, 10h-22h. Cuisine ouverte tous les jours de 11h à 21h. Possibilité d'une visite des installations brassicoles avec dégustation sur disponibilité du personnel. Items à l'effigie de la brasserie en vente sur place. Programmation culturelle et musicale.

La microbrasserie La Captive est située au cœur du secteur touristique d'Amqui, dans un ancien bâtiment municipal ayant abrité le poste de police, la prison, l'hôtel de ville, la caserne de pompier et la bibliothèque municipale. Elle possède également la boulangerie artisanale Grains de Folie située au même endroit. Nous vous conseillons d'ailleurs d'y faire un tour pour quelques emplettes, d'autant plus qu'on y trouve aussi une section épicerie fine qui comprend, entre autres, des fromages québécois, des charcuteries et du café.

Côté pub, on retrouve une belle sélection de bières maison, allant de la blanche fruitée à la noire, en passant par la Pilsener et la brune d'inspiration anglaise. Pour les petits creux, l'ardoise propose des mises en bouche, des salades-repas, des sandwichs gourmands, des burgers décadents et des pizzas fines. Les lieux sont fort sympathiques, avec une déco chaleureuse de bois et de briques, et le cachet historique a bien été conservé (pour info, la salle de brassage se trouve « derrière les barreaux »). Il ne reste plus qu'à vous divertir avec les spectacles musicaux ou d'humour, les soirées de contes, les expositions d'arts visuels et autres événements organisés sur place.

MICROBRASSERIE LE NAUFRAGEUR

586, boulevard Perron, Carleton-sur-Mer
418-364-5440
www.lenaufrageur.com

En été : lundi-dimanche, 12h-minuit. Le reste de l'année : dimanche-mardi, fermé ; mercredi-samedi, dès 15h. Visite des installations et dégustation sur réservation. Items à l'effigie de la microbrasserie et bières en vente sur place. Terrasse, micro-marché (produits agroalimentaires et métiers d'art de la région).

Quatre jeunes de la région, d'origine ou d'adoption, ont réussi leur pari. Après des années de rêves et des mois d'efforts, Le Naufrageur a vu le jour à l'été 2008. Pour l'anecdote, le nom de la microbrasserie est tiré d'une légende toute gaspésienne du temps où la baie des Chaleurs était infestée de corsaires basques et de flibustiers acadiens. Un des plus singuliers fut le « Naufrageur », ainsi surnommé en raison de sa technique de pillage. Privé d'embarcation, il allumait de faux feux de signalisation sur les rives de la baie, forçant ainsi les bateaux à venir s'échouer afin de les piller. Futé n'est-ce pas !

Ceci dit, Le Naufrageur est une microbrasserie mais également un charmant pub où vous pourrez savourer nombreux délices houblonnés, au verre, à la pinte ou en format de dégustation de huit mini-verres appelé la « rose de vents ». Pour les petits creux, on vous conseillera d'aller à la boulangerie La Mie Véritable située à deux pas et de ramener le tout à la micro. Mais sachez qu'un volet restauration fait partie des projets à venir. Côté culturel, des événements tels des spectacles (deux à trois par semaine en été), jams et projections de films se tiennent au fil des semaines. Un arrêt obligé à Carleton !

MICROBRASSERIE PIT CARIBOU

27, rue de l'Anse, Anse-à-Beaufils
418-782-1444
www.pitcaribou.com

Boutique sur place. Fin juin à début septembre : lundi-vendredi, 8h-18h ; samedi, 10h-18h ; dimanche, 10h-16h. Le reste de l'année : lundi-vendredi, 8h-17h ; fermé le week-end. Terrasse en bord de mer. Pour plus d'information sur leur pub, référez-vous à la rubrique « Aubergiste, à boire ! » de cette région.

Ayant de la difficulté à trouver des bières de qualité à saveurs spécifiques dans leur région, deux acolytes, Francis Joncas et Benoît Couillard, ont commencé à brasser leur propre bière pour consommation personnelle, en y ajoutant une touche de terroir dans le développement de bières de spécialité. Ainsi naquit Pit Caribou, en juin 2007, une microbrasserie toute gaspésienne produisant des bières artisanales dans le havre de pêche de ce petit village situé à 8 km de Percé. Pit Caribou brasse cinq bières, fruits d'un brassage traditionnel à la main, sans compter les éditions limitées variant selon les saisons et l'humeur des brasseurs, dont la série L'Étoile du Brasseur, ou encore la série Tennessee (sélection de bières ayant séjournées dans des barils de whisky américains). Leurs bières sont disponibles en bouteilles chez les détaillants spécialisés de la province. On retrouve également les bières Pit Caribou en fût dans la région gaspésienne, sans oublier certains bars à bières spécialisés dans les centres urbains. Notez qu'en plus de pouvoir les savourer sur place, Pit Caribou a ouvert un pub en plein cœur du village de Percé. Une autre bonne raison d'aller découvrir ce magnifique coin de pays.

Produits fumés

ATKINS & FRÈRES

1, rue Chanoine-Richard, Mont-Louis
418-797-5059 / 1 877-797-5059
www.atkinsetfreres.com

Boutique sur place (ouverte à l'année) ainsi qu'au Marché Jean-Talon (Montréal) et au Marché du Vieux-Port (Québec).

Charles et James Atkins, deux grands bourlingueurs, se sont établis en Haute-Gaspésie à la fin des années 1980. Passionnés de la gastronomie, de la culture culinaire et des plaisirs de la table, les deux frères ne tardèrent pas à développer un grand intérêt pour les produits de la mer et la fumaison traditionnelle. Cet art ancien tend malheureusement à disparaître au profit d'arômes naturels, de colorants et de conservateurs qui accélèrent le processus. Mais ici, aucune concession n'est faite dans la production, car Atkins & Frères axent leurs opérations sur un grand respect de la tradition et du produit. En résulte des poissons fumés à chaud (pavé fondant ou rôti de saumon de l'Atlantique, bouchées de saumon au sirop d'érable, pavé rôti de truite arc-en-ciel, filets de maquereau, morue...), à froid (saumon de l'Atlantique tranché, thon blanc, saumoscuitto...), ainsi que des fruits de mer fumés et des rillettes. Il est possible de déguster sur place les produits avant de faire ses emplettes. Les produits fins Atkins et Frères sont aussi disponibles dans de nombreux points de vente à travers la province.

Viandes et charcuteries

FERME BOS G

253, chemin Principal, Saint-Elzéar-de-Bonaventure
418-534-3765
www.bos-g.com

Mi-juin à début septembre : lundi-samedi, 9h-16h. Sur réservation hors saison. Visite guidée tarifée, vente de produits et table champêtre sur place. Pour la table champêtre : réservation requise au moins une semaine à l'avance, minimum de 8 personnes (capacité maximale de 20), menus 3 à 5 services (même choix pour tous), apportez vos consommations. Certifié Terroir & Saveurs du Québec.

Lieu bien particulier et unique au pays, la ferme Bos G s'occupe de l'élevage de yack, du latin Bos Grunniens (« bœuf grognant »), d'où le nom de l'entreprise. Ce grand ruminant habite les steppes désertiques où abondent lacs et marais, dans les hauts plateaux du nord du Tibet, mais également dans le nord de la Chine, au Kansu et en Mongolie. Au début du siècle dernier, une dizaine de bêtes furent importées au pays et on en compte dorénavant environ 500-600, dont un peu moins d'une centaine vivant dans des conditions de quasi liberté sur les terres de cette ferme gaspésienne. Une visite vous permettra de vous familiariser avec cette bête exotique, ses caractéristiques, ses origines et son élevage. Chez Bos G, Guylaine Babin et Jean-Guy Duchesne, les propriétaires, œuvrent sur quatre volets : la revente des reproducteurs, la production d'une des meilleures viandes sur le marché, la création de produits dérivés avec la laine de l'animal, et enfin, le développement d'un attrait touristique régional de renommée. La table champêtre est d'ailleurs un must. Une belle découverte dans ce coin de pays qu'est la baie des Chaleurs.

À TABLE

AUBERGE BEAUSÉJOUR

71, boulevard Saint-Benoît Ouest, Amqui
418-629-5531 / 1 866-629-5531
www.auberge-beausejour.com

Lundi-vendredi, 11h-14h ; lundi-dimanche, dès 17h. Menu à la carte, table d'hôte et table gastronomique. Magasin général, chocolaterie et glaces italiennes sur place. Hébergement et forfaits disponibles.

La table de l'Auberge Beauséjour mise sur les produits frais saisonniers de la région gaspésienne et axe ses menus sur les parfums et saveurs régionales sans négliger l'aspect santé. Leurs spécialités : le saumon de la Matapédia et le magret de canard. On y retrouve également le saumon fumé d'Atkins & Frères. Avant de quitter les lieux, un arrêt à leur magasin général rempli de produits régionaux, d'antiquités et de souvenirs s'impose, sans oublier les chocolats, les glaces italiennes (gelati) et les smoothies faits sur place. Un paradis pour l'épicurien qui sommeille en vous !

AUBERGE LA MAISON WILLIAM WAKEHAM

186, rue de la Reine, Gaspé
418-368-5537 (en saison) / 418-368-5792 (hors saison)
www.maisonwakeham.ca

Lundi-vendredi, 11h30-14h ; lundi-dimanche, dès 17h30. Brunch du dimanche dès 9h. Horaire restreint hors saison et fermeture annuelle de janvier à mi-avril. Réservation conseillée. Bar à tapas et lounge terrasse. Service de traiteur. Certifié Terroir & Saveurs du Québec. Hébergement et forfaits disponibles sur place.

Si vous voulez tenter une expérience gastronomique des plus honorables, c'est à la Maison Wakeham qu'il faut aller. La cuisine y est savoureuse et les produits du terroir apprêtés à merveille : nems au canard confit et salsa de mangues, acras de morue avec aïoli maison, ravioli ouvert au crabe des neiges, pétoncles de la Gaspésie... Pour couronner le repas, tous les desserts et glaces sont faits maison. Le rapport qualité-prix est plus que correct, le service excellent et la carte des vins bien étoffée.

CAFÉ DE L'ANSE DU CENTRE CULTUREL LE GRIFFON

557, boulevard du Griffon, Gaspé
418-892-0115
www.lanseaugriffon.ca

Ouvert à l'année (horaire variable selon la saison). Terrasse en bord de mer., boutique Le Galet (produits régionaux, œuvres d'artisans et créateurs) Programmation culturelle et musicale. Certifié Terroir & Saveurs du Québec.

À l'Anse-au-Griffon, une légende locale raconte que le Diable serait apparu, répondant à l'appel de naufragés en détresse. Il aurait laissé la marque de ses griffes sur le flanc de la petite embarcation où ils s'étaient réfugiés… Mais au-delà de cette histoire, l'Anse-au-Griffon est également l'hôte du Café de l'Anse, fier représentant local de la cuisine régionale. Au menu, des plats typiques tels la brandade et les boules de morue, le gratin aux fruits de mer, les poissons fumés, la marmite du pêcheur, mais également des sandwichs sur le pouce, des pizzas, des saucisses gaspésiennes et choucroute, etc. Les copieux petits-déjeuners valent vraiment le détour.

LA MAISON DU PÊCHEUR

155, Place du Quai, Percé
418-782-5331
www.maisondupecheur.ca

Ouvert de juin à mi-octobre : lundi-dimanche, 11h-14h30 et 17h-22h. Le midi : 20 $ et moins, table d'hôte du soir : 35 $-50 $, plats principaux à la carte : 15 $-50 $.

Georges Mamelonet, propriétaire des lieux, est un Français installé en Gaspésie depuis près de 40 ans et qui défend bec et ongles les produits québécois. La pêche, à défaut d'être miraculeuse, est toujours bonne. Tous les jours, il va chercher pour vous du homard dans des viviers sous-marins. Les langues de morue au beurre d'oursin que l'on dégustera après un potage d'algues marines, par exemple, est l'une des spécialités de la maison. L'assiette du pêcheur pour deux est généreuse et délicieuse. Outre les fruits de mer et le poisson, le restaurant apprête aussi bien, avec des légumes de la région essentiellement bio, l'entrecôte à la bordelaise ou le filet mignon. Les pizzas au feu de bois d'érable sont délicieuses. Également au menu, fromages québécois en provenance des Îles de la Madeleine et d'autres régions du Québec. Pour terminer, craquez pour l'un des desserts qui trônent au centre du restaurant. Un incontournable dont vous repartirez avec le sourire !

AUBERGISTE, À BOIRE !

PUB PIT CARIBOU

182, route 132 Ouest, Percé
418-782-1443
www.pitcaribou.com

Ouvert tous les jours de 15h à 23h. Horaire restreint hors saison (voir page Facebook de Pit Caribou pour les infos). Articles à l'effigie de la microbrasserie en vente sur place. Programmation culturelle et musicale. Terrasse. Pour plus d'information sur la microbrasserie, référez-vous à la rubrique « Producteurs » - « Chez le brasseur » de cette région.

L'excellente microbrasserie Pit Caribou a maintenant pignon sur rue en plein cœur du village de Percé. Installé dans les anciens locaux de la coop, et entièrement de bois vêtu, le nouveau pub ravit les papilles tant des visiteurs de passage dans la région que des gens du coin. Faisant office de salon de dégustation et de boutique, les lieux offrent en plus une belle programmation : expositions et vernissages, spectacles musicaux, festivités de toutes sortes, etc. Pour les plus curieux, la microbrasserie où sont brassés leurs divins nectars n'est qu'à quelques minutes de voiture de là, dans le secteur de l'Anse-à-Beaufils.

MARCHANDS DE BONHEUR

FERME BOURDAGES TRADITION

255A, avenue du Viaduc, Saint-Siméon-de-Bonaventure
418-534-2700
www.fermebourdages.com

Mi-juin à mi-octobre : tous les jours de 8h à 18h. Le reste de l'année : lundi-vendredi, 9h-17h. Visites guidées (champs, cuverie et cellier), dégustation de produits, autocueillette (fraises et framboises), boutique, espace lunch, aire de pique-nique et de jeux pour enfants. Certifié Terroir & Saveurs du Québec.

Sept générations de Bourdages se sont succédé sur cette terre agricole, propriété de la famille depuis 1821, avec différents élevages et cultures. Dorénavant sous la gouverne de Pierre et Jean-François Bourdages, l'entreprise familiale axe ses opérations sur la production maraîchère, la transformation bioalimentaire, la transformation vinicole de ses fraises, ainsi que sur le développement de l'agrotourisme à sa ferme. Avec 500 acres de terres cultivables, c'est le plus gros producteur agricole de la région. Sa grande vedette est sans contredit la fraise, que l'on retrouve à la boutique sous forme de tarte, confiture, tartinade, coulis, et même en alcool : le Julia, un vin de fraises demi-sec ; l'Alexis, un apéritif digestif de fraises ; et le François, un digestif de fraises fortifié au cognac. D'autres produits maison sont en vente sur place tels des pâtés, sauces, cretons, plats prêt-à-manger, etc., ainsi que chez certains détaillants de la province.

JARDINS DE MÉTIS

200, route 132 Est, Grand-Métis
418-775-2222
www.jardinsdemetis.com

Juin et septembre : lundi-dimanche, 8h30-18h (dernière entrée à 17h). Juillet et août : lundi-dimanche, 8h30-20h (dernière entrée à 18h). Droits d'entrée. Programmation d'événements spéciaux, brunchs musicaux, thés littéraires, expositions, petit potager ouvert au public. Restaurant à la Villa Estevan, café jardin et café boutique sur place.

Ces jardins à l'anglaise, d'une superficie de 17 hectares, bénéficient d'un microclimat exceptionnel. Ils comprennent plus de 3 000 espèces de fleurs et de plantes ornementales, parmi lesquelles certaines sont très rares. L'ensemble est composé d'une quinzaine de jardins distincts où poussent plantes annuelles et plantes vivaces. Question de « goûter les jardins », faites une halte à la boutique après votre visite. Vous y trouverez une gamme de produits de spécialité aux saveurs florales, préparés par le chef Pierre-Olivier Ferry et son équipe, composés à partir de végétaux présents dans leur collection horticole, tels que les fougères, les hémérocalles et les pommetiers. Au menu : miel pur, gelée de thé du Labrador, boutons de marguerite au vinaigre de vin, boutons d'hémérocalle marinés au vinaigre de miel, tartinade de bleuets sauvages et lavande… Sachez que ces délices sont confectionnés avec les meilleurs ingrédients tels le vinaigre de miel non-pasteurisé, le vinaigre de vin biologique, le sucre de canne biologique et les produits de Gaspésie Sauvage.

LE MARCHÉ DES SAVEURS GASPÉSIENNES

119, rue de la Reine, Gaspé
418-368-7705

Ouvert toute l'année (horaire variable selon la saison). Boutique-restaurant, terrasse.

Un endroit à découvrir pour faire le plein de produits gourmands, allant des fromages à la charcuterie, en passant par les bières artisanales, les produits fins et les savoureuses pâtisseries. Vous aurez ici un large choix de produits régionaux gaspésiens, mais également du Québec et d'importation. Prenez également le temps de déguster un bon petit repas préparé sur place. En plus du menu régulier, l'équipe concocte quotidiennement des plats différents comme le tartare de saumon, la tourtière de gibier et relish du jardin, le sandwich de poulet grillé et oignons caramélisés, les rouleaux de canard sauce aux pêches, ou les crevettes à la cajun gratinées sur ciabatta. Une adresse des plus sympas !

LE VERT PISTACHE

130, avenue Grand Pré, Bonaventure
418-534-5575

Lundi, 12h-17h30 ; mardi-mercredi, 10h-17h30 ; jeudi-vendredi, 10h-18h ; samedi, 10h-17h. Horaire prolongé en été et ouvert le dimanche. Plateaux de dégustation disponibles sur réservation (deux semaines de préavis nécessaires). Espace bières sur place.

Première épicerie fine de la région de la baie des Chaleurs, cette boutique de quartier, établie en 2008, est un véritable hymne aux saveurs. Une variété phénoménale de produits différents ornent les étalages, avec une belle sélection gaspésienne et québécoise, mais également des importations au parfum du monde. Plats cuisinés, fromages, viandes et gibiers, terrines, tapenades, épices, vinaigres, huiles, bières de microbrasserie, chocolats, cafés... La liste est longue et vous trouverez tout ce dont vous avez besoin, de l'entrée au dessert. Pour de belles idées recettes avec les produits offerts en boutique, consultez leur page Facebook.

POISSONNERIE DU PÊCHEUR

230, route 132 Est, Bonaventure
418-534-2434

En opération d'avril à fin septembre. Poissonnerie ouverte tous les jours de 8h30 à 21h. Restaurant ouvert tous les jours midi et soir. Apportez votre vin. Brunch le dimanche. Spéciaux du midi : à partir de 10,95 $, plats principaux à la carte : moins de 35 $, table d'hôte : à partir de 25 $. Réservation conseillée. Terrasse, expositions d'art visuel.

Cette entreprise familiale fait la vente au détail de poissons et fruits de mer frais, congelés, salés et fumés (glace et emballage gratuits pour les voyageurs). On y retrouve également une gamme de produits maison comme la soupe de poisson. De plus, une salle à manger est annexée à la poissonnerie et connaît un franc succès. La qualité des plats de la mer et leur fraîcheur permettent de faire salle comble tous les soirs.

ACTIVITÉ GOURMANDE

LELIÈVRE, LELIÈVRE ET LEMOIGNAN, ÉCONOMUSÉE DU SALAGE ET SÉCHAGE DE POISSONS

52, rue des Vigneaux, Sainte-Thérèse-de-Gaspé

418-385-3310

www.economusees.com/lelievre_lemoignan_fr.cfm

Économusée ouvert de mi-juin à mi-septembre : lundi-samedi, 9h-17h ; fermé dimanche. Le reste de l'année : sur réservation seulement. Visite guidée : 5 $ par personne, gratuit pour les moins de 12 ans. Poissonnerie ouverte tous les jours à l'année.

Une visite chez cette entreprise gaspésienne spécialisée dans la transformation de la morue salée/séchée vous permettra d'assister aux différentes opérations, grâce à la mezzanine aménagée dans l'usine, en plus de voir une exposition sur le passé et le présent de cette production traditionnelle en Gaspésie. À ne pas manquer : les vigneaux où sèche la morue, et la boutique de la poissonnerie.

PÊCHE EN HAUTE MER

EXCURSIONS L'OMIRLOU

Quai de Bonaventure, rue Beaubassin
581-886-0472 / 418-534-2955
www.lomirlou.com

Excursions de pêche en mer, en opération de mai à fin septembre. Adulte : 50 $-60 $, enfant : 30 $. Certains départs demandent un minimum de 4 personnes. Forfaits avec hébergement et repas disponibles.

Sylvain Arsenault vous accueille à bord et vous entraîne dans son quotidien de pêcheur côtier. Chaque année, il installe plus de 200 cages à homards au large de Bonaventure et vous offre la chance de l'accompagner pour participer à la levée des casiers et aux manœuvres de l'équipage (aussi offert pour le crabe). Il est également possible de faire une excursion de pêche récréative (maquereau, plie, etc.). Pour ceux qui aimeraient rapporter un souvenir unique en son genre, faites un tour à l'atelier L'Omirlou (154, chemin de la Rivière). Line Arsenault, l'artiste en chef, part régulièrement recueillir des étoiles de mer à bord du bateau du Capitaine Arsenault et confectionne des pièces d'art exclusives.

LES TRAVERSIERS DE L'ÎLE

Billetteries à Percé : 9, rue du Quai ; 224, route 132 Ouest
418-782-5526 / 1 866-782-5526
www.croisieresgaspesie.com

Cette compagnie de croisières offre des excursions de pêche au homard avec interprétation. Vous participerez à la levée des casiers à homards avec les pêcheurs et qui sait, vous pourrez peut-être même apercevoir des baleines et des phoques. On vous recommande toutefois de réserver à l'avance. Le départ se fait au quai de Percé à 17h (durée de 1h30) et il possible de prendre un forfait souper de homard.

© Renaud Mov

ÎLES DE LA MADELEINE

Cet archipel d'une douzaine d'îles, d'une superficie totale de 202 km², est situé à 215 km au large de la péninsule de Gaspésie et à 105 km de l'île du Prince-Édouard. Vu du ciel, c'est un croissant de lune coloré, tombé tout droit en plein golfe du Saint-Laurent. « Aux Îles », comme on dit, tout est accentué : la langue, les falaises rouges, les dunes de sable et les couleurs éclatantes des maisons.

Les îles se laissent parcourir en voiture ou à vélo, puisqu'elles sont reliées par un mince – et immuable – cordon de sable. En allant du nord au sud, on rencontre l'île de la Grande Entrée, la Grosse Île, l'île de la Pointe aux Loups, l'île du Havre aux Maisons, l'île du Cap aux Meules et l'île du Havre Aubert, qui constituent l'essentiel de l'archipel. Deux autres îles, assez grandes, se détachent : l'île Brion, inhabitée, au nord de l'archipel et l'île d'Entrée, visible de toutes les autres îles habitées, un bon point de repère à l'est de Havre-Aubert. Le Rocher aux Oiseaux, l'île aux Loups Marins, l'île aux Cochons et le Rocher du Corps Mort s'ajoutent à quelques autres encore pour parachever l'ensemble.

À cause de la faible amplitude des marées, de la situation des îles sur des hauts-fonds et de l'action bénéfique du Gulf Stream, la température de l'eau des lagunes et de la mer atteint parfois 21 °C. C'est bien plus agréable de s'y baigner que le long des berges du Saint-Laurent. Par contre, les vents sont forts et changeants, parfois violents, heureusement beaucoup plus en hiver qu'en été, ce qui enchantera les mordus des sports de voile qui feront fi de ces inconvénients. Enfin, pour les gourmets, les Îles de la Madeleine sont vraiment le paradis du homard et des produits régionaux.

TOURISME ÎLES DE LA MADELEINE

418-986-2245 / 1 877-624-4437
www.tourismeilesdelamadeleine.com

CIRCUIT AGROTOURISTIQUE ET DE DÉCOUVERTE

LE BON GOÛT FRAIS DES ÎLES

Boutique L'Étal (ouverte à l'année) : 4-184, chemin Principal, Cap-aux-Meules, 418-986-6650
www.lebongoutfraisdesiles.com

Sans être réellement un circuit, ce regroupement de producteurs, restaurateurs et détaillants se fait un devoir de mettre de l'avant les produits madelinots. On y retrouve deux appellations, toutes deux synonymes de qualité, d'authenticité et de fraîcheur :

- « Le Bon goût frais des Îles de la Madeleine » est apposé sur un produit lorsque tous les ingrédients principaux proviennent des Îles de la Madeleine, et pour lequel toutes les activités de transformation et d'emballage y sont réalisées.

- « Le Savoir-faire des Îles de la Madeleine » est apposé sur les produits transformés aux Îles de la Madeleine dont les ingrédients principaux ne proviennent pas obligatoirement de l'archipel.

La liste des entreprises participantes est disponible sur le site Internet et vous permettra de faire votre propre circuit des saveurs. Vous pouvez même commander en ligne différents paniers gourmands des meilleurs produits des îles.

Événements gourmands à ne pas manquer : La Folle Virée Gourmande (mi-juin à début juillet), La Fête aux saveurs de la mer (juillet), et La Fête champêtre (fin août/début septembre). Tous les détails sur le site Internet.

PRODUCTEURS

Breuvages, vins et spiritueux

LE BARBOCHEUX

475, chemin Cap-Rouge, Havre-aux-Maisons
418-969-2114
www.bagossedesiles.com

Boutique de vente sur place. Juin à fin septembre : lundi-dimanche, 10h-18h. Le reste de l'année : lundi-samedi, sur appel. Certifié Terroir & Saveurs du Québec.

À l'époque aux Îles, quand on allait prendre un petit verre de maison en maison, on allait « barbocher ». C'est cette expression et surtout, cette tradition qui inspira le nom de ce producteur de boisson artisanale. Mais il n'y a pas que le nom qui soit rempli d'histoire. Les produits du Barbocheux évoquent chacun à leur manière l'histoire et les traditions des Madelinots. D'ailleurs, ne manquez pas de lire le fameux proverbe inscrit sur la bouteille…

Il y a d'abord le Châlin, une boisson de type porto faite à base de bleuets et d'airelles, parfaite comme digestif et accompagnée de fromages. Son nom est en fait un vieux mot des Îles utilisé pour parler d'un éclair de chaleur. Vient ensuite une excellente liqueur de framboises (L'Ariel), une liqueur de canneberge (La Grande Montée), et un vin pétillant de fraise et rhubarbe (Le Moussaillon). Mais le produit phare de la petite entreprise est sans nul doute la fameuse bagosse, la « bière des Îles » comme l'appelle les gens du coin, un vin de fruit artisanal très apprécié. Elle se décline en deux saveurs : fraises et framboises, sublime avec la viande ou le poisson blanc, et canneberges et pissenlits, parfaite complice des poissons fumés, des terrines et pâtés de foie. À venir : un vin de glace de fraise (Le Frasil), jus de fruits, confitures, gelées et vinaigrettes. Comme l'entreprise le dit si bien : « Boire de la bagosse, c'est goûter à un brin de notre histoire. »

Cafés, thés, tisanes

LE MOUSSONNEUR

625, chemin Principal, Cap-aux-Meules
418-986-6617
www.lemoussonneur.com

Lundi-samedi, 10h-18h ; dimanche, fermé. Commandes en ligne bientôt disponible. Autre adresse : Le Moussonneur Café & Thé Lounge, 173 rue Saint-Germain Ouest, Rimouski, 418-721-7776.

Celui que l'on surnomme « Le Moussonneur », c'est Richard O'Neill, Maître-torréfacteur et Barista passionné du café depuis plus d'une vingtaine d'années. Sa charmante boutique-café aux Îles, il l'a ouvert il y a quelques années afin d'y torréfier et vendre son café d'exception tout à fait unique au monde. Unique car il est le seul sur notre belle planète à transformer son café vert par l'humidification à l'eau de mer et aux vents salins, pour après le sécher au soleil. Le sodium de mer qui empreigne les grains se mélange ensuite aux huiles naturelles du café lors de la torréfaction. En résulte un café légèrement moins acidulé et caféiné, avec un créma vraiment plus onctueux, de belles touches florales, et des notes de noisettes et de chocolat. Vous n'aurez jamais rien savouré de tel ! Produit dérivé à découvrir : la bière La Palabre du Moussonneur, un Imperial Stout au café moussonné qui titre à 14 %, brassée par la microbrasserie locale À l'Abri de la Tempête.

Chez le brasseur

À L'ABRI DE LA TEMPÊTE

286, chemin Coulombe, L'Étang-du-Nord
418-986-5005
www.alabridelatempete.com

Ouvert tous les jours de mai à fin septembre. Ouvert le vendredi soir en période hivernale, ainsi que pour des événements. Visite des installations brassicoles et dégustation offerte trois fois par semaine de juin à fin septembre (à l'année pour les groupes sur réservation). Programmation culturelle et musicale. Belle terrasse avec vue sur la mer. Boutique sur place avec vente à emporter et produits dérivés à l'effigie de la microbrasserie. Certifié Terroir & Saveurs du Québec.

Recherchant constamment des façons de s'ancrer dans le territoire fragile que sont les Îles, cette microbrasserie valorise l'utilisation de matières premières locales dans la conception de ses bières. L'élaboration d'un malt fumé au Fumoir d'Antan, la récolte de fleurs, d'algues, d'épices et d'herbes sauvages est un gage d'authenticité et de fraîcheur qui contribue à la création de bières uniques et racées. Coup de cœur : la gamme « Les Palabres » composée de bières inusitées, de brassins spéciaux et d'expérimentations qui vont et qui viennent de façon aléatoire, au gré de leurs recherches.

Sur place, la microbrasserie propose plusieurs petites assiettes garnies de produits madelinots pour accompagner la bière : les produits du Fumoir d'Antan, des fromages de la fromagerie Pied-de-Vent, du loup-marin fumé de la Boucherie Côte à Côte, des terrines à la bière L'Écume et des saucissons des Cochons Tout Ronds, des pâtés de foie des Veaux de Nathaël, ainsi que des pousses et germinations de l'Îlot Naturel. À l'Abri de la Tempête est un incontournable pour les amateurs de bières et saveurs qui passeront par l'archipel. À noter que l'année 2014 marque le 10e anniversaire de la microbrasserie. Plusieurs événements et nouveaux produits sont à surveiller !

Fromages

FROMAGERIE DU PIED-DE-VENT, ÉCONOMUSÉE DU FROMAGE AU LAIT CRU

149, chemin de la Pointe-Basse, Havre-aux-Maisons
418-969-9292

Boutique de vente sur place. Juin à fin septembre : lundi-dimanche, 8h-18h.
Le reste de l'année : lundi-dimanche, 11h-17h. Entrée libre.

À l'origine de cette fromagerie, un amour pour la crème de lait cru des Îles de la Madeleine. En 1998, un troupeau de petites vaches noires arrive sur les Îles et l'aventure du Pied-de-Vent commence. Ce troupeau est nourri à partir de fourrage des Îles, ce qui confère au Pied-de-Vent, un fromage à croûte légèrement lavée, son goût si particulier. Puis la Tomme des Demoiselles a fait son apparition sur les tablettes, un fromage à pâte ferme pressée de six mois d'affinage. D'autres fromages, dont le Meuleron, et produits, comme la crème fraîche des Îles, sont confectionnés sur place. Une visite s'impose donc dans cette fromagerie où les fondateurs vous transmettront avec bonheur tout l'amour de leur terroir. Notez d'ailleurs que la fromagerie est membre du réseau ÉCONOMUSÉE. Un incontournable des Îles !

Herboristerie artisanale

HERBORISTERIE L'ANSE AUX HERBES

187, chemin Belle-Anse, Fatima
418-986-3936
www.anseauxherbes.ca

Boutique ouverte de mi-juin à mi-octobre : lundi-dimanche, 9h-17h. Hébergement disponible sur place.

Une herboristerie artisanale qui vous prodigue ses secrets pour mieux et bien vivre. Toutes les herbes sont cultivées naturellement, puis séchées et transformées directement sur place. Pour chouchouter votre corps, optez pour les plantes aromatiques et médicinales, les onguents, les huiles de massage. Et pour accompagner le tout, des tisanes, des assaisonnements, des moutardes, des huiles aromatisées de homard et des huiles d'olive aromatisées sont aussi offerts. Leurs produits sont disponibles chez plusieurs détaillants de Montréal, ainsi que dans quelques autres régions du Québec.

Viandes et charcuteries

LES COCHONS TOUT RONDS

290, chemin d'en Haut, Havre-Aubert
Boutique : 33, chemin de l'École, Havre-Aubert
418-937-5444
www.cochonstoutronds.com

Ouvert tous les jours en saison estivale. Hors saison : communiquez avec eux.

Patrick Mathey est le génie derrière cette entreprise des Îles. Amoureux des cochons depuis son tout jeune âge, il met la main à la pâte étant encore enfant et à 14 ans, il devient l'as des charcuteries bourguignonnes. Dans les années 2000, il suit plusieurs stages, notamment en affinage de produits de salaison et en charcuterie traditionnelle française, sans oublier des stages chez des artisans basques. En créant Les Cochons Tout Ronds, Patrick désira contribuer au développement durable des Îles de la Madeleine tout en offrant des produits authentiques de haute qualité. Les méthodes d'élevage et le soin apporté aux bêtes y jouent d'ailleurs pour beaucoup. L'entreprise offre une production traditionnelle et artisanale de différentes pièces de viandes : jambon cru (séché, salé et affiné pendant plus d'un an), saucisson sec, coppa, lonzo, chorizo, rosette, terrine, rillettes, confit... Que ce soit pour une dégustation sur place ou simplement pour en acheter, l'adresse vaut le détour. Sachez que ces produits sont également disponibles à Montréal et à Québec dans certains marchés publics et boutiques spécialisées.

À TABLE

Aux Îles, les produits régionaux sont omniprésents dans la plupart des restaurants. Les Madelinots sont fiers de leur terroir et se font un immense plaisir de le faire découvrir aux visiteurs car après tout, il est un grand témoin de l'histoire et des traditions des Îles. Voici donc nos bonnes adresses mais vous en découvrirez davantage lors de votre séjour.

CAFÉ DE LA GRAVE

969, route 199, Havre-Aubert
418-937-5765

Ouvert tous les jours de fin avril (parfois plus tard) à fin octobre. Brunch le dimanche.
Horaire restreint en début et fin de saison. Programmation culturelle et musicale.

Situé sur le site historique de La Grave, ce café-bistro occupe les lieux d'un ancien magasin général madelinot. Dans une ambiance chaleureuse et amicale, vous y découvrirez un menu des plus savoureux : burger de chevreuil avec confit d'oignon et cheddar des Îles, galettes de morue salée, chaudrée de palourdes dans le pain, pot-en-pot au poisson… Pour les plus petites faims, une sélection de sandwichs et de grignotines est offerte. Que ce soit donc pour une pause café, un petit déjeuner ou déjeuner gourmand, ou encore un repas plus consistant, cette adresse mythique vaudra toujours le détour.

LA FACTRIE – CAP SUR MER

521, chemin du Gros-Cap, L'Étang-du-Nord
418-986-2710
www.capsurmer.ca

Restaurant ouvert de mai à septembre : lundi-dimanche, 11h-22h.
La poissonnerie est ouverte à l'année : lundi-dimanche, 10h-19h.

Ce restaurant, de type cafétéria, est le rendez-vous des Madelinots et des friands des produits de la mer. Une décoration simple, colorée, avec des photos des Iles. On y mange du poisson et des fruits de mer frais, en particulier du homard, la grande spécialité, ainsi que le pot-en-pot aux fruits de mer et l'assiette du pêcheur. Et on en a pour son argent ! À la poissonnerie, homards, moules, pétoncles, morues, maquereaux, buccins, crevettes, crabes des neiges et autres délices, dont des pizzas, vous éveilleront les papilles. Des mets savoureux, un rapport qualité-prix imbattable et un accueil chaleureux en font une adresse hautement recommandée.

LA TABLE DES ROY

1188, chemin La Vernière, L'Étang-du-Nord
418-986-3004
www.latabledesroy.com

Ouvert de juin à fin septembre : lundi-samedi, dès 18h.
Plats principaux : 20 $-50 $. Réservation recommandée. Très belle carte des vins.

Une table qui respecte son terroir et associe les produits de la mer à ceux de la terre. La chef Johanne Vigneau, qui vous accueille dans sa maison, connaît les produits régionaux et les apprête avec justesse et finesse, toujours selon les arrivages. On retiendra particulièrement les ris de veau, le homard et la bouillabaisse qui vous feront découvrir les richesses marines et terriennes de ces îles paradisiaques. Nous ne pourrions passer sous silence la succulente sélection d'entrées et les irrésistibles desserts. Une table d'exception ! À noter que Johanne a ouvert la boutique Gourmande de nature qui recèle de bons produits du Québec et d'Europe, sans oublier les produits signature de la maison (voir rubrique « Marchands de bonheur » de cette région).

RESTAURANT LE RÉFECTOIRE DU VIEUX COUVENT

292, route 199, Havre-aux-Maisons
418-969-2233
www.domaineduvieuxcouvent.com

Ouvert le matin au public de fin juin à septembre, de 7h30 à 10h30 (réservé aux clients de l'hôtel le dimanche et en basse saison). De mai à mi-juin et mi-septembre à fin octobre : lundi-dimanche, 18h-21h. Mi-juin à mi-septembre : lundi-dimanche, 17h-22h. Plats principaux le soir : 15 $-40 $, table d'hôte : 46 $.

La vue offerte est magnifique et le cadre superbe. La mer et l'Île d'Entrée vous accompagnent dans ce restaurant qui ne désemplit jamais. Et pour cause : la cuisine de la chef Évangéline Gaudet est conviviale, innovatrice et tellement délicieuse. Les poissons et les fruits de mer locaux sont à l'honneur et apprêtés avec originalité. Les produits régionaux sont cuisinés avec succès, parfois sous une version moderne comme le burger de veau des Nathaël, homard et Tomme des Demoiselles. Très belle carte des vins et bières des Îles.

MARCHANDS DE BONHEUR

GOURMANDE DE NATURE

1912, chemin de l'Étang-du-Nord, L'Étang-du-Nord
418-986-6767
www.gourmandedenature.com

Ouvert tous les jours en été, horaire variable le reste de l'année. Fermé de fin décembre à début avril.

La grande gourmande c'est Johanne Vigneau, également chef-propriétaire de l'excellent restaurant La Table de Roy (voir rubrique « À table » de cette région). Passionnée de cuisine et de culture gourmande, elle a créé cette « maison des saveurs » où sont concoctés ses produits signature issus du terroir madelinot. Beurre d'églantier, gelée aux trois fruits, coulis de groseille, cocktail de canneberge, sel persil de mer et citron, sucre à la lavande et autres délices sont en vente sur place et chez quelques détaillants spécialisés. Un coin trouvailles comprend également des accessoires de cuisine, des cadeaux gourmands, des plats cuisinés, des vins d'importation privée, des produits d'épicerie fine, etc. Si vous disposez d'un peu de temps, la maison propose différents ateliers culinaires avec des thèmes variant au fil des saisons et s'adaptant à tous les niveaux.

SALON DE THÉ LE FLÂNEUR

1944, chemin l'Étang-du-Nord, L'Étang-du-Nord
418-986-6526

Ouvert à l'année (toujours fermé le mercredi). Galerie d'art et boutique des œuvres d'Arthure sur place. À voir à l'extérieur : le four à pain traditionnel, la maison croche et le banc des amoureux.

Dans une ambiance artistique et hétéroclite, ce salon vous proposera une carte de thé diversifiée qui saura satisfaire les amoureux de cette boisson. Le Flâneur est l'endroit idéal pour ceux qui souhaitent prendre une pause entre amis tout en profitant d'une vue panoramique sur le port de L'Étang-du-Nord. Pour ceux qui ont la dent sucrée, nous vous suggérons fortement d'accompagner votre thé d'un scone maison garnie de confiture aux fruits rouges, spécialité du Flâneur, ou alors d'un succulent gâteau maison.

ACTIVITÉ GOURMANDE

LE FUMOIR D'ANTAN, ÉCONOMUSÉE DU FUMAGE DE POISSONS

27, chemin du Quai, Havre-aux-Maisons
418-969-4907
www.fumoirdantan.com

Avril à mi-juin et de mi à fin septembre : lundi-vendredi, 9h-17h. Mi-juin à mi-septembre : lundi-dimanche, 9h-18h. Le reste de l'année : sur réservation. Visite guidée et dégustation : 4 $ par personne, gratuit pour les 5 ans et moins.

Une quarantaine de fumoirs se trouvaient sur l'île. Suite à la surproduction du hareng dans les années 1970, ils ont presque tous fermé. En 1996, la famille Arseneau reprit le fumoir du grand-père et lui redonna vie. Aujourd'hui, cette entreprise propose des harengs fumés nature ou marinés, ainsi que des saumons, pétoncles et maquereaux fumés, selon la méthode traditionnelle des Madelinots. L'histoire des « boucaneries » (fait de boucaner, de fumer de la viande ou du poisson) est relatée avec le support de photographies et d'objets anciens. Les produits sont vendus sur place et se retrouvent sur les marchés. Aussi disponibles : homards vivants, moules et huîtres fraîches, produits des Îles, etc.

LANAUDIÈRE

La région de Lanaudière fait partie des régions centrales du Québec. Elle est située entre le fleuve Saint-Laurent et le massif laurentien, entre la Mauricie et les Laurentides. La région est constituée de trois ensembles géographiques distincts : la plaine au sud, parsemée de villes et villages agricoles, regroupe un riche patrimoine de lieux historiques ; le piedmont, au centre, est devenu le terrain de jeux des villégiateurs et des vacanciers grâce à ses nombreux lacs et ses attraits naturels ; et le plateau laurentien, tout au nord, où se retrouve le pays forestier, est le royaume de la pêche et des aventures de plein air. Lanaudière comprend deux réserves fauniques, Rouge-Matawin et Mastigouche, et les deux tiers du parc national du Mont-Tremblant sont situés sur son territoire.

Lanaudière est aussi une région gourmande réputée, à découvrir notamment via le circuit « Les Chemins de campagne ». Afin de bien préparer votre escapade ou tout simplement pour en connaître davantage sur les produits régionaux lanaudois, le site Internet www.goutezlanaudiere.ca est une excellente référence. Conçus en partenariat avec le Conseil de développement bioalimentaire de Lanaudière (www.cdbl.ca), il vous permet de rechercher une entreprise selon le type de produit (boulangeries, fromages, fruits et légumes, viandes et charcuteries, boissons et vins, etc.) et d'obtenir la liste des détaillants spécialisés dans la région. Vous y trouverez également quelques activités gourmandes et des idées recette.

TOURISME LANAUDIÈRE

450-834-2535 / 1 800-363-2788
www.lanaudiere.ca

ÉVÉNEMENTS

FESTIVAL DES VINS & HISTOIRE DE TERREBONNE

Île des Moulins, Terrebonne
450-471-0619
www.festivaldesvins.ca

En août.

LES FÊTES GOURMANDES DE LANAUDIÈRE

Saint-Jacques de Montcalm
450-582-5739
www.fetesgourmandes.ca

En août.

FESTIVAL L'OKTOBERFEST DES QUÉBÉCOIS

Parc de l'Île-Lebel, Repentigny
1 800-881-0917
www.oktoberfestdesquebecois.com

En septembre.

CIRCUIT AGROTOURISTIQUE ET DE DÉCOUVERTE

LES CHEMINS DE CAMPAGNE

www.cheminsdecampagne.ca

À parcourir… Issus de la collaboration entre Tourisme Lanaudière et le Conseil de développement bioalimentaire de Lanaudière, Les Chemins de campagne vous proposent de partir à la découverte de la campagne lanaudoise et de ses nombreux trésors régionaux.

À découvrir / À faire… Six circuits différents, ayant chacun leur propre thématique, vous feront parcourir les plus beaux paysages lanaudois. Cette région est reconnue pour ses sols riches et verdoyants et donc, pour les nombreux produits régionaux qu'elle offre au Québec. Voici une brève description des circuits :

- ➔ **D'histoire et de culture :** Situé au sud-ouest de la région, ce circuit combine culture, histoire et bien entendu, adresses gourmandes. Circuits découverte, jardins et pépinières, ferme éducative écologique, meunerie, élevage de volailles de grain et autres découvertes sont notamment au programme.
- ➔ **En sillonnant la plaine :** Ce circuit vous fera emprunter des routes qui vous mèneront vers des rangs agricoles et des champs qui abondent de produits. Sur la route : confiturier, bergerie, champ de lavande, fermes maraîchères ou d'élevage, jardins...
- ➔ **Les Vieilles Seigneuries :** Que ce soit sur les rives du Saint-Laurent, sur de petites routes à la couleur locale, ou dans les municipalités de Saint-Jacques, Joliette ou Saint-Thomas, ces anciennes terres à tabac, notamment propices à la culture de petits fruits, sont l'hôte de bleuetières et de fraisières, mais aussi d'un vignoble et d'un chocolatier.
- ➔ **Au pied des montagnes :** Cette route vous mènera à la rencontre d'artisans sympathiques habitant des villages parmi les plus pittoresques de Lanaudière, au pied des montagnes du nord de la région. Il vous fera passer par de magnifiques chutes d'eau et des parcs régionaux, déguster des produits d'une boulangerie, vous balader parmi les bonsaïs et peut-être même arriver face-à-face avec un bison.
- ➔ **De par les vertes vallées :** Ce chemin vous fera découvrir les vallées lanaudoises tant aux abords du lac Maskinongé qu'à l'intérieur des forêts. Ferme apicole, parc régional, maison du pain d'épices, fumoir, élevage d'oies et de canards sont tous des arrêts qui feront de votre escapade une expérience unique.
- ➔ **Entre le fleuve et la terre :** Parcourez de nombreux villages en longeant une partie de la première route carrossable en Amérique du Nord, le Chemin du Roy. Ici on vous propose des adresses telles qu'une courgerie, un élevage de cerfs rouges, un vignoble, une chapelle, une boulangerie artisanale, une chèvrerie et des fromageries.

Des panneaux d'affichage à l'effigie de ce circuit agrotouristique sauront vous guider en route. De plus, sur la carte Les Chemins de campagne, chaque petit circuit est identifié par un code de couleur. La carte propose aussi des suggestions d'hébergement, un calendrier d'autocueillette, des marchés publics et des événements gourmands. Vous pouvez vous procurer la carte dans les bureaux touristiques ou la télécharger gratuitement sur leur site Internet.

VIRÉES GOURMANDES

Que diriez-vous d'une excursion champêtre dans Lanaudière ? Le Tortillard Gourmand vous l'offre sur un plateau d'argent ! Au départ de Montréal, des virées en minibus vous mèneront chez les producteurs et artisans de la région, au cœur de la belle campagne lanaudoise. Des forfaits ayant pour thème le foie gras, la courge ou encore le gigot, ponctués de rencontres enrichissantes, de passion et savoir-faire, et de savoureux produits distinctifs. Des excursions d'une demi-journée ainsi qu'à la carte sont également offertes. Consultez le site Internet pour tous les détails et les réservations.

www.tortillardgourmand.com

PRODUCTEURS

Chez le brasseur

BRASSERIE ARTISANALE ALBION

408, boulevard Manseau, Joliette
450-759-7482
www.brasseriealbion.com

Lundi-dimanche, 14h-fermeture (l'heure de fermeture minimum est minuit). Items à l'effigie de la brasserie en vente sur place. Table de babyfoot, terrasse de 100 places. Programmation culturelle et musicale.

Dirigée par les frères Bussières, l'Albion à pignon sur rue dans l'ancienne maison du notaire Lavallée au centre-ville de Joliette. Depuis l'hiver 2010, ils confectionnent sur place des bières d'inspiration anglaise (bières modernes, anciennes et oubliées), toutes brassées selon les règles de l'art. Une vingtaine de recettes a vu le jour au cours des dernières années avec une constance de sept régulières aux pompes ainsi que des saisonnières, en rotation selon les saisons et l'inspiration du moment. Certaines bières ont en plus subi un vieillissement en cuve de chêne. Ce brasseur artisan s'est également doté de deux pompes à cask ce qui permet de servir de la bière gazéifiée naturellement, sans filtrage et pasteurisation. Les amoureux du style seront ici comblés !

Pour ajouter à l'ambiance déjà fort agréable et décontractée, la brasserie possède aussi une petite salle de spectacles d'une cinquantaine de places où musiciens de styles variés, conteurs et musiciens de jam traditionnel se produisent fréquemment. Des événements tels des sessions de musique traditionnelle ou de jazz viennent compléter le programme. Fait important : les savoureuses bières de l'Albion ne sont disponibles que sur place ou lors de certains festivals de bières. Une excellente raison pour venir faire votre tour dans cette belle région !

HOPFENSTARK

643, boulevard de L'Ange Gardien, L'Assomption
450-713-1060
www.hopfenstark.com

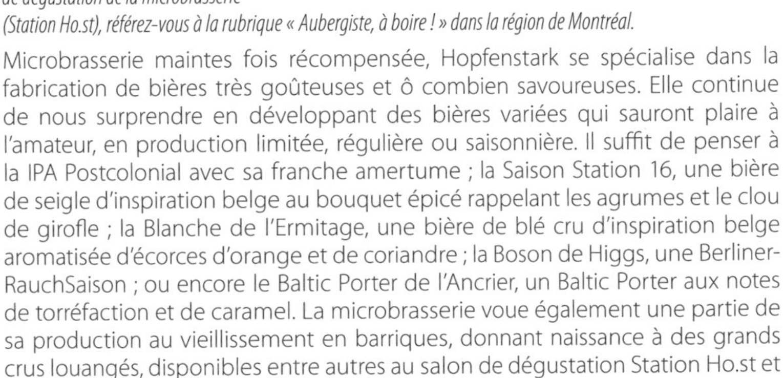

Pour plus d'information sur le salon de dégustation de la microbrasserie (Station Ho.st), référez-vous à la rubrique « Aubergiste, à boire ! » dans la région de Montréal.

Microbrasserie maintes fois récompensée, Hopfenstark se spécialise dans la fabrication de bières très goûteuses et ô combien savoureuses. Elle continue de nous surprendre en développant des bières variées qui sauront plaire à l'amateur, en production limitée, régulière ou saisonnière. Il suffit de penser à la IPA Postcolonial avec sa franche amertume ; la Saison Station 16, une bière de seigle d'inspiration belge au bouquet épicé rappelant les agrumes et le clou de girofle ; la Blanche de l'Ermitage, une bière de blé cru d'inspiration belge aromatisée d'écorces d'orange et de coriandre ; la Boson de Higgs, une Berliner-RauchSaison ; ou encore le Baltic Porter de l'Ancrier, un Baltic Porter aux notes de torréfaction et de caramel. La microbrasserie voue également une partie de sa production au vieillissement en barriques, donnant naissance à des grands crus louangés, disponibles entre autres au salon de dégustation Station Ho.st et lors de différents festivals de bières. On peut découvrir les produits Hopfenstark chez plusieurs détaillants de la province, à la Station Ho.st et dans certains établissements spécialisés au Québec (et même aussi loin qu'à Chicago, New York ou Boston aux États-Unis !).

MICRO-BRASSERIE L'ALCHIMISTE

681, rue Marion, Joliette
450-760-2945
www.lalchimiste.ca

Carl Dufour a ouvert la Micro-Brasserie L'Alchimiste, première microbrasserie de la région de Lanaudière, en décembre 2001. Originaire de Chibougamau, c'est en voyageant et en découvrant le Québec brassicole qu'il a été tenté par l'aventure. Les bières entièrement naturelles de la Micro-Brasserie L'Alchimiste remportant un vif succès, la microbrasserie s'est installée dans de nouveaux locaux plus spacieux, situés dans le parc industriel de Joliette. Les choses allant bon train, la croissance poursuivie sa cadence et au printemps 2011, dans un souci de renouveau pour continuer sa lancée, des changements furent apportés à l'administration : de nouveaux actionnaires se sont ajoutés et un nouveau directeur général fut nommé. De plus, le service à la clientèle et la direction des ventes furent renouvelés de manière à assurer la transmission de tout le savoir-faire des anciens de la brasserie.

L'Alchimiste brasse des bières de grande qualité que l'on retrouve facilement dans les marchés et dépanneurs de la province (certaines bières sont aussi en vente à la SAQ) : la Blanche et la Witbier blanche, la Claire et la Légitime (blondes), la Pilsner blonde, La Bock (ambrée), la IPA, la Pale Ale rousse, L'Écossaise (brune) et la Métropole (blonde aux reflets dorés). Pour une pleine dégustation, des caisses Quatuor permettent de goûter à la Claire, à la IPA, à La Bock et à L'Écossaise. Finalement, L'Alchimiste saura vous surprendre avec des produits de dégustation comme l'Eisbock, une bière de glace, et l'Impérial Stout, toutes disponibles en caisse de six bouteilles.

Confitures, coulis, miels, etc.

LES CAPRICES D'ANGÉLINE

510, rang Saint-Charles, Saint-Thomas
450-755-6178 / 450-898-5410
www.lescapricesdangeline.com

Les contacter ou visitez leur site Internet pour connaître la liste des points de vente.

Le nom de cette entreprise familiale, propriété de Julie Lavasseur, est inspiré de l'enfance même de sa propre fille. Souffrant d'allergies, la petite Angéline faisait souvent des caprices. L'entreprise propose des fins produits gourmets haut de gamme, tous confectionnés à la maison : confitures (fraises et bleuets, kiwis, pêches et sirop d'érable...), beurre de caramel, beurre choco mel (caramel et chocolat étagés), gelée de porto, miels (luzerne, oranges, menthe...), vinaigrettes (framboises, orange, balsamique...), vinaigre balsamique, huile d'olive, ketchup aux fruits, confits d'oignons au porto, etc. « Fermez les yeux et imaginez un arc-en-ciel de couleurs et de drôles de saveurs », voilà ce qu'évoque Angéline.

Épices et condiments

LES JARDINS SAUVAGES

17, chemin Martin, Saint-Roch-de-l'Achigan
450-588-5125
www.jardinssauvages.com

Vente de produits sur place. Forfait cours, cueillette et repas disponible. Salle à manger ouverte à l'année : vendredi-samedi, dès 19h (ouvert à l'occasion les jeudis et dimanches). Réservation obligatoire. Apportez votre vin.

François Brouillard, coureur des bois des temps modernes et descendant de quatre générations de cueilleurs, est un passionné de gastronomie forestière. Parcourant les recoins de la province, il déniche toutes sortes de plantes sauvages comestibles afin de les transformer en petits chefs d'œuvre aux saveurs inusitées : huile d'herbes sauvages, vinaigrette de chimichurri sauvage, sel de laitue de mer, boutons d'hémérocalles marinés, beurre de bolets, coulis de baies au foin d'odeur, etc. Les produits Jardins Sauvages se retrouvent sur les tablettes de plusieurs détaillants de la province ainsi qu'à leur kiosque du Marché Jean-Talon de Montréal. L'occasion parfaite pour aller à la rencontre du producteur et en apprendre davantage sur les plantes sauvages du Québec. Si vous désirez vivre une expérience gastronomique hors du commun, profitez des talents culinaires de Nancy Hinton qui apprête à merveille les produits sauvages de François. Différents types de menus sont offerts (thématique, dégustation, etc.) et suivent les récoltes et les saisons, le tout servi dans le cadre champêtre de Saint-Roch.

Fromages

FROMAGERIE LA SUISSE NORMANDE

985, rang Rivière Nord, Saint-Roch-de-l'Achigan
450-588-6503
www.lasuissenormande.com

Lundi-mercredi & samedi, 10h-17h ; jeudi-vendredi, 10h-18h ; dimanche, 12h-17h. Fermé du dimanche au mercredi de janvier à fin avril.

Cette fromagerie a été fondée en 1995 par Fabienne et Frédéric Guitel. Fabienne est Suisse et Frédéric est Normand, d'où le nom de l'entreprise, mais la Suisse Normande est aussi une région de la Normandie. Voulant faire un clin d'œil à leurs origines et à cette charmante région de la France, ils fabriquent des fromages dignes de leurs coins de pays. L'entreprise se spécialise dans les fromages de chèvre. Entièrement fabriqués avec le lait de leur troupeau afin d'assurer un meilleur contrôle de la qualité, Fabienne et Frédéric proposent plusieurs variétés, dont le Barbu (fromage fermier à pâte molle et à croûte fleurie), le Caprice (fromage frais nature à la texture crémeuse), ou encore le Fermier (de type fêta présenté en bloc dans la saumure). Également fabricants de fromages de lait de vache, c'est chez le voisin qu'ils se procurent leur lait : le Pizy (de type tomme vaudoise à pâte molle et à croûte fleurie), le Petit Normand (de type camembert), etc. De succulents fromages à découvrir, où fraîcheur et qualité sont de mise.

Pains et viennoiseries

DÉLICES D'ANTAN

446, rang de la Rivière Bayonne Sud, Berthierville
450-836-0540
www.delicesdantan.com

Lundi-mercredi, 8h-18h ; jeudi-vendredi, 8h-21h ; samedi-dimanche, 8h-17h. Aire de pique-nique sur place. Autre adresse : 2030, boulevard Barrette, Notre-Dame-de-Lourdes, 450-759-0770. Surveillez leur caravane gourmande qui se déplace dans la région (voir page Facebook pour les dates et lieux).

Cette boulangerie artisanale est une jeune entreprise familiale qui fait revivre les délices d'antan selon la tradition de nos ancêtres. La boutique étant située près de l'autoroute 40, elle est donc facile d'accès pour les amateurs de gâteries. Les spécialités sont les fameux beignes aux patates, le coulis de sucre à la crème, et les fesses de caribou trempées à l'érable (le nom en dit déjà assez long pour piquer votre curiosité). Les pains sont faits à la main (belle sélection) ainsi que les tartes (sucre, pacanes, sirop d'érable…). De plus la boulangerie prépare des pâtés (poulet, acadien, saumon…), des plats maison (sauces à spaghetti, fèves au lard…), des marinades en tous genres (ketchup maison, gelées, confitures, confits…) et des prêts-à-manger (bœuf bourguignon, pizzas, lasagnes, soupes...).

Viandes et charcuteries

BERGERIE DES NEIGES

1401, 5e Rang Ouest (Principale), Saint-Ambroise-de-Kildare
450-756-8395
www.bergeriedesneiges.com

Juin à fin octobre : jeudi-dimanche, 10h-17h. Le reste de l'année : vendredi-samedi, 10h-17h. Visite autoguidée : adulte 6 $, moins de 12 ans 4 $, famille 15 $. Visite guidée pour les groupes d'au moins 10 personnes sur réservation (6 $ par personne). Boutique sur place. Formations et conférences offerts. Certifié Terroir & Saveurs du Québec.

La bergerie est située dans le piémont de Lanaudière et promet un incroyable panel d'activités touristiques dans les environs (vélo, randonnée, golf...). Installés depuis 1985, Desneiges Pépin et Pierre Juillet sont des hôtes passionnés, heureux de voir à présent ce qu'ils ont pu faire de cette belle ferme centenaire, d'autant plus que leur fils cadet, Ludovic, a joint l'entreprise en tant que relève. Lors de la visite, des photos, des panneaux d'interprétation et des postes audio vous feront découvrir l'histoire de l'agneau tout en le côtoyant. Vous pourrez aussi voir les parents, brebis et béliers, des poules Chanteclerc et plusieurs animaux de ferme, sans oublier Tamara, la jument arabe. La boucherie est située directement sur place, ce qui assure la qualité d'une viande tendre et fraîche. Des charcuteries, des méchouis (prêt d'équipement sur demande), de la laine, des couettes de laine... En un mot, toute la douceur d'un agneau.

À TABLE

DOMAINE DES TROIS GOURMANDS

293, rang de la Petite-Ligne, Saint-Alexis-de-Montcalm
450-831-3003 / 514-513-3329
www.3gourmands.com

Table champêtre ouverte du mercredi au vendredi, de juin à fin septembre. Ouvert à l'année pour les groupes (nombreux services et activités). Boutique sur place (produits régionaux, produits de la ferme, mets cuisinés) : ouverte de fin juin à fin septembre, sur appel le reste de l'année. Visite guidée ($) ou libre (gratuit) des élevages de la ferme : fin juin à fin septembre. Réservation requise pour la table champêtre et la visite guidée. Certifié Terroir & Saveurs du Québec.

Sophie Landriault et Jean-François Perron sont les propriétaires de cette ferme d'élevage (bœufs Highland, lapins et oiseaux fermiers) et érablière, qui fait également office de table champêtre. Si les lieux se spécialisent dans l'accueil de groupes pour les mariages, réceptions ou événements corporatifs, la clientèle individuelle peut venir profiter des services et installations lors de la belle saison. Du côté de la table, le chef Yan Waters met en valeur les produits de la ferme, élevés ou récoltés dans le plus grand respect. Terrine de lapin aux noisettes et abricots, cuisse de pintade confite laquée à l'érable et gingembre, ou encore macreuse de Highland braisée 5 heures au vin rouge et aromates du jardin, sont quelques exemples du savoureux menu. Les desserts sont tout aussi divins. On aime !

LA MONTAGNE COUPÉE, AUBERGE ET CENTRE DE VILLÉGIATURE

1000, chemin de la Montagne Coupée, Saint-Jean-de-Matha
450-886-3891 / 1 800-363-8614
www.montagnecoupee.com

Ouvert tous les matins et soirs. Brunch le dimanche lors des fêtes (Pâques, fête des mères, etc.). Repas du midi disponible sur réservation. Petit déjeuner : adulte 12 $, enfant 6 $. Table d'hôte du soir : 47 $. Certifié Terroir & Saveurs du Québec. Hébergement et forfaits disponibles sur place.

L'Auberge de la Montagne Coupée, du haut de son sommet, offre un panorama exceptionnel. Sa table gastronomique de renommée évolue constamment avec les nouvelles tendances culinaires tout en gardant l'essence d'une cuisine savoureuse au menu du terroir. Son chef, Karine Lachaine, se distingue par son originalité et sa créativité dans l'élaboration des menus et bien entendu, les produits du terroir québécois, notamment de la région de Lanaudière, y occupent une place de choix. Une adresse gourmande à la hauteur de sa réputation !

LA SEIGNEURIE DES PATRIOTES

573, Montée Sainte-Marie, L'Assomption
450-588-7206
www.seigneuriedespatriotes.qc.ca

Réservation requise en tout temps. Élevage de daims pour la cuisine du restaurant. Forfait « visite-repas-théâtre » offert de début juillet à fin août (50 $ par personne). Centre d'interprétation et vente de produits sur place. Certifié Terroir & Saveurs du Québec.

La table champêtre de la Seigneurie des Patriotes sise dans un bois privé au cœur de la campagne. Le menu « la Table des Patriotes » est composé, entre autres, de bouchées de daims et moutarde de carcajou, de noisette de daims et gelée de porto, ou encore de suprême de volaille fermière. Pour les cocktails dinatoires, des canapés de mousse de foie gras, des terrines de gibiers des Patriotes, des noix de pétoncles rôties au pesto ainsi que du saumon fumé maison trufferont vos bouches de saveurs. Ensuite, le menu « Festin d'époque » joue en cinq temps avec une entrée du potager, des charcuteries de bison, daim et sanglier, une brochette de fromages, un plat principal (offert pour 20 ou 40 personnes minimum, selon le plat choisi), puis une petite douceur. Si vous êtes plutôt matinal, le déjeuner campagnard vous fera démarrer la journée du bon pied.

AUBERGISTE, À BOIRE !

BIÈRES ET COMPAGNIE

2285, chemin Gascon, Terrebonne
450-492-3339
www.bieresetcompagnie.ca

Lundi-vendredi, 11h-fermeture (ouvert tard) ; samedi-dimanche, 16h-fermeture (ouvert tard). Autre adresse : 4350, rue Saint-Denis, Montréal, 514-844-0394.

Se référer à la section « Montréal » pour plus d'information.

LE BALTHAZAR BIÈRES QUÉBÉCOISES

67, Place Bourget Sud, Joliette
450-867-4999
www.lebalthazar.ca

Lundi, 17h-3h ; mardi-samedi, 15h-3h ; dimanche, 18h30-3h. Programmation culturelle et musicale. Terrasse. Autres bars Le Balthazar : 195, Promenade du Centropolis à Laval ; 2501, rue Saint-Dominique à Saguenay (secteur Jonquière). Épicerie Le Balthazar Saveurs Québécoises : 60, Place Bourget Nord à Joliette.

Cinq comparses, tous fous de la bière, avaient en tête d'ouvrir un bar à bières québécoises au cœur de la capitale lanaudoise. Pari réussi ! Le 18 décembre 2009, Le Balthazar servait ses premières pintes à une foule en quête de délices houblonnés. Loin de s'en arrêter là, deux autres bars ont vu le jour, un au Centropolis à Laval et l'autre à Jonquière, ainsi qu'une épicerie du terroir à quelques pas du bar de Joliette.

Fière représentante de l'industrie brassicole québécoise, chacune des succursales séduira tant les amateurs que les néophytes. Une large sélection de bières triées sur le volet, en fût ou en bouteille, figure à l'ardoise alors il se pourrait que vous mettiez un certain temps à vous décider. Mais n'ayez crainte car l'équipe saura vous conseiller afin de vous faire découvrir ce que le Québec a de meilleur à offrir, y compris des grands crus pour papilles averties. Pour accompagner le tout, chaque bar propose un menu composé de produits locaux, avec une belle sélection de plats à la bière. Trois adresses à découvrir sans modération !

MARCHANDS DE BONHEUR

BOULANGERIE ET FROMAGERIE ST-VIATEUR

602, rue Notre-Dame, Joliette
450-755-4575
www.stviateur.com

Lundi-mercredi, 8h-17h45 ; jeudi-vendredi, 8h-20h ; samedi, 8h-17h15 ; dimanche, 8h30-17h. Autres succursales : 308, boulevard L'Ange-Gardien, L'Assomption, 450-938-7246 ; 1190, rue Notre-Dame, Lavaltrie, 450-935-1138.

Daniel Joly, boulanger de métier et lanaudois d'origine, a ouvert ce charmant commerce il y a près d'une vingtaine d'années. En plus de la grande variété de pains frais du jour offerts sur place, les étalages débordent de succulents produits gourmands : fromages fins, charcuteries, pâtisseries, prêts à manger, confitures, moutardes fines, huiles et vinaigres, café en grains, etc. Une adresse bien connue dans la région et qui vaut définitivement le détour.

LE BALTHAZAR SAVEURS QUÉBÉCOISES

60, Place Bourget Nord, Joliette
450-867-7017
www.lebalthazar.ca

Lundi, fermé ; mardi-mercredi & samedi, 11h-18h ; jeudi-vendredi, 11h-21h ; dimanche, 11h-17h. Ateliers et dégustations organisés à la boutique. Clinique de la bière à domicile sur réservation. Bars Le Balthazar : 67 Place Bourget Sud à Joliette ; 195 Promenade du Centropolis à Laval ; 2501 rue Saint-Dominique à Saguenay (secteur Jonquière).

Petite sœur gourmande des bars à bières québécoises Le Balthazar, l'épicerie du terroir, située à quelques pas du bar de Joliette, a ouvert ses portes en décembre

2010. On y retrouve une superbe sélection de plus de 250 bières d'ici représentant ainsi une quarantaine de microbrasseries québécoises, et les conseillers sauront bien vous aiguiller pour faire un choix éclairé. Et comme la bière adore être bien entourée, des produits fins du terroir trônent un peu partout sur les étalages (huiles et vinaigres, épices, gelées, tartinades, marinades, etc.), ainsi qu'une belle sélection de mets préparés par des producteurs lanaudois de porc et volailles (saucisses, côtes levées, pâtés à la viande, pizzas, etc.). Une adresse gourmande à découvrir pour faire le plein de provisions.

MAGASIN DE L'ABBAYE VAL NOTRE-DAME

220, chemin de la Montagne Coupée, Saint-Jean-de-Matha

450-960-2891 / 1 877-960-2891

www.abbayevalnotredame.com

Lundi-samedi, 9h-17h ; dimanche, 10h-17h. Section librairie, cadeaux et articles religieux. Boutique en ligne.

Propriété des moines cisterciens qui occupent cette toute nouvelle abbaye depuis 2009, ce magasin est leur principale source de revenus. En effet, les moines fabriquent toute une gamme de savoureux produits disponibles sur place : chocolats de toutes sortes, caramels à tartiner, gâteaux aux fruits ou aux dattes, beurres d'arachides, de noisettes ou d'amandes, etc. Sans oublier les tartinades et compotes de l'Abbaye de Saint-Benoît-du-Lac, et les confitures, gelées et marmelades de l'Abbaye de Spencer aux États-Unis. Des produits gourmands du terroir lanaudois et du Québec sont également en vente à la boutique.

MIEL DE CHEZ NOUS

1391, rang du Pied de la Montagne, Sainte-Mélanie

450-889-5208

www.mieldecheznous.com

Horaire de la boutique : mercredi-dimanche, 10h-17h (mai à Noël) ; jeudi-samedi, 10h-17h (février à fin avril) ; fermé le reste du temps. Visites guidées (mi-mai à octobre) : sur réservation. Visites libres de mai à octobre (sans rendez-vous, même horaire que la boutique). Dégustations gratuites. Musée de l'abeille, petite ferme et aire de pique-nique sur place. Certifié Terroir & Saveurs du Québec.

La famille Scultéty gère cette entreprise depuis 1969 et la tradition s'est transmise de génération en génération. Des petites douceurs sont exposées à la boutique comme des miels purs non pasteurisés de trèfle, de fleurs sauvages, de sarrasin, crémeux, aromatisés au citron, aux framboises, aux canneberges et amaretto... Tous les produits sont disponibles dans des pots simples ou décoratifs ou encore, sous forme d'emballage cadeaux. Des caramels au miel ou à la fleur de sel, des sucres à la crème, des vinaigrettes et des moutardes au miel, des suçons au miel et autres classiques (gelée royale, pollen de fleurs) coloreront vos doux rêves sucrés de délicatesse et de raffinement.

SAVEURS UNIES

737, boulevard des Seigneurs, Terrebonne
450-964-0000

Ouvert du mardi au dimanche (voir page Facebook pour les horaires complets).
Conception de kits de dégustation de bières et chocolats / fromages.

Quand on met les pieds chez Saveurs Unies, tous nos sens sont mis à contribution. Une charmante épicerie fine aux couleurs du monde débordant de produits d'exception. On y trouve de tout : huiles et vinaigres aromatisés ou en vrac, épices, chocolats, cafés, thés, gelées et confitures, charcuteries (saucisses congelées, saucissons secs, etc.), choucroute à la bière, ainsi qu'une gamme importante de produits du terroir de nos artisans d'ici. Côté bières québécoises, on n'est pas déçu. Près de 350 sortes différentes trônent sur les étalages et étant le produit phare de la boutique, l'inventaire poursuit toujours sa croissance. Pour pousser davantage l'expérience gustative et la découverte, des dégustations gratuites de bières et de produits régionaux sont offertes, généralement le samedi pendant les heures d'ouverture. Un bel endroit gourmand et une équipe avertie qui saura bien vous guider dans vos choix.

ACTIVITÉS GOURMANDES

FERME GUY RIVEST

1305, chemin Laliberté, Rawdon
450-834-5127
www.fermeguyrivest.com

Boutique ouverte tous les jours de 8h à 18h, de juin à mi-octobre. Le reste de l'année : les contacter. Boutique en ligne également. Autocueillette en saison, aire de pique-nique, jardin éducatif. Certifié Terroir & Saveurs du Québec.

Ferme familiale établie depuis quatre générations, elle fait le bonheur des petits et grands en saison avec l'autocueillette de fraises et de framboises. Vous pourrez combiner le tout à un pique-nique ou encore une balade en tracteur. D'autres activités peuvent être offertes sur demande telles des visites guidées, des activités d'interprétation, des dégustations, etc. Profitez également de votre visite pour découvrir les produits dérivés de leurs cultures et faire le plein de provisions. La boutique vend confitures, gelées, marinades, sirops, beurre et caramel de fraises, perles de fruits issues de la cuisine moléculaire, vins et mistelles, et produits régionaux lanaudois.

LES JARDINS URBAINS

1637, rue Notre-Dame, Saint-Sulpice
450-589-7814
www.lesjardinsurbains.ca

Autocueillette et visite tous les jours d'avril à fin octobre. Le reste de l'année : vente au détail seulement. Kiosque avec centre d'interprétation, ateliers de cuisine. Service d'épicerie en ligne avec livraison.

Les Jardins Urbains possèdent une quinzaine de serres et trois acres de terres cultivables où poussent toute une panoplie de fines herbes et de légumes, dont certains plus rares comme le haricot langue de dragon ou le Pak-choi. Marianne Baron et Reza Mehmannavaz, les propriétaires des lieux, misent sur une agriculture alternative afin d'offrir des produits sains et naturels. Il est possible de venir cueillir soi-même son « épicerie » en saison, tant dans les serres que dans les champs. Une belle idée d'activité lors des beaux jours d'été.

© NRL

LAURENTIDES

Paradis des skieurs et des mordus de la nature, les Laurentides désignent le massif montagneux de la rive nord du fleuve Saint-Laurent. La région des Laurentides fait partie des Basses-terres du Saint-Laurent et du Bouclier canadien. On y trouve les plus vieilles roches du monde (datant d'un milliard d'années). Cette région, qui couvre près de 22 000 km^2, s'étend du sud au nord, de la rivière des Mille-Îles aux grands territoires au nord de Mont-Laurier et, d'est en ouest, des limites de la région de Lanaudière à celles de l'Outaouais. Elle est l'une des principales destinations touristiques internationales du Québec, appelée plus communément « le Nord ». Vous y viendrez d'abord pour les activités sportives saisonnières qu'elle offre en abondance, et pour la quiétude de ses innombrables lacs et montagnes couvertes de forêts. Les citadins y font leur pèlerinage hebdomadaire en allant respirer cette campagne qui n'est qu'à quelque trente minutes du centre-ville de Montréal. Les mordus, et ils sont légion, « montent dans le nord » comme ils disent, pour le week-end au chalet, leur résidence secondaire. Les touristes qui en ont fait l'expérience savent, quant à eux, qu'elle recèle des trésors d'activités pour tous et ce, en toute saison.

Côté gourmand, les Laurentides ont beaucoup à offrir. Lors de la belle saison, profitez des marchés publics qui s'installent chaque week-end dans une dizaine de municipalités de la région (Mont-Tremblant, Saint-Eustache, Sainte-Adèle, Val-David…). Pour vous tenir au parfum des nouveautés et pour vous renseigner sur l'agrotourisme, les producteurs régionaux et les détaillants, nous vous conseillons une visite sur le site de la Table de concertation agroalimentaire des Laurentides (www.agrolaurentides.qc.ca) ainsi que sur www.laurentidesjenmange.com.

TOURISME LAURENTIDES

450-224-7007 / 1 800-561-6673
www.laurentides.com

ÉVÉNEMENTS

FÊTE DES PAPILLES

Rue Turgeon, Sainte-Thérèse
450-434-1440
www.sainte-therese.ca

En août.

FESTIVAL DE LA GALETTE ET DES SAVEURS DU TERROIR

Moulin Légaré
232, rue Saint-Eustache, Vieux-Saint-Eustache
450-974-5170 / 450-974-5400
www.festivaldelagalette.com

En septembre.

OKTOBIERFEST

Parc Claude-Henri-Grignon, Sainte-Adèle
450-229-2644
www.oktobierfeststeadele.com

En octobre.

CIRCUITS AGROTOURISTIQUES ET DE DÉCOUVERTE

La région des Basses-Laurentides est un paradis pour le gourmand qui sommeille en vous. Plusieurs parcours sont proposés et vous mèneront au cœur de magnifiques municipalités à la rencontre des producteurs, artisans, transformateurs, détaillants et restaurateurs qui œuvrent à faire connaître les produits du terroir laurentien. Visites à la ferme, démonstrations culinaires, dégustations de produits dans les marchés, autocueillette dans les vergers, repas gourmand dans les tables champêtres, ne sont quelques exemples des activités qui vous y attendent. Pour bien planifier votre escapade gourmande, rendez-vous sur le site www.agrolaurentides.qc.ca (rubrique « agrotourisme ») ou encore www.basseslaurentides.com. Pour ce qui à trait au Chemin du Terroir, référez-vous à l'article ci-après.

Et si l'envie vous prend de monter plus au nord, vous trouverez toute l'information relative à l'agrotourisme et à la restauration sur les sites web suivants : www.laurentides.com et www.tourismehautes-laurentides.com/saveurs_regionales/

Bonnes découvertes gourmandes !

CHEMIN DU TERROIR

www.cheminduterroir.com

Le Chemin du Terroir des Laurentides, inauguré en octobre 2010, est un chemin balisé de plus de 226 km sillonnant un territoire rural aux mille trésors et ce, sur quatre saisons. Plus d'une trentaine de « vedettes » se partagent le circuit dans les Basses-Laurentides et Argenteuil, allant de microbrasseries aux cabanes à sucre, en passant par des vignobles, des fermes et vergers, des fromageries et des boutiques gourmandes. L'art et l'histoire ont aussi leur place sur le Chemin du Terroir. Le dépliant du circuit est disponible dans les offices du tourisme et toute l'information se trouve également sur leur site Internet.

PRODUCTEURS

Breuvages, vins et spiritueux

INTERMIEL

10 291, rang de La Fresnière, Saint-Benoît-de-Mirabel
450-258-2713 / 1 800-265-6435
www.intermiel.com

Visites guidées de mi-mai à mi-octobre, tous les jours à 11h, 13h et 15h (ruche, hydromellerie, distillerie - érablière sur demande). Adulte : 8 $, 2-11 ans : 4 $. Durée : 1h30. Boutique, salle de découvertes, mini ferme, aire de jeux et aire de pique-nique sur place. Certifié Terroir & Saveurs du Québec.

Christian Macle baigne dans le domaine apicole depuis son très jeune âge. Avec sa femme Viviane, et la relève familiale, leur fille Éléonore, ils s'occupent de leurs

5 000 ruches, de leur érablière de 15 000 entailles, de leur verger de 6 000 pommiers, sans oublier leur volet agrotouristique qui accueille chaque année plus de 100 000 visiteurs. Centre d'interprétation depuis 1991 et créatrice de nombreux produits dérivés du miel et de l'érable, l'entreprise est lauréate de nombreux prix prestigieux avec une réputation dépassant les frontières du pays. Parmi les produits offerts : hydromels, boissons alcooliques à l'eau de vie d'érable, cidres de glace, miels naturels de toutes sortes et produits dérivés (ganaches, bonbons, caramels, beurres, vinaigrettes, etc.), gelée royale, pollen, soins pour le corps et les cheveux, sans oublier les nombreux produits de l'érable. Vous reviendrez les bras remplis de gâteries !

Chez le brasseur

LE BARIL ROULANT / COOP DE TRAVAIL LA COOPPIDUM

2434, rue de l'Église, Val-David
819-320-0069
www.barilroulant.com

Dimanche-jeudi, 12h-1h ; vendredi-samedi, 12h-3h. Ouverture à 15h en semaine hors saison. Items à l'effigie de la brasserie en vente sur place. Programmation culturelle et musicale. Terrasse.

Fondée sous la forme d'une coopérative de travail, englobant une brasserie artisanale et un bistro, elle a pour mission de « fournir à ses membres et à la collectivité un environnement de travail, d›apprentissage, de diffusion et de divertissement éco-responsable, auto-suffisant et socialement impliqué ». Et c'est réussi !

Cette charmante brasserie aux airs bohèmes possède une quinzaine de lignes de fûts dédiées aux bières maison et celles d'autres microbrasseries québécoises. Une sélection toujours fort intéressante et en rotation selon les saisons et les arrivages. Depuis ses débuts, le Baril Roulant a concocté plusieurs bières dont l'incontournable Biophilia, une blonde biologique, La Ventarde, une bière forte au moût de raisin et écorces d'orange, ou encore La Cryogénique, une bière de glace titrant à 18 %. Côté boustifaille, les savoureux produits laurentiens et du reste de la province sont à l'honneur, avec un bel apport de produits biologiques, dans le mesure du possible. Au niveau culturel, les lieux accueillent toutes sortes d'événements allant des spectacles musicaux aux expositions d'art visuel, en passant par des formations populaires et les soirées de contes et poésie. Un endroit hyper chaleureux, tout à fait à l'image du petit village de Val-David.

BRASSEURS ILLIMITÉS

385, rue du Parc, local 102, Saint-Eustache
514-360-1158
www.brasseursillimites.com

Visite des installations brassicoles et dégustation pour les groupes sur réservation.

Brasseurs Illimités est une microbrasserie de bonne capacité avec une production actuelle d'environ 60 000 caisses par an, chiffre qui augmentera d'environ 20 000 caisses cette année.

Brasseurs Illimités a fait ses débuts avec la gamme de bières de dégustation « Simple Malt ». Destinées aux gens exigeants qui recherchent la puissance des saveurs tout en n'acceptant pas de compromis sur l'équilibre de l'ensemble, ces bières sont accompagnées d'un « sceau d'engagement » : qualité, constance et satisfaction. Elles sont simplement faites de céréales, de houblon, d'eau et de levure sans aucun produit ésotérique ajouté. À cette gamme toujours disponible chez nos détaillants préférés s'ajoutent la série alphabétique avec des bières de diverses influences, ainsi que des éditions limitées et autres sublimes produits qui suivent les saisons et l'inspiration de l'équipe tels la « S », l'OR ou la Maltus, des produits haut de gamme Simple Malt Série Légendaire.

À vous maintenant de partager leur passion pour cette noble boisson, en dégustant dans toutes ses déclinaisons la richesse des saveurs extraites du... simple malt !

KRUHNEN

115, rue Gaston-Dumoulin, #105, Blainville
450-419-3535
www.kruhnen.com

Visite des installations brassicoles et dégustation pour les groupes sur réservation. Bières et items à l'effigie de la microbrasserie en vente sur place, sur rendez-vous.

(Extrait de l'article écrit par Alex et David Atman - La Décapsule des frères Atman)

Ovi Bercan est un one-man-show. Il arrive qu'un être charitable lui vienne en aide durant son rituel brassicole, mais la plupart du temps il travaille seul, en silence, tel un Hermite alimenté par la ferveur d'une âme enflammée, tel un agent de la lumière luttant dans l'éternel combat contre la soif. Son dur labeur – quoi que solitaire – porte un fruit dont il est fier.

En 2011, Ovi Bercan quitte son emploi d'ingénieur pour pouvoir poursuivre pleinement sa destinée. Il rêve depuis son jeune âge de brasser de la bière, d'anéantir la soif du peuple comme Saint-Georges a terrassé le bête. En un tour de main, et avec le support de sa femme Monica, il assemble sa nouvelle installation à Blainville et nomme sa brasserie Kruhnen, en l'honneur de la ville fortifiée dans laquelle il a grandit en Roumanie (maintenant Brasov). Ovi repousse l'envahisseur des bières insipides en proposant des produits qui ravissent le Québec. Les bières qu'il proposent sont uniques, principalement guidées par un savoir faire et une certaine épice qui reste un secret bien gardé.

Ovi et Monica sont partout. Si vous étiez présents lors d'une événement brassicole, vous les avez probablement croisés. Ovi et Monica sont de bons vivants, plus qu'actifs dans la communauté brassicole. Ce sont des gens qui préfèrent donner plutôt que de recevoir... Des gens passionnés qui ont fait leur part de sacrifices pour réaliser ce rêve. Ovi nous rappelle souvent qu'avant tout, la bière c'est le partage, la célébration.

MICROBRASSERIE DU LIÈVRE

131, boulevard Albiny-Paquette, Mont-Laurier
819-440-2440
www.microdulievre.com

Lundi-samedi, 9h-2h ; dimanche, 10h-minuit. Bières et items à l'effigie de la microbrasserie en vente sur place.

Cette microbrasserie, propriété de la famille Sabourin, fut fondée pour le nouveau millénaire dans le complexe hôtelier « Le Riverain » (en reconstruction suite à l'incendie de janvier 2013 - la microbrasserie et le pub ont déménagé juste en face). Le 1er janvier 2000 à minuit tapant était née la première bière de microbrasserie dans les Hautes-Laurentides. Gingembre, carotte, miel et jalapeños ne sont que quelques exemples d'ingrédients composant ces bières « excentriques » et ô combien surprenantes ! On y brasse près d'une quinzaine de produits réguliers et saisonniers, dont la Carotte du Lièvre, une bière crémeuse à la carotte, la Jos Montferrand, une ambrée au goût caramélisé, ou encore le El Diablo, un vin d'orge aux arômes boisés et de vanille. D'autres recettes devraient également faire leur apparition pour le plus grand plaisir de nos papilles. Il est possible de savourer leurs bières maison au nouveau pub du terroir, adjacent aux installations brassicoles. Ouvert tous les jours, on y retrouve un menu proposant, entre autres, une assiette de truite fumée maison, de la soupe à l'oignon gratinée au fromage Windigo, un sandwich au porc effiloché, des saucisses et choucroute, etc. Notez que les bières du Lièvre se retrouvent facilement chez les détaillants spécialisés à travers la province.

MICROBRASSERIE LA DIABLE

117, chemin Kandahar, Mont-Tremblant
819-681-4546
www.microladiable.com

Lundi-dimanche, 11h30-2h (la cuisine ferme à 22h). Visite des installations brassicoles et dégustation disponible sur réservation pour les groupes d'au moins 10 personnes. Items à l'effigie de la microbrasserie en vente sur place. Grande terrasse (140 places).

La Diable est l'une des brasseries artisanales les plus achalandées de la province. Située dans la station touristique du Mont-Tremblant, elle tient son nom de la rivière qui passe tout près des lieux. Ouverte en 1995, La Diable offre à ses clients six variétés de bières régulières ainsi que deux bières saisonnières aux pompes. Un menu varié de style pub vient compléter l'offre. Les habitués de la station de Mont-Tremblant ainsi que les nombreux passants jubilent, car les bières originales, diversifiées et de très bonne qualité, savent assouvir les papilles autant internationales que locales. Les brassins spéciaux suivent les saisons comme la bière au miel ou aux framboises, la Cream Ale, la Pilsener du printemps, ou encore la Lager bohémienne, par exemple. Ne reste qu'à accompagner votre pinte d'un des excellents repas préparés sur place (les grillades sont un must !) et le tout devient alors une sublime expérience gustative. Suite aux rénovations majeures effectuées en 2013, nous vous recommandons d'aller redécouvrir les lieux maintenant plus spacieux, sans oublier la belle terrasse entièrement redessinée.

NOIRE ET BLANCHE MICROBRASSERIE

196, rue Saint-Eustache, Saint-Eustache
450-983-6100
www.noire-et-blanche.ca

Lundi-mardi, 15h-minuit ; mercredi-vendredi, 11h30-2h ; samedi, 15h-2h ; dimanche, 15h-minuit. Ouverture dès 11h30 le week-end en été. Programmation culturelle et musicale. Superbe terrasse arrière.

Ouverte depuis l'automne 2012, cette microbrasserie a pignon sur rue dans un magnifique bâtiment bicentenaire du Vieux-Saint-Eustache, aux abords de la rivière du Chêne, offrant un cadre à la fois historique, champêtre et verdoyant.

Elle est la fière propriété de Pascal Laprade, Frédérick Proulx et Yan Lamoureux-Marboeuf. Ce dernier, qui s'est fait la main entre autres chez AMB | Maître Brasseur, Les Brasseurs du Nord (Boréale) et Brasseur de Montréal, est le manitou du fourquet. Ils brassent une variété de bières aux arômes subtils et au registre étendu telles la Sainte-Moustache, une blonde atypique, la B'rousse Willis, une rousse au seigle, la Rastafayan, une brune impériale, ou encore la Würm, un vin de blé. Des bières invitées d'autres microbrasseries québécoises ainsi qu'une belle sélection en importation privée complètent le tableau. À l'ardoise pour les petites et grosses faims, des amuse-gueules, des tartares (saumon, bœuf, bison), des plats à partager, des poutines gourmandes, des burgers décadents, des sandwichs européens ou de porc effiloché, et autres délices concoctés à partir des savoureux produits de la région. À noter qu'il arrive parfois que certaines bières de Noire Blanche se retrouvent chez les détaillants spécialisés ainsi qu'en fût dans quelques bars de la province.

ET AUSSI :

DIEU DU CIEL! – MICROBRASSERIE

259, rue de Villemure, Saint-Jérôme
450-436-3438
micro.dieuduciel.com

Autre adresse : 29, avenue Laurier Ouest, Montréal, 514-490-9555.

Se référer à la section « Montréal » pour plus d'information.

MICROBRASSERIE GOUDALE

4535, Grande Allée, Boisbriand
450-419-3004

MICROBRASSERIE SAINT-ARNOULD

435, rue des Pionniers, Mont-Tremblant (secteur Saint-Jovite)
819-425-1262
www.saintarnould.com

LE SAINT-GRAAL

32, rue Turgeon, Sainte-Thérèse
450-818-6039
www.saintgraal.ca

Épices et condiments

GOURMET SAUVAGE

737 rue de la Pisciculture, Saint-Faustin-Lac-Carré
819-688-1117
www.gourmetsauvage.ca

Consultez le site Internet pour connaître la liste des points de vente. Boutique en ligne également. Divers ateliers (introduction aux plantes sauvages comestibles, survie en forêt/cuisine primitive/ sagesse, etc.) et formations professionnelles offerts (voir site Internet pour plus de détails).

Fondée en 1993, l'entreprise Gourmet Sauvage, propriété de Gérald Le Gal, dévoile une diversité climatique qui cache une véritable merveille botanique. Soucieux de l'environnement fragile dans lequel il évolue, son entreprise sert de tremplin pour mieux faire connaître et apprécier la richesse et la diversité des milieux naturels. Récoltées avec soin par un vaste réseau de cueilleurs professionnels, pour ensuite être transformées à la main, les plantes sauvages comestibles sont cuisinées ici avec soin. Des produits séchés (chanterelles, morilles, bolets comestibles, trompettes de la mort…) et transformés (compote d'amélanches, moutarde à la salicorne, cœurs de quenouilles marinés, cèdre en gelée, sirop de roses sauvages…) trônent sur les étalages de nombreuses boutiques et marchés dans la province. Ces produits de qualité sont d'une grande fraîcheur et conçus dans le respect de l'environnement.

Fromages

FROMAGERIE DU P'TIT TRAIN DU NORD

624, boulevard Albiny-Paquette, Mont-Laurier
819-623-2250 / 1 866-816-4957
www.fromagerieptittraindunord.com

Vente de fromages et de produits régionaux sur place (ouvert à l'année). Conception de plateaux de fromages, de paniers-cadeaux et de dégustations de vins et fromages.

Fondé en 1998 par des passionnés désireux de rétablir la tradition fromagère dans les Hautes-Laurentides, le P'tit Train du Nord a su se tailler une place de choix au fil des ans. Le premier né fut un fromage fermier de type « tomme ». Puis vint le Windigo en 1999, un fromage de type emmenthal, véritable produit régional dans la mesure où il incorpore dans sa fabrication un hydromel de la région, la Cuvée du Diable, produit par la ferme apicole Desrochers située à Ferme-Neuve. En 2001, la fromagerie est rachetée par Francine Beauséjour et Christian Pilon, actuels propriétaires, et de nouvelles recettes sont créées : le Wabassee, un fromage de type raclette à croûte lavée à la bière artisanale, le Curé Labelle de type reblochon, le cheddar vieilli un an et parfumé au porto… On compte dorénavant une dizaine de fromages différents, parfaits compagnons de votre apéro ou d'un repas entre amis.

Lavande

LA MAISON LAVANDE, CULTURE ET PARFUMERIE

902, chemin Fresnière, Saint-Eustache
450-473-3009 / 1 877-780-3009
www.maisonlavande.ca

Parfumerie, boutique gourmande et bistro : voir site Internet pour les horaires complets. Boutique en ligne également. Grande terrasse et aires de pique-nique sur place. Visite libre des champs incluant l'animation en saison : 8 $ par adulte (gratuit hors saison). Champs de lavande accessibles seulement de mi-mai à mi-octobre. Certifié Terroir & Saveurs du Québec. Autres boutiques au Québec : Galeries d'Anjou à Montréal ; Carrefour Laval à Laval.

Inspiré d'un voyage en Provence et de ses grands champs de lavande à perte de vue, Nancie et Daniel se sont décidés à en faire autant au Québec. Aussitôt dit, aussitôt fait ! Daniel s'occupe de la culture et Nancie, de la parfumerie. Un accord parfait. La lavande est reconnue pour ses propriétés antiseptiques, bactéricides, désinfectantes, calmantes, cicatrisantes, antispasmodiques et carminatives. Il ne faut donc pas hésiter à se procurer un de leurs nombreux produits pour le corps, la maison et l'ambiance, avec des sélections incluant des fleurs, des fruits d'été ou encore de la vanille. Un arrêt à la boutique gourmande s'impose, où cette fine fleur provençale tient la vedette. Alors qu'attendez-vous pour venir profiter de ces magnifiques fleurs et humer leur doux parfum ?

À TABLE

AUBERGE LE CREUX DU VENT

1430, rue de l'Académie, Val-David
819-322-2280 / 1 888-522-2280
www.lecreuxduvent.com

Table d'hôte du soir : à partir de 29,50 $ (horaire variable, consultez le site Internet). Menu à la carte et table d'hôte gastronomique aussi offerts. Certifié Terroir & Saveurs du Québec. Hébergement et forfaits disponibles sur place.

Une adresse tout à fait délicieuse pour quiconque aime le confort douillet, la sérénité et la gastronomie. Que ce soit en salle à manger ou sur la magnifique terrasse, c'est une expérience haute en saveurs qui vous y attend : tartare de wapiti en cachette de magret de canard séché ; ris de veau rôti au vinaigre balsamique et orange, duo de navets ; pavé de bison sauce au sureau et à la framboise, poêlée de shiitake de Sainte-Adèle ; suprême de pintade, tian de sa cuisse effilochée et céleri rave. De quoi faire gronder l'estomac ! Couronnez le tout de leur sélection de fromages québécois ou d'un succulent dessert. Aussi disponibles : ateliers gastronomiques, service de traiteur et salle privée pour événement (20 places).

CLÉMENTINE

2459, rue de l'Église, Val-David
819-322-2111
www.clementineresto.com

Mardi-samedi, dès 17h30. Plats principaux à la carte : 20 $-45 $. Apportez votre vin. Terrasse couverte.

Aussi incontournable que ses fondateurs, la table de Clémentine ravit les épicuriens depuis près de 40 ans. Fondé à Oka en 1976, le restaurant s'établira à Hudson avant d'installer définitivement ses pénates à Val-David. Et quel bonheur en bouche ! Il faut dire que nos hôtes, Louise et Michel Beaulne, sont les pionniers de la cuisine régionale au Québec, et les nombreux prix et reconnaissances accumulés au fil des ans en témoignent. Le mot d'ordre : « une cuisine fraîche, spontanée, honnête et colorée ». Et c'est plus que réussi ! Une table à la hauteur de sa réputation, qui vaut absolument le détour.

AU PIED DE LA CHUTE

273, route 239 Nord, Lachute
450-562-3147
www.pieddelachute.com

Menu table champêtre : à partir de 38 $. Réservation obligatoire (capacité de 8 à 58 personnes). Méchoui sur la terrasse couverte sur réservation (minimum 20 personnes, 35 le samedi) : à partir de 35 $. Menu grill pour 20 personnes minimum et forfaits pour le corporatif aussi disponibles. Apportez votre vin. Plats cuisinés et menus 3 services à emporter (à commander 48h à l'avance). Certifié Terroir & Saveurs du Québec.

La ferme et table champêtre Au pied de la chute est la charmante propriété d'Émilie Deschênes et d'Yves Kervadec. Passionnés de cuisine, d'alimentation et de gastronomie, ils concoctent un menu rempli de petites merveilles du terroir affichant, notamment, le canard de Barbarie, le poulet fermier, le cerf rouge, la perdrix et les champignons sauvages. Tout est confectionné avec les produits de la ferme et des élevages voisins : volailles, herbes fraîches et fleurs comestibles, légumes du jardin, agneau façon méchoui, lapin, etc. Un bel endroit pour combler vos envies gourmandes.

LES RONDINS TABLE CHAMPÊTRE

5885, route Arthur-Sauvé, Mirabel
514-990-2708 / 450-258-2467
www.petite-cabane.com

Menu table champêtre : à partir de 42 $. Réservation obligatoire (capacité de 16 à 90 personnes). Apportez votre vin. Certifié Terroir & Saveurs du Québec. Cabane à sucre en saison avec animation musicale les vendredis et samedis soirs.

Dans un site enchanteur calme et reposant, vos hôtes vous offrent une savoureuse cuisine inspirée des saisons et des spécialités québécoises. Les lieux sont idéaux pour les grandes tablées ou les événements spéciaux, comme les mariages. Pour vous donnez une petite idée des saveurs qui vous attendent, on y propose la cassolette d'escargots façon bourguignonne en crème, le fondant d'agneau sauce moutarde à la bière, le médaillon de cerf sauce aux champignons des bois, et en dessert, par exemple, le gâteau aux petits fruits nappé de mousse au sirop d'érable. En saison, la « P'tite cabane d'la côte » vous plonge dans le temps des sucres avec des plats traditionnels copieux. Activités et animation musicale sont également au rendez-vous.

AUBERGISTE, À BOIRE !

BIÈRE AU MENU

71, Montée Gagnon, Bois-des-Fillion
450-621-0611
www.biereaumenu.com

Lundi-mercredi, 11h-22h ; jeudi, 11h-minuit ; vendredi-samedi, 11h-1h ; dimanche, 16h-22h (dès 11h30 en saison estivale). Terrasse. Programmation culturelle et musicale (soirées humour avec Juste Pour rire, mardis jazz, samedis en musique avec des artistes confirmés ou de la relève, etc.).

Plusieurs connaissent la Saucisserie BDF, un paradis pour l'amateur, avec une superbe sélection de bières de microbrasseries québécoises pour un accord des plus savoureux. Fondée en 2004, la saucisserie déménagea dans de nouveaux locaux plus appropriés et les propriétaires en ont profité pour ouvrir Bière au Menu, un resto de style pub adjacent à la saucisserie. Bière au Menu a de quoi faire rêver l'amateur de houblon : près de cent bières en bouteille, comprenant une belle sélection de bières en importation privée via Bièropholie, et dix lignes de fût avec une rotation selon la demande et les saisons. Pour accompagner votre pinte de houblon, un menu gourmand est proposé : amuses gueules, ailes de poulet, spécialités maison comme le boudin ou le sandwich européen, assiette de saucisses, fish & chips à la bière... On ne pourrait passer sous silence le Menu Dégustation qui comprend quatre demi-saucisses accompagnées de quatre petits verres de bières différentes avec choucroute, cornichons et frites maison. Un beau clin d'œil aux deux commerces !

MARCHANDS DE BONHEUR

AU PETIT POUCET

1030, route 117, Val-David
819-322-2246 / 1 888-334-2246
www.aupetitpoucet.com

Salle à manger et comptoir de charcuterie : lundi-dimanche, 6h30-16h. Emballages cadeaux offerts.

Ce grand classique de la cuisine québécoise a rouvert ses portes en 2008, et le bâtiment entièrement revu a su garder son cachet rustique. Au centre, un énorme foyer de bois trône et nous réchauffe pendant la saison froide. À goûter : l'incontournable jambon fumé au bois d'érable et les petits déjeuners très copieux. Comme vous risquez fort d'en vouloir plus, faites un tour au comptoir de vente où tourtière, soupe aux pois, jambon fumé au bois d'érable, cretons, tarte au sirop d'érable, sucre à la crème et autres gourmandises « bien de chez nous » vous attendent.

BOULANGERIE LA VAGABONDE

1262, chemin de la Rivière, Val-David
819-322-3953
www.boulangerielavagabonde.com

Ouvert tous les jours de 8h à 18h. Café-terrasse. Vente de produits sur place (prêt-à-manger, vrac, produits fins, accessoires, etc.). Plusieurs produits sont certifiés biologiques par Québec Vrai. Autre adresse : 955, boulevard Labelle, Saint-Jérôme, 450-432-8000.

Geneviève et Patrice, les heureux propriétaires, sans oublier l'artiste boulanger, Francis, vous partagent leur amour du pain artisanal. Pains choco-canneberge, aramé et sarrasin, noix de Grenoble, olives et romarin, fougasses, brioches, croissants, amandines au chocolat, fondant au caramel, macarons... Ça ouvre l'appétit ! Le midi, une variété de menus santé (pad thaï, sandwichs, salades...) accompagnera volontiers votre café ou thé bio équitable. Une halte gourmande et relaxante.

BOUTIQUE DES BECS-FINS

9045, boulevard Sir-Wilfrid-Laurier, Mirabel
450-258-2882
www.becsfins.com

Dimanche-lundi, 12h-17h ; mardi-jeudi, 9h30-17h30 ; vendredi, 9h30-18h ; samedi, 9h30-17h.

Spécialiste de la volaille nourrie au grain sans antibiotique pour un produit de qualité supérieure, la boutique se désigne comme LA référence en la matière. Foie gras au torchon, saumon fumé, magret fumé, friands et confit de canard, Wellington de pintade, caille à l'érable et autres délices sont les produits phares de l'entreprise. On y trouve également des mousses et terrines, des quiches et pâtés, des soupes, des sauces et fonds, des saucisses, et plusieurs déclinaisons des produits du canard, de la pintade, de la caille, du poulet et du poisson. La boutique propose également des plats cuisinés savoureux (cassoulet de canard, coq au vin, lapin au vin blanc, parmentier Becs Fins...).

ESPACE HOUBLON

180, 25e Avenue, Saint-Eustache
450-983-7122
www.espacehoublon.ca

Lundi-mercredi, 11h-18h ; jeudi-vendredi, 10h-21h ; samedi, 10h-19h ; dimanche, 10h-18h. Items reliés à la bière (verres, livres, palettes de dégustations, etc.) en vente sur place. Paniers-cadeaux sur demande. Plusieurs services clé en main. Dégustations en boutique le samedi (informez-vous également sur les événements « conférences-dégustations »).

Relativement récente sur la carte des boutiques spécialisées, Espace Houblon se dédie, comme son nom l'indique, à la bière de microbrasserie québécoise. Et le choix y est, provenant des quatre coins de la province, jumelé à de judicieux conseils pour faire un choix éclairé. Des cidres du Québec garnissent également les étalages ainsi que des charcuteries et fromages, des sauces, marinades et épices (superbe sélection pour le BBQ, 2e passion avouée des proprios de la boutique), des produits fins, des grignotines salées, et quelques petites douceurs (chocolats, caramels de pomme, gelée, etc.). À mettre au carnet d'adresse !

MAGASIN DE L'ABBAYE D'OKA

1500, chemin Oka, Oka
450-415-0651
www.magasinabbayeoka.com

Lundi-vendredi, 10h-18h ; samedi-dimanche, 9h-18h.

L'abbaye cistercienne d'Oka, fondée par des moines français à la fin du XIXe siècle, se niche dans les boisés sur les hauteurs du lac des Deux-Montagnes. Ce monastère fut un haut lieu de recueillement. Appartenant à de nouveaux propriétaires désireux de développer l'aspect touristique des lieux, les religieux habitent dorénavant un nouveau monastère situé dans la région de Lanaudière. L'ancien magasin reste ouvert à l'adresse indiquée ci-dessus, et continue à vendre, entre autres, le célèbre fromage Oka. De cette abbaye provient une partie de la tradition fromagère du Québec, cela depuis 1893. Autres produits à la boutique : chocolats, truffes, pâtes d'amandes, confiseries, produits de boulangerie, de pâtisserie et de charcuterie, produits du terroir et d'artisans, articles religieux, etc.

LES MARCHANDS DE BIÈRES

16, rue Turgeon, Sainte-Thérèse
450-951-8050

Dimanche-mercredi, 11h-18h ; jeudi-samedi, 10h-22h. Paniers-cadeaux sur demande. Dégustations organisées en boutique (voir page Facebook pour les dates).

Nouveauté rafraîchissante dans le vieux centre-ville, cette épicerie fine a ouvert ses portes en décembre 2013. On aime la localisation centrale à proximité de tout (et à deux pas de la brasserie artisanale Le Saint-Graal), le décor largement agrémenté de bois, la gentillesse et les conseils avisés du personnel, mais surtout, l'énorme sélection de bières artisanales québécoises. Et comme toute boutique à bières qui se respecte, une sélection de produits fins, tant du Québec que d'importation, vient compléter l'expérience. Cela promet de succulents accords ou, pourquoi pas, de belles idées pour cuisiner à la bière.

ACTIVITÉS GOURMANDES

GÎTE ET JARDINS DE L'ACHILLÉE MILLEFEUILLE

4352, route des Tulipes, La Conception
819-686-9187 / 1 877-686-9187
www.millefeuille.ca

Hébergement et forfaits disponibles sur place.

À 15 minutes de Mont-Tremblant, venez profiter de cette halte santé. Ici c'est vraiment la campagne, entretenue et protégée par Monique et Claude, des amoureux de la nature. Il faut voir leurs jardins bio et leur maison, construite en bois rond, pour saisir l'importance qu'ils attachent à la protection de l'environnement. À tel point que leur auberge a été l'une des premières du Québec à être certifiée bio. Il est possible de visiter les jardins, avec ou sans guide, afin d'en apprendre davantage sur les propriétés médicinales et culinaires des différentes plantes. Plusieurs ateliers sont également proposés : initiation aux champignons sauvages et médicinaux du Québec, pharmacie verte pour la famille, forfait gîte et atelier festin de cuisine santé, etc. Un véritable lieu de ressourcement.

SAINT-JOSEPH-DU-LAC

En prenant la sortie 2 de l'autoroute 640, c'est le terroir québécois qui s'offre à vous : cidreries, vergers, vignobles, fromagers… Les plus curieux feront un tour au centre d'interprétation de la courge (gratuit) afin de découvrir les membres de la famille des cucurbitacées. N'oubliez pas de prendre un petit souvenir au magasin général ! Pour plus d'information sur les saveurs locales et les activités offertes : www.basseslaurentides.com

Laval bénéficie d'une situation privilégiée à quelques minutes du centre-ville de Montréal. C'est une région dynamique et touristique qui allie avec succès le charme ancien de ses quartiers historiques à la modernité de ses entreprises de haute technologie qui y sont présentes. Laval est rapidement devenue une cité autonome où il fait bon vivre.

En plus de ses nombreux attraits touristiques et espaces verts, Laval abrite une panoplie de productions horticoles et maraîchères à un point tel qu'elle est considérée comme la « capitale horticole du Québec ». Serres de détail, kiosques fermiers, vergers et vignobles, fromageries, chocolateries, boutiques gourmandes... Vous trouverez ici amplement de quoi occuper votre journée ou week-end, et gageons que vous ne repartirez pas les mains vides.

TOURISME LAVAL

450-682-5522 / 1 877-465-2825
www.tourismelaval.com

ÉVÉNEMENT

LES FÊTES GOURMANDES INTERNATIONALES DE LAVAL

Place Claude-Léveillée
Angle du boulevard de l'Avenir et de la rue Jacques-Tétreault
450-668-9119
www.fgil.ca

En juillet.

CIRCUIT AGROTOURISTIQUE ET DE DÉCOUVERTE

LES CIRCUITS AGROTOURISTIQUES ET HORTITOURISTIQUES DE LAVAL

www.saveursdelaval.com

À parcourir... Située seulement à quelques minutes de Montréal, partez à la découverte de cette île et des nombreuses saveurs qu'elle a à vous offrir.

À découvrir / À faire... Trois circuits vous sont proposés : La Route des fleurs, Les chemins de la nature et La venue des récoltes. Tous étant situés dans des régions différentes de Laval, les circuits vous proposent une multitude de découvertes. Malgré leur thématique, il est possible d'explorer divers secteurs agroalimentaires dans chaque circuit. Par exemple, La Route des fleurs vous propose de visiter des serres, des jardins et des pépinières, mais elle est aussi ponctuée d'adresses comme des fermes fruitières et des ruchers. Quelques découvertes sur ces circuits et à la grandeur de l'île : les plantes, fleurs et fines herbes des Serres Sylvain Cléroux, la production biologique du Paradis des Orchidées, les vins et cidres du Château Taillefer Lafon, les jus frais pressés d'Orange Deluxe, les bouchées d'amour de la Fromagerie du Vieux Saint-François, les fèves au lard l'Héritage, ou encore les truffes à la pâte de noix de Tessier dit Lavigne. Pour compléter l'expérience, événements, activités saisonnières, repas champêtres et autres suggestions sont proposés sur le site Internet.

PRODUCTEURS

Chez le brasseur

LES 3 BRASSEURS

2900, avenue Pierre-Péladeau (Centropolis)
450-988-4848
www.les3brasseurs.ca

Dimanche-mercredi, 11h30-minuit ; jeudi, 11h30-1h ; vendredi-samedi, 11h30-2h. Terrasse chauffée.

Se référer à la section « Montréal » pour plus d'information.

Chocolats et confiseries

TESSIER DIT LAVIGNE

3137, boulevard Industriel
450-663-9361
www.tessierditlavigne.com

Boutique ouverte : lundi-samedi, 10h-17h. Boutique en ligne également.

Il y a un peu plus d'une dizaine d'années, à même leur résidence, Marcel et Maria Tessier se sont lancé dans la confection de truffes fondantes à la pâte de noix « Noix d'or », un produit unique au monde en raison des enrobages variés. Voulant occuper leur retraite, ce dessert unique en son genre leur a donné envie de créer une entreprise afin de rechercher et de développer de nouvelles saveurs. Maria, mexicaine d'origine et cuisinière de formation, confectionne la pâte de noix, un produit développé par ses ancêtres. Que vous vouliez accompagner les truffes de porto et fromages, de café ou thé, de champagne ou cidre, vous trouverez d'excellentes suggestions sur leur site Internet.

Fromages

FROMAGERIE DU VIEUX ST-FRANÇOIS

4740, boulevard des Mille-Îles
450-666-6810
www.fromagerieduvieuxstfrancois.com

Lundi, fermé ; mardi-mercredi, 10h-18h ; jeudi-vendredi, 10h-19h ; samedi-dimanche, 10h-17h.
Visite (libre ou commentée) avec dégustation offerte à faible coût. Aire de pique-nique sur place.

Suzanne Latour, diplômée de l'Institut Technologique et Agroalimentaire de Saint-Hyacinthe, œuvre dans la production laitière depuis 1982. Possédant son propre troupeau de chèvres, c'est en 1996 qu'elle décide de transformer leur lait en fromage. Afin d'assurer la fraîcheur du lait qui sera utilisé pour la fabrication de son fromage, elle fait alors construire une fromagerie à deux pas de sa ferme. Aujourd'hui, l'entreprise fabrique une belle variété de fromages de chèvre à pâte ferme fraîche ou vieillie, comme le fromage à tartiner ou les succulentes bouchées d'amour (bouchées de fromage frais non-affiné à pâte molle, marinées dans l'huile de pépin de raisin aromatisée et enrobées d'épices comme les herbes de Provence, la ciboulette, l'ail et le persil). La fromagerie vous propose également du lait et du yogourt de chèvre.

À TABLE

RESTAURANT LE MITOYEN

652, rue de la Place Publique
450-689-2977
www.restaurantlemitoyen.com

Mardi-dimanche, dès 18h. Plats principaux à la carte : 30 $-50 $. Table d'hôte : 48 $, menu dégustation : 90 $ (127 $ avec l'accord des vins). Terrasse.

Le Mitoyen est reconnu comme étant l›une des meilleures tables du Québec depuis plus de 35 ans. Situé au cœur du Vieux-Sainte-Dorothée, il accueille les convives dans le décor élégant et l'ambiance chaleureuse des salons de sa magnifique maison de campagne. Le chef Richard Bastien, dont la réputation n'est plus à faire, concocte des plats raffinés avec, notamment, l'agneau des Cantons, le porcelet des Basses-Laurentides, le cerf de Boileau et les fromages québécois. L'impressionnante carte des vins, composée de nombreux crus en importation privée, en fera sourire plus d'un. Une grande table qui sait rester humble.

AUBERGISTE, À BOIRE !

LE BALTHAZAR BIÈRES QUÉBÉCOISES

195, Promenade du Centropolis
450-682-2007
www.lebalthazar.ca

Lundi-vendredi, 11h30-3h ; samedi-dimanche, 16h30-3h. Menu midi, à la carte, table d'hôte du soir et fin de soirée disponibles. Programmation culturelle et musicale. Terrasse. Autres bars Le Balthazar : 67, Place Bourget Sud à Joliette ; 2501, rue Saint-Dominique à Saguenay (secteur Jonquière). Épicerie Le Balthazar Saveurs Québécoises : 60, Place Bourget Nord à Joliette.

Se référer à la section « Lanaudière » pour plus d'information.

MARCHANDS DE BONHEUR

JARDIN DES ANGES

24, rue de la Pointe-Langlois
450-258-4889 / 514-258-4889
www.jardindesanges.com

Consultez le site Internet ou communiquez avec eux par téléphone pour vous inscrire (gratuit) et connaître les modalités de commande et le territoire desservi. Certifié biologique par Québec Vrai.

Fondée en 1999, cette PME prépare et livre 80 000 paniers bio par an. Le Jardin des Anges a développé un réseau d'approvisionnement de producteurs locaux qu'il soutient d'année en année par la mise en marché des spécialités de chacun. Cela permet d'avoir une grande qualité mais surtout, une diversité incroyable de produits, pour la plupart bio, locaux et éthiques. En effet, en plus des nombreux produits alimentaires, allant des fruits et légumes aux produits céréaliers, en passant par les substituts de viande, vous y retrouverez des produits sans gluten et d'épicerie fine, des produits de beauté, d'entretien ménager, et même des vêtements.

KIOSQUES FERMIERS

Lors de la belle saison, des kiosques fermiers vendent leurs produits à même les lieux de production. Répartis aux quatre coins de l'île, ces kiosques vous proposent des fruits et légumes frais, parfois certifiés biologiques, ainsi qu'une sélection de produits du terroir. La plupart offrent également l'activité d'autocueillette. Pour obtenir les coordonnées des producteurs : www.saveursdelaval.com

MARCHÉ PUBLIC 440

3535, autoroute Laval Ouest (440)
450-682-1440
www.marche-public440.com

Lundi-mercredi & samedi-dimanche, 9h-18h ; jeudi-vendredi, 9h-21h.

Des couleurs, des odeurs et des mets savoureux... Et oui, vous êtes bien au marché public 440 ! Existant depuis 1983, il permet aux habitants de la région de profiter des produits de la ferme, du terroir et d'ailleurs. Situé à proximité des grands axes routiers, il est donc facile d'accès. Poissons frais, viandes et charcuteries, fruits et légumes, fromages et desserts variés, tout y est. Un véritable festival de la gastronomie ! De plus, des fêtes maraichères ont lieu les week-ends en saison estivale. Et si tous ces étalages gourmands vous ont ouvert l'appétit, vous trouverez des restaurants sur place pour combler votre faim.

MARIUS ET FANNY

239G, boulevard Samson
450-689-0655
www.mariusetfanny.com

Lundi-vendredi, 7h-19h ; samedi, 8h-18h ; dimanche, 8h-17h30. Salon de thé sur place. Service de traiteur et pour occasions spéciales. Autres adresses : 4439, rue Saint-Denis à Montréal, 514-844-0841 ; 1895, rue Piché à Montréal (secteur Lachine), 514-639-4258 ; 3119, rue Victoria à Montréal (secteur Lachine), 514-637-2222.

Une adresse gourmande comme on les aime, avec un éventail de produits plus savoureux les uns que les autres. Le rayon pâtisserie a de quoi faire rêver, avec ses tartelettes, mille-feuille, éclairs, croustillants et autres délices. Le comptoir chocolaterie est tout aussi divin, sans oublier la bonne odeur de pain frais de la boulangerie, les viennoiseries pur beurre, et la douzaine de sortes de macarons. Un petit coin est aménagé pour déguster un café, thé ou chocolat chaud, que l'on accompagne volontiers d'une viennoiserie maison.

ACTIVITÉS GOURMANDES

AUTOCUEILLETTE

Pourquoi ne pas emmener vos petits gourmands cueillir eux-mêmes leurs fruits préférés ? De nombreuses fermes lavalloises sont ouvertes au public pendant l'été et l'automne. Les dates des récoltes varient selon le fruit : en général, la saison débute en juin avec les fraises et les framboises, se poursuit en juillet/août avec les bleuets, pour finir en septembre avec la saison des pommes et des poires. Pour plus d'information : www.saveursdelaval.com

FERME SAURIOL

3150, boulevard des Mille-Îles
450-666-6564
www.fermesauriol.com

Lundi-vendredi, 8h-20h ; samedi-dimanche, 8h-17h. Marché intérieur (produits de la ferme et de la région), autocueillette, aire de pique-nique. Certifié Terroir & Saveurs du Québec.

Michel Sauriol et ses deux fils, Mario et Christian, travaillent cette terre acquise en 2001 où ils cultivent nombreux légumes (tomates, aubergines, poivrons doux...) et des petits fruits (fraises, framboises...). Ils sont mis en vente sur place au marché intérieur, natures ou transformés. L'autocueillette reste une activité phare qui plaît à tous, tant pour l'expérience que le coût réduit des aliments sur place. Une belle aventure maraichère !

MAURICIE

À mi-chemin entre Montréal et Québec, cette région se trouve au cœur de la zone habitée du Saint-Laurent. La Mauricie englobe un immense territoire s'étendant du sud au nord à partir du fleuve. Ses paysages sont modelés par le Bouclier canadien qui couvre la Haute-Mauricie, par la plaine littorale qui borde le Saint-Laurent, et par les Appalaches qui effleurent sa partie sud. La Mauricie, c'est essentiellement la nature dans toute sa beauté majestueuse et plus particulièrement l'alliance de l'eau, de la montagne et de la forêt. C'est une région de détente où les activités de plein air sont légion. On peut y pratiquer la randonnée équestre, les sports nautiques, le vélo, le canot, le quad, la motoneige, etc. On peut facilement s'y rendre le temps d'un week-end pour se relaxer dans un endroit paisible. On y retrouve un parc national, deux réserves fauniques, un immense territoire de chasse, de pêche et de plein air.

En Mauricie, votre côté gourmand ne sera pas en reste ! Plus d'une centaine d'entreprises vous offrent des expériences agrotouristiques en tous genres allant des visites guidées à l'autocueillette, en passant par les tables champêtres et les centres d'interprétation. Venez donc goûter la richesse du terroir mauricien !

TOURISME MAURICIE

819-536-3334 / 1 800-567-7603
www.tourismemauricie.org

ÉVÉNEMENTS

LA SOIRÉE DES BRASSEURS

Centre-ville de Shawinigan
819-556-6666, poste 3300
www.troududiable.com
www.facebook.com/SoireeDesBrasseurs

En août.

LES DÉLICES D'AUTOMNE

Parc portuaire, Trois-Rivières
819-370-6635
www.delicesdautomne.qc.ca

Fin août - début septembre.

FESTIVAL DE LA GALETTE DE SARRASIN DE LOUISEVILLE

Divers endroits à Louiseville
819-228-9993
www.festivalsarrasin.com

En octobre.

CIRCUIT AGROTOURISTIQUE ET DE DÉCOUVERTE

LES P'TITES FOLIES AGROALIMENTAIRES DE LA MAURICIE

www.petitesfoliesagro.com

Conçu par l'office du tourisme régional, ce site est une vraie mine d'informations sur l'agroalimentaire en Mauricie. Vous y trouverez le répertoire des entreprises de la région classées selon cinq catégories : comptoirs et bonnes tables, fleurs et fruits, terres et rivières, sirops et dérivés, festivals et événements. Grâce à la carte détaillée des entreprises, vous pourrez concevoir votre propre circuit selon vos goûts. Partez à la rencontre de ces producteurs, artisans, transformateurs, restaurateurs, aubergistes et autres passionnés du terroir mauricien. Plusieurs activités sont organisées au fil des saisons : autocueillette, visites guidées, dégustations et repas champêtres… Si vous cherchez des idées recette pour apprêter les victuailles rapportées de votre escapade, une section du site Internet présente des trucs culinaires et des recettes sympathiques.

PRODUCTEURS

Breuvages, vins et spiritueux

LES BOISSONS DU ROY

745, rue Principale, Sainte-Anne-de-la-Pérade
418-325-2707
www.boissonsduroy.com

Restaurant avec terrasse fermée (4 saisons) et boutique du terroir sur place, ouverts tous les jours dès 11h. Activité d'autocueillette en saison.

Cette entreprise mauricienne cultive toutes sortes de bons produits maraîchers dont des fraises, framboises et bleuets. Ces petits fruits sont entre autres utilisés dans la confection de savoureuses boissons alcoolisées : le Pérado (« porto » de bleuets, excellent avec les fromages et les desserts chocolatés), le Fou du Roy (petits fruits, récipiendaire d'une médaille d'argent à la Coupe des Nations en 2009), la Préférée du Roy (framboises, peut servir à la fabrication d'un coulis pour les gâteaux au fromage ou la crème glacée), la Dame des Champs (fraises, se prête très bien à l'élaboration de cocktail d'été et d'apéritif fruité), et Sa Majesté (vin de fraise aromatisé à la rhubarbe, sublime en kir avec la Préférée du Roy). À découvrir absolument !

Chez le brasseur

À LA FÛT

670, rue Notre-Dame, Saint-Tite
418-365-4370
www.alafut.qc.ca

Juin à mi-septembre : tous les jours dès 11h. Le reste de l›année : mercredi au dimanche dès 11h. Ouvert tous les jours durant le festival Western. Visite des installations brassicoles sur demande. Items à l'effigie de la brasserie en vente sur place. Terrasse.

Établie dans le premier magasin général du village western de Saint-Tite, la microbrasserie À la Fût vous convie à une expérience de dégustation bières et bouffe. Brassées sur place avec de l'orge local et biologique, ses bières sauront vous faire découvrir différents styles d'origine au goût du terroir mauricien. D'ailleurs, la coopérative s'est méritée le titre de « Bière de l'année » au Canada en plus de remporter cinq médailles aux Canadian Brewing Awards 2012. Elle a aussi remporté les Grands Prix du tourisme régionaux en 2009, 2011 et 2013. Pour agrémenter votre expérience, la cuisine du resto-pub saura vous faire saliver avec ses produits de la Mauricie. Vous pourrez, entre autres, savourer leur réputé Truite'n'chips, des côtes levées à la bière noire, des pogos deluxe, du steak mariné à Veillette, de la poutine à la bière brune, du « Pulled Pork », des burgers locaux, ou encore de la crème brûlée à la bière. Vins, spiritueux et un menu pour enfants sont aussi offerts. Finalement, n'oubliez pas de rapporter de la bière en canettes ou en cruchons de 2L à la maison.

MICROBRASSERIE NOUVELLE-FRANCE

90, Rang Rivière aux Écorces, Saint-Alexis-des-Monts
819-265-4000
www.lesbieresnouvellefrance.com

Lundi-dimanche, 11h-fermeture (selon l'affluence). Pour plus d'information sur la Ferme Nouvelle-France, référez-vous à la rubrique « Activités gourmandes » de cette région.

Les bières de la Microbrasserie Nouvelle-France ont comme particularité d'être brassées en utilisant une bonne portion de grains crus d'utilisation ancestrale comme le riz, l'épeautre et le sarrasin. Sa malterie expérimentale lui a permis de pousser les recherches vers l'utilisation de nouveaux malts et d'élaborer quatre bières sans gluten : les Messagères (ale blonde, rousse et aux fruits, lager de millet). Sachez qu'il est possible de visiter la brasserie et son centre d'interprétation des métiers d'art et d'agroalimentaire pendant la saison touristique (réseau ÉCONO-MUSÉE). Un bistro et une boutique font également partie des services offerts par la microbrasserie. Imaginez pouvoir vous retrouver dans une auberge de l'époque de la Nouvelle-France où festivités, musique, convivialité, boustifaille et bonne bière règnent en rois et maîtres. C'est le concept même du restaurant de la Microbrasserie Nouvelle-France. Le personnel, vêtu du costume traditionnel de l'aubergiste du XVIIe siècle, vous fera découvrir une cuisine régionale servie « à la bonne franquette », sans oublier les bières maison. Afin de vivre pleinement l'expérience, deux forfaits sont disponibles afin d'initier les visiteurs au merveilleux monde la bière. Avant de partir, n'oubliez pas de faire un arrêt à la petite boutique artisanale où bières, produits du terroir, chopes, artisanat et autres vous séduiront.

LE TEMPS D'UNE PINTE

1465, rue Notre-Dame Centre, Trois-Rivières
819-694-4484
www.letempsdunepinte.ca

Lundi-mercredi, 7h-minuit ; jeudi-samedi, 7h-1h ; dimanche, 8h-minuit.
Programmation culturelle et musicale. Terrasse.

(Extrait de l'article écrit par David Lang pour notre magazine Québec le mag)

Le Temps d'une pinte est la microbrasserie qui vient d'investir trois étages historiques de la rue Notre-Dame, en plein centre-ville. Des murs qui jadis abritaient la papeterie P.-V. Ayotte et, jusqu'en 2013, l'incontournable Torréfacteur. Si l'on peut toujours y commander un bon petit noir fraîchement torréfié, les quatre garçons associés dans ce projet ont imaginé une nouvelle vie bien plus audacieuse et ouverte à ce lieu se voulant à l'épicentre de l'effervescence trifluvienne. Pour eux, l'endroit se devait de préserver une certaine continuité historique – l'activité de torréfaction et la mise en valeur des beaux espaces du vieil édifice – tout en apportant quelque chose de vraiment nouveau. Résultat ? Le Temps d'une Pinte n'est pas seulement une microbrasserie où coulent à flot les bières maison et celles invitées. Ce n'est pas non plus simplement « le » café du coin, comme le laisserait penser la vieille machine à torréfier restée dans le décor. Ni même un simple lieu de bistronomie raffinée où se délecter d'assiettes imaginées par le chef qui ne manque pas une occasion de mettre en valeur les produits de la région. Le Temps d'une Pinte n'est pas plus juste un lieu de détente et de convivialité où écouter de la bonne musique live, contempler des œuvres aux murs ou prendre sa part de « nightlife » trifluvien dans un climat que vos hôtes aiment qualifier de « festif responsable ». Le Temps d'une Pinte, c'est tout cela à la fois !

© NRL

LE TROU DU DIABLE

412, rue Willow, Shawinigan
819-537-9151
www.troududiable.com

Ouvert à l'année; tous les jours dès 15h. Cuisine ouverte mardi-dimanche, 17h-21h. Du jeudi au samedi, il est préférable de réserver pour le repas. Visite des installations brassicoles et dégustation sur réservation. Items à l'effigie de la microbrasserie en vente sur place. Terrasse avec vue sur la rivière St-Maurice.

Le Trou du diable, aussi appelé « Le Trou des mauvais Manitous » par les Amérindiens, est une formation géographique appelée « chaudron » se trouvant dans les chutes de Shawinigan. La croyance folklorique veut que ce trou sans fond mène directement en enfer... Mais Le Trou du diable, c'est également une microbrasserie fort réputée. Sur place, on retrouve toujours une quinzaine de ses produits en pompe, en rotation selon les saisons et les humeurs, car c'est en tout plus de soixante-dix recettes de bières qui ont été brassées ici au fil des ans. Il y en a tellement que nous vous conseillons de consulter leur site Internet pour vous mettre l'eau à la bouche ! En plus de ses excellentes bières maison (dont plusieurs maturées en barriques), cette coopérative de travail propose une cuisine bistro fort colorée, où mets d'ici et d'ailleurs d'une grande fraîcheur se mélangent au grand profit de nos papilles gustatives. L'emphase est mise sur les produits d'artisans locaux : assiette de fromages québécois, cerf rouge du Québec, filet de truite de Saint-Alexis... Une foule d'événements y est également organisée, allant d'expositions d'art visuel aux soirées DJ, en passant par les dégustations de bières en cask et de scotchs, sans oublier l'incontournable Soirée des brasseurs en août et la déjantée semaine de l'Oktoberfest à la fin septembre.

SALON WABASSO DE LA SHOP DU TROU DU DIABLE

Ô bonheur ! Une 2e brasserie a vu le jour, à quelques pas du resto-pub, question de donner un essor industriel à la production du TDD en augmentant sa capacité de brassage destinée majoritairement à l'embouteillage. Un salon de dégustation, le Salon Wabasso, jouxte les installations. S'y déroulent également plusieurs activités telles des conférences, des spectacles musicaux, la retransmission d'événements sportifs sur grand écran, etc. L'ouverture d'une boutique est également prévue en 2014. Une nouvelle adresse à mettre au carnet, question de doubler le plaisir ! Salon Wabasso : 1250, avenue de la Station, suite 300, Shawinigan, 819-556-6666.

ET AUSSI :

BROADWAY PUB

540, avenue Broadway, Shawinigan
819-537-0044
www.broadwaypub.net

GAMBRINUS

3160, boulevard des Forges, Trois-Rivières
819-691-3371
www.gambrinus.qc.ca

Fromages

FROMAGERIE F.X. PICHET

400, boulevard de Lanaudière, Sainte-Anne-de-la-Pérade
418-325-3536
www.fromageriefxpichet.com

Boutique ouverte : lundi-vendredi, 10h-17h30 ; samedi-dimanche, 9h30-17h30. Visite guidée à la ferme de Champlain sur réservation de groupe d'au moins 15 personnes (incluant la dégustation et une présentation audiovisuelle sous le chapiteau de la ferme). Certifié biologique par Québec Vrai.

Avec des valeurs importantes telles que le respect des traditions et de l'environnement, Michel Pichet, producteur laitier biologique, et sa conjointe Marie-Claude Harvey, directrice générale de la maison d'affinage, prennent soin de leurs bonnes vaches laitières pour donner naissance à des fromages crémeux et fondants : le Baluchon (pâte semi-ferme de 2 mois d'affinage, titré « Fromage d'exception » dans le cadre du Concours des fromages fins canadiens en avril 2014), la Réserve de la Pérade (pâte ferme de 5 mois d'affinage), le Roy Léo (fermier au lait cru biologique à pâte dure affiné pendant 7 mois), et le Champlain (pâte molle non coulante de 45 jours d'affinage). Avec l'assemblage de ces fromages, ce producteur façonne « la fondue du chef » : gourmande, naturelle et de caractère. Un vrai délice ! Vous trouverez ces produits à leur boutique (possibilité de dégustation sur place) ainsi que des fromages artisanaux québécois, du fromage en grains frais du jour, des viandes biologiques de la ferme F.X. Pichet, et différents produits du terroir.

Viandes et charcuteries

FERME LA BISONNIÈRE

490, rang Sainte-Élisabeth, Saint-Prosper
819-328-3669
www.bisonniere.com

Ouvert toute l'année (relais motoneige en hiver, boutique et restaurant ouverts). Visite guidée à la ferme en remorque, durée 1h : 9 $; visite guidée et repas champêtre : 30 $; visite guidée et repas champêtre gastronomique : 36 $. Repas servi sous forme de buffet à volonté. Réservation requise pour les visites et repas. Boutique sur place (produits dérivés du bison, artisanat indien, vêtements et accessoires cowboy). Certifié Terroir & Saveurs du Québec.

À la Ferme La Bisonnière, vous découvrirez le plus gros animal terrestre du continent : le bison. Cet animal, très important dans l'histoire de la nation, était chassé et cuisiné par les premiers habitants de cette contrée : les Amérindiens. Espèce en voie de disparition aujourd'hui, Daniel Gagnon et Sylvie St-Arneault ont donc décidé de s'occuper de ces animaux pour pouvoir les connaître davantage. Vous pourrez visiter l'élevage de 200 bisons à bord d'une remorque protégée par un toit afin de les observer en tout temps. Côté boustifaille, toutes les parties de l'animal sont cuisinées et donnent d'excellents produits : tourtière, saucisse, terrine, filet mignon, steak de surlonge, ragoût, langue, foie... De quoi régaler vos papilles ! D'autres produits dérivés du bison sont aussi proposés à la ferme : cuir, sculpture sur os et bois, bijoux, etc. Une vraie aventure et un retour dans l'histoire de l'alimentation dans un décor typique, sécuritaire et familiale.

À TABLE

AUBERGE LE BALUCHON

3550, chemin des Trembles, Saint-Paulin
819-268-2555 / 1 800-789-5968
www.baluchon.com

Ouvert tous les soirs en formule table d'hôte 4 services. Brunch du dimanche : adulte 25 $, 5-12 ans 15 $. Cabane à sucre sur le site (début mars à fin avril) : adulte 31 $, 5-12 ans 20 $. Hébergement et forfaits disponibles sur place.

La table gastronomique de cette auberge haut de gamme n'a plus besoin de présentation. Avec le jeune exécutif Yan Gabriel Gauthier et son équipe chevronnée aux commandes, vous pouvez vous attendre à une expérience riche en découvertes gustatives, axée sur la cuisine nordique. Fiers représentants de notre terroir, les produits régionaux composent en grande partie le menu : truite de Saint-Alexis-des-Monts, esturgeon noir de Kamouraska, agneau de Saint-Lambert-de-Lauzon, cerf rouge des Appalaches, canard du Lac Brome, fromages québécois… Et que dire des desserts sinon qu'ils sont tous irrésistibles, tout comme cette charmante auberge.

ÉCO-CAFÉ AU BOUT DU MONDE

3550, chemin des Trembles, Saint-Paulin
819-268-2555 / 1 800-789-5968
www.baluchon.com

Ouvert toute l'année (horaire variable selon la saison). Menu à la carte : moins de 25 $, table d'hôte : ajouter 12,95 $ au prix du plat principal. Plateau signature : 65 $ pour deux. Certifié Terroir & Saveurs du Québec. Épicerie fine sur place.

Situé sur le site champêtre de l'Auberge Le Baluchon, ce café éco-gastronomique fait la promotion de l'alimentation de proximité et de la cuisine régionale, tout en favorisant la production naturelle et biologique. Des spécialités savoureuses comme le steak de foie de sanglier poêlé, les saucisses locales et artisanales grillées avec choucroute maison, ou encore le carré de proc naturel grillé avec sauce aigre-douce érable et thé du Labrador. Pour les petits appétits, sandwichs artisanaux, poutines gourmandes et planchette bistronomique figurent au menu, sans compter le sublime gâteau au fromage sur brownie mi-cuit du côté des douceurs. On retrouve aussi une petite variété de thés provenant des quatre coins de l'Asie, du café bio-équitable, une belle carte des vins (dont plusieurs crus québécois), et des bières de microbrasseries québécoises (palettes de dégustation disponibles).

LES CAPRICES DE FANNY

1241, rue Principale, Saint-Étienne-des-Grès
819-535-1291
www.capricesfanny.com

Jeudi-samedi, dès 17h30 (ouvert du lundi au samedi sur réservation de groupe). Tables d'hôte : à partir de 19,95 $. Vins proposés au même tarif que la SAQ +5 $. Réservation obligatoire.

C'est avec le plus grand des plaisirs, sur le ton d'une musique française, que Franck Richard et sa conjointe France Fournier vous accueillent dans leur restaurant chaleureux et familial. On vous propose ici une vraie cuisine du terroir composée de produits locaux et raffinés. Avis aux gourmands : Franck présente chaque semaine des menus différents, allant de la terrine de gibier du terroir au médaillon de cerf de la Petite-Nation, en passant par la bisque de homard des Îles de la Madeleine et la pintade de Lanaudière. Ce cuisinier créatif ne cesse de renouveler ses idées, allant même jusqu'à organiser des soirées spéciales : soirée tapas aux saveurs du terroir québécois, soirée à saveurs automnales, etc.

MARCHANDS DE BONHEUR

LA BARIK

4170, boulevard des Forges, Trois-Rivières
819-694-0324
www.labarik.com

Lundi-mercredi & samedi, 9h30-20h ; jeudi-vendredi, 9h30-21h30 ; dimanche, 11h-18h. Paniers-cadeaux sur mesure, verres à bière en vente sur place.

On sait qu'on ne s'est pas trompé d'adresse en arrivant devant La Barik ! Les caisses de bières trônent dans la vitrine et les enseignes sont synonymes de houblon. Plus de 70 brasseurs différents sont ici représentés. Il ne reste qu'à faire rapidement le calcul pour constater la grande diversité de bières disponibles. On y retrouve donc à juste titre la plus belle sélection de la Mauricie et son personnel est bien formé pour vous donner des conseils judicieux. La Barik, c'est également une petite boutique du terroir où se retrouvent chocolat, beurres, confitures, cidres, terrines, épices, fromages, vinaigrettes, moutardes, produits de l'érable et plus encore.

MAGASIN GÉNÉRAL LE BRUN

192, route Pied de la Côte, Maskinongé
819-227-2650
www.magasingenerallebrun.com

Lundi-dimanche, 10h-17h. Fermé du lundi au mercredi de novembre à fin mars. Spectacles musicaux et événements culturels en soirée dans « L'Grenier » (voir site Internet pour la programmation, théâtre d'été de fin juin à mi-août). Entrée libre, visites guidées et spectacles payants.

Véritable témoin du passé à Maskinongé, ce musée-boutique regroupe trois magasins généraux établis respectivement en 1803, 1827 et 1915. Répertorié site historique par le gouvernement du Québec en 1981, des visites guidées y sont offertes du jeudi au dimanche en saison estivale (sur réservation hors saison) et vous plongeront dans l'atmosphère des magasins du début du XXe siècle. Bien entendu, vous pouvez faire vos emplettes sur place parmi une grande sélection de produits du terroir et d'artisans, sans compter les produits provenant du monde entier. Une programmation culturelle et musicale vient également ponctuer les saisons. Lors de votre prochain passage dans la région, faites une halte au magasin et prévoyez un peu de temps, question de bien profiter de l'ambiance des lieux.

ACTIVITÉS GOURMANDES

FERME NOUVELLE-FRANCE

2581, rang Augusta, Sainte-Angèle-de-Prémont
819-265-4000
www.fermenouvellefrance.com

Mi-juin à la fête du Travail : ouvert tous les jours de 10h à 18h. Fête du Travail à l'Action de Grâce : les week-ends seulement. Ouvert en tout temps sur réservation. Entrée libre, circuit avec interprétation tarifé. Forfaits disponibles. Halte-vélo, aire de jeux, aire de pique-nique, service de restauration avec permis d'alcool. Nombreux services pour l'événementiel.

Propriété de la Microbrasserie Nouvelle-France, cet immense site d'interprétation agrotouristique propose une vaste gamme d'activités et de services mettant à l'honneur le patrimoine rural et agricole. Et il y en a vraiment pour tous les goûts et tous les âges ! À pied, à vélo ou en carriole, partez à la découverte des Circuits cultivés bien enracinés qui comprennent un potager de légumes anciens, un verger d'arbres rustiques, des jardins, un marais filtrant, un parc d'oiseaux, un vignoble, une zone sans gluten de céréales, une houblonnière, et le musée agricole Wellie Branchaud. Les enfants adoreront la fermette et ses petits animaux, alors que les gourmands feront un saut du côté du marché champêtre et de la boutique artisanale. En tous les cas, prévoyez du temps pour profiter au maximum de votre visite.

LE TEMPS DES CERISES

473, 1er Rang Nord, Charette
819-221-3055
www.letempsdescerises.ca

Centre d'interprétation ouvert à l'année (horaire variable selon la saison). Accès gratuit au site. Visite guidée et dégustation : adulte 13 $, aîné et étudiant 12 $, 13-17 ans 10 $, 5-12 ans 8 $, famille 35 $. Bistro et boutique sur place. Programmation d'événements thématiques dont La Cabane à Cerise en mars et avril. Forfaits disponibles. Certifié Terroir & Saveurs du Québec.

Première cerisaie à s'établir au Québec, on trouve sur place plusieurs variétés de griottes et plus de 8 000 cerisiers ! Avec un climat aussi rude que le nôtre, il fallait trouver des cerisiers capables de supporter des froids allant jusqu'à -35 °C. La cerise sucrée a donc dû laisser place à la griotte, ou cerise acidulée. Cette dernière, également considérée comme un « superfruit », possède davantage de nutriments et substances phytochimiques que la plupart des fruits. Il est possible d'aller sur place cueillir des cerises et de déguster des produits dérivés de ce petit fruit.

MONTÉRÉGIE

La Montérégie est un vaste territoire de plus de 10 000 km^2 où dominent collines et vallées. Le nom Montérégie trouve son origine dans les collines appelées « montérégiennes » qui émergent de la plaine. Bordée de lacs et de rivières, la Montérégie possède un réseau hydrographique important qui fut le témoin privilégié de plusieurs batailles historiques.

La rivière Richelieu, qui traverse la Montérégie du nord au sud, servait autrefois de voie navigable pour le commerce avant de voir construire, sur ses berges, des fortifications qui servirent à défendre la population des attaques militaires. D'ailleurs, la Montérégie est la troisième région en importance au Québec en ce qui concerne le nombre de sites historiques, de musées et de centres d'interprétation.

Cette région est aussi surnommée, à juste titre, « le jardin du Québec » : c'est une des terres les plus riches de la province au niveau agricole. Pour vous permettre de découvrir les joyaux gourmands de la région, plusieurs circuits vous sont suggérés. En plus des trois parcours que nous vous proposons plus bas, il existe aussi ceux de la Route des vins du Québec et de la Route gourmande des fromages fins du Québec dont une portion se trouve en Montérégie.

TOURISME MONTÉRÉGIE

450-466-4666 / 1 866-469-0069
www.tourisme-monteregie.qc.ca

ÉVÉNEMENTS

BIÈRES ET SAVEURS & ALCOOLS ET SAVEURS

Lieu historique national du Fort-Chambly, Chambly
450-447-2096
www.bieresetsaveurs.com

*Fin août - début septembre. *Édition d'hiver : Alcools et Saveurs au début février au même endroit.*

Cet événement convie chaque année les bièrophiles, du simple amateur au plus aguerri, à une grande fête en plein air dans un cadre des plus champêtres. Pendant quatre jours, les amateurs de saveurs sont invités à déguster des produits brassicoles québécois et importés, en plus de pouvoir découvrir de nouveaux menus associés à la bière. Une centaine de kiosques de produits de dégustation, de l'animation, des conférences, le concours La Grande Brasse, des spectacles, de grandes terrasses pour se relaxer entre amis, tout y est pour une expérience mémorable dans le cadre enchanteur du bassin de Chambly. Vous en voulez davantage ? Leur édition d'hiver ne propose rien de moins qu'un voyage sous l'ère prohibitionniste et les années folles, à la découverte d'alcools forts et de saveurs chaleureuses et envoutantes (www.alcoolsetsaveurs.com). Deux must !

LE MONDIAL DES CIDRES DE GLACE DU QUÉBEC

Rougemont
450-640-0526
www.mondialcidresdeglace.com

En février.

FESTIVAL DE LA GIBELOTTE DE SOREL-TRACY

Divers endroits à Sorel-Tracy
450-746-0283 / 1 877-746-0283
www.festivalgibelotte.qc.ca

En juillet.

LE RENDEZ-VOUS DES PAPILLES

Marché public et Parc Casimir-Dessaulles, Saint-Hyacinthe
450-778-8499
www.rendezvousdespapilles.qc.ca

En septembre.

CIRCUITS AGROTOURISTIQUES ET DE DÉCOUVERTE

LE CIRCUIT DU PAYSAN

www.lecircuitdupaysan.com (carte disponible en ligne et dans les bureaux touristiques de la région)

À parcourir… Sillonnez les routes du sud-ouest de la Montérégie et partez à la découverte des plus beaux paysages de la région et à la rencontre des gens passionnés qui l'habitent. Près de 200 km de découvertes gourmandes vous y attendent.

À découvrir… Le Circuit du Paysan, c'est l'occasion de sortir des sentiers battus et de découvrir les produits du terroir montérégien. Il explore des avenues aussi diverses que celles des fromages, des alcools du terroir, des vergers, des fermes d'élevage, des boutiques gourmandes ou encore des bonnes tables, par exemple. Il suffit de suivre les panneaux « Circuit du Paysan », première route touristique signalisée au Québec. Ceux-ci vous dévoileront de réels petits bijoux : des villages pittoresques, des champs remplis de bonnes choses, et des artisans-producteurs et restaurateurs absolument merveilleux.

À faire… Que vous soyez en couple, en famille ou entre amis, le Circuit du Paysan offre une gamme d'activités qui saura répondre à tous les goûts.

Activités gourmandes : Autocueillette, dégustation de produits, marchés fermiers, pique-nique dans les champs, repas aux saveurs régionales et achat de produits régionaux vous sont entre autres proposés, et vous permettront d'en connaître davantage sur le mode de vie rural, les traditions ancestrales et le savoir-faire de cette région.

Activités de plein air : Située au cœur d'un riche réseau hydrographique, cette partie de la Montérégie offre de nombreuses activités nautiques telles le kayak, le rabaska, le canot ou encore la baignade. La brochure renferme d'ailleurs quelques suggestions d'activités (parcs régionaux, parcours aérien, pêche, etc.).

Activités culturelles : Regorgeant d'histoire, le Circuit du Paysan offre de nombreux attraits patrimoniaux. Vous y trouverez, entre autres, les lieux historiques nationaux du Fort-Lennox et de la Bataille-de-la-Châteauguay et un site archéologique autochtone. Il y a environ 200 ans, ce sont les colons français, écossais et irlandais qui habitaient ce coin de pays. Vous en verrez les traces à travers les villages que vous parcourrez. Maisons de pierre, églises anglicanes, vieilles granges et moulins sont tous des attraits témoins de ce passé. Peu importe les arrêts que vous déciderez de faire, sachez que le Circuit du Paysan vous offrira une escapade des plus agréables. Les merveilleux paysages, les villages bucoliques, le bon air de la campagne et l'accueil chaleureux de ses habitants sont tous des éléments qui vous feront oublier tous vos soucis.

LA ROUTE DES CIDRES

www.maroutedescidres.com (brochure disponible dans les bureaux touristiques)

À parcourir… Il n'est pas surprenant d'appendre que la Montérégie est une pionnière dans la production de cidre quand on sait qu'elle fournit plus de la moitié des pommes au Québec et compte près de 2 000 000 de pommiers. Bien entendu, la région produit aussi toute une gamme de produits dérivés de la pomme. La Routes des Cidres vous mènera à la rencontre d'une quinzaine de cidriculteurs qui, grâce à leur passion et à leur savoir-faire, vous feront découvrir plus d'une soixantaine de cidres à déguster sur cette belle route.

À découvrir… Un peu d'histoire : le cidre étant une boisson très populaire chez nos ancêtres et d'une grande qualité de nos jours, il est difficile de croire qu'en 1970, sa production est devenue illégale au Québec. Ce n'est qu'à la fin des années 1980 que furent émis des permis pour reprendre la production de cidre artisanal. L'an 2000 fut un grand tournant pour le Québec dans ce domaine, avec l'apparition du cidre de glace qui a su obtenir une reconnaissance mondiale. En sillonnant les jolis chemins de la Montérégie, une quinzaine d'arrêts possibles s'offrent à vous. Comment les trouver ? Des panneaux bleus identifiant la Route des Cidres vous accompagneront tout au long de votre parcours. Aujourd'hui, il existe une panoplie de cidres : plats, pétillants, à effervescence naturelle, fort, mousseux, cidres apéritifs et, notre grande fierté, le cidre de glace. Chaque producteur a sa recette, son équipement et son savoir-faire, ce qui fait que, d'un cidre à l'autre, le goût est différent.

À faire… La plupart des cidreries vous offrent des visites de leurs installations et des balades dans leurs vergers. Paysages pittoresques sont au rendez-vous : vergers à flanc de montagne, cidreries aux abords de la rivière, maisons ancestrales. À l'automne, il est possible de déambuler dans les vergers pour admirer les pommiers en fleur ou bien faire de l'autocueillette. Au mois de mai, la région organise des journées cidres et fromages. La plupart des cidreries y participent. C'est à vous de décider lesquelles vous avez envie de visiter. Quelle façon délectable de célébrer le beau temps ! En hiver se tient le Mondial des cidres de glace du Québec où vous aurez l'occasion de rencontrer les producteurs et de déguster cette fabuleuse boisson de notre terroir. D'autres artisans seront également de la partie afin de vous faire goûter aux nombreux produits régionaux qui accompagneront à merveille votre cidre de glace préféré.

LA ROUTE DES VINS

www.maroutedesvins.com (brochure disponible dans les bureaux touristiques)

Cette nouvelle route agrotouristique regroupe plus d'une vingtaine de vignobles de la région. Le parcours, identifié par des panneaux bleus, vous mènera aux quatre coins de la région, de Rigaud dans le Suroît à Saint-Hyacinthe en Montérégie-Est. Au menu : visite des domaines, dégustation de produits (dont le fameux vin de glace, un délice !), échange avec les viticulteurs, etc. Une belle manière de découvrir le savoir-faire et la passion de ces gens dévoués au terroir régional.

PRODUCTEURS

Breuvages, vins et spiritueux

CIDRERIE MICHEL JODOIN

1130, rang La Petite-Caroline, Rougemont
450-469-2676
www.micheljodoin.ca

Ouvert tous les jours à l'année. Visite et dégustation offertes gratuitement (réservation nécessaire pour les groupes, 4,50 $ par personne). Sentier de 3,6 km avec belvédère sur place : ouvert à l'année, 3 $ par personne. Vente de produits sur place. Certifié Terroir & Saveurs du Québec.

Vers la fin des années 1980, dans une volonté de remettre le cidre au goût du jour, Michel Jodoin débute la production artisanale, de façon modeste, dans son garage, comme l'ont fait ses aïeux avant lui. De fil en aguille, la cidrerie se développe et il opte pour des produits des plus originaux. Ainsi naîtront des cidres mousseux à la manière des champagnes, ce qu'aucun producteur français n'avait fait à ce jour. Il est également le premier à proposer des cidres rosés et à obtenir un permis de microdistillateur pour la fabrication de spiritueux. La Route des Cidres de la Montérégie ainsi que le Mondial des cidres de glace du Québec, c'est entre autres grâce à son implication. Des nos jours, l'entreprise a acquis une grande notoriété dans le domaine, et l'équipe travaille sans relâche pour produire toute une gamme de cidres de grande qualité : tranquilles, pétillants, mousseux, de glace… Sans oublier les spiritueux haut de gamme, comme le XO, un brandy de pommes vieilli 8 ans, et le jus de pomme gazéifié. Outre la dégustation, une visite des lieux est vivement recommandée afin de découvrir le processus de transformation de la pomme en ce nectar doux et pétillant.

LA POMMERAIE DU SUROÎT

1385, route 202, Franklin
450-827-2509
www.lapommeraiedusuroit.com

Boutique ouverte le week-end de 10h à 17h30, de début mars ou avril à fin décembre. En semaine et hors saison : sur rendez-vous. Autocueillette de mi-août à mi-octobre, aire de pique-nique.

Quand on met les pieds à la Pommeraie du Suroît, on sent tout de suite que ce site regorge d'histoire. La vieille maison de briques sous les immenses érables, l'allée de pierres qui mène au verger et même le petit cimetière que l'on croise en chemin, sont tous des éléments qui font d'une visite à ce verger une expérience unique. C'est en 1850 que furent plantés, par un Américain, les premiers pommiers de ce verger. Depuis, la terre fut exploitée par un Breton dans les années 1970 pour en faire une cidrerie et, en 2005, c'est Lucie Cousineau et Jean-Pierre Lepage qui en devinrent propriétaires. Ces deux passionnés avaient comme objectif de développer un cidre de glace de haute qualité tout en poursuivant les traditions artisanales de la pomiculture et de la fabrication du cidre. Étant tombés sous le charme de ce domaine, Lucie et Jean-Pierre ont décidé de quitter leur vie et leur emploi à Montréal, et de se lancer dans la culture de la pomme. La Pommeraie du Suroît produit deux cidres de glace, Les Pommes du Roy (récolte hivernale) et le Fruit Défendu (récolte automnale), un cidre sec chaptalisé au moût de cidre de glace et vieilli en fût de chêne, ainsi qu'un cidre mousseux aux notes fruitées issu d'une fermentation naturelle en cuves closes.

Chez le brasseur

BEDONDAINE & BEDONS RONDS

255, rue Ostiguy, Chambly
450-447-5165 / 1 866-447-5165
www.bedondaine.com

Lundi, fermé ; mardi-mercredi, 15h-minuit ; jeudi-samedi, 11h30-1h ; dimanche, 11h30-23h. Visite des installations brassicoles et dégustation sur demande. Programmation culturelle et musicale. Terrasse.

L'unique brasserie artisanale de Chambly a ouvert ses portes en avril 2005, fière propriété du brasseur Nicolas « Bedondaine » Bourgault. L'intérieur est un véritable petit musée, avec les horloges de compagnie de bières d'une autre époque, la collection de bouteilles et barils de bois, les plateaux, et les panneaux de réclames qui ornent les murs et même le plafond. Au total, plus de 26 000 items anciens et actuels, composent la collection du musée dont environ 1/5 décore le salon de dégustation.

Côté houblon, plus de soixante bières sont brassées annuellement ou encore en édition limitée sur place sous vos yeux, avec une constance de près d'une vingtaine aux pompes. Ceux désirant savoir si leur bière préférée est disponible peuvent visiter le site Internet où des icônes nous permettent de savoir lesquelles sont offertes et celles à venir sous peu, à leur sortie des cuves de fermentation. Vous hésitez ? Essayez leur palette de dégustation ! Les amateurs de produits plus corsés seront ravis par la sélection de Scotchs Single Malt qui compte plus de 180 références. Pour les petits creux, sandwichs sur pain baguette artisanal, pizzas, nachos de luxe, croques-en-bouche et assiette de terrines viendront assouvir votre faim.

LE BILBOQUET

Bilboquet Microbrasserie : 560, avenue Saint-Joseph, Saint-Hyacinthe
Pub Le Bilboquet : 1850, rue des Cascades, Saint-Hyacinthe
450-771-6900
www.lebilboquet.qc.ca

Heures d'ouverture du pub : lundi, 18h30-3h ; mardi-dimanche, 15h-3h. Items à l'effigie de la microbrasserie en vente sur place. Programmation culturelle.

Le Bilboquet a été fondé en 1990 et après avoir transformé une partie de l'établissement en salle de brassage, c'est le 17 février 1994 que les premières bières maison sont servies. En croissance constante, le Bilboquet se spécialise dans la production de produits brassicoles de dégustation. Une grande variété de bières de qualité y sont brassées, dont douze que vous pourrez déguster au pub. Les bières du Bilboquet sont distribuées à travers un réseau de plus de 400 détaillants privés.

Situé en plein cœur du centre-ville, ce bistro de quartier s'est rapidement démarqué par ses bières de microbrasserie, dont des éditions exclusives seulement offertes sur place, et par son ambiance chaleureuse. Pour casser la croûte, le pub offre un petit menu où grilled cheese, plateaux de saucisses et choucroute, et nachos font bonne figure. Lors de la belle saison, la cour arrière est un véritable havre de paix, loin de l'agitation urbaine, parfaite pour prendre le temps de savourer leurs délices houblonnés. L'établissement offre également à sa clientèle divers équipements audio-visuels, un réseau Wifi, une table de billard, une section privée sur demande, ainsi qu'un service de traiteur pour les réceptions plus élaborées.

Les bières du Bil : pour les amateurs en quête d'une nouvelle expérience gustative !

© NRL

BRASSEURS DU MONDE

6600, boulevard Choquette, Saint-Hyacinthe
450-250-2611
www.brasseursdumonde.com

Le Picoleur - salon de dégustation : dimanche-mardi, fermé ; mercredi, 15h-22h ; jeudi-samedi, 15h-minuit. Vente de bières pour emporter à la boutique de la microbrasserie, ouverte également pendant les heures de bureau. Visite des installations brassicole et dégustation sur réservation.

Les Brasseurs du Monde, comme son nom l'indique, vise à faire découvrir les influences brassicoles des quatre coins de la planète. Le mot d'ordre : la créativité et l'engagement envers les consommateurs. En résulte plusieurs gammes : la gamme Sympathique qui propose trois bières de consommation courante, blonde, blanche et rousse ; la gamme Connaisseur où l›on a droit à des bières plus goûteuses et inspirées, avec notamment l'Exploité, un Stout moka médaillé d'or au WBA et WBC ; la gamme Passion, dont la Big Ben Porter primée d'or au WBA ; la gamme Grands Connaisseurs qui vise à surprendre nos papilles avec des produits typés et fort bien exécutés ; la Gamme Festive avec des bières d'exception, parfaites complices de la bonne chère et des grands moments ; et les éditions limitées et hors-série. On retrouve les bières des Brasseurs du Monde dans plus de 700 points de vente à travers la province ainsi qu'aux pompes de plusieurs établissements licenciés. Nous vous conseillons également d'aller faire un tour à leur salon de dégustation, Le Picoleur, adjacent aux installations de brassage. On y retrouve une constance de plus de 40 bières aux pompes, dont certaines exclusivités, notamment les bières de la Réserve du Picoleur. Ne quittez pas les lieux sans un arrêt à leur boutique, question de rapporter Les Brasseurs du Monde à la maison.

LOUP ROUGE MICRO BRASSEUR

44, rue Prince, Sorel-Tracy
450-551-0660
www.microlouprouge.com

Visite des installations brassicole et dégustation sur réservation, selon disponibilité. Items à l'effigie de la microbrasserie en vente chez certains détaillants et festivals de bières.

Loup Rouge a eu une autre vie. Celle d'une brasserie artisanale fondée sous forme de coopérative de travail par Jan-Philippe Barbeau, Martin Robichaud et Guillaume Gouin. Lieu gourmand et culturel, la brasserie anima ce petit coin pays pendant plusieurs années. En 2014, cette page d'histoire fut tournée. Loup Rouge a évolué en microbrasserie, nouvelle entreprise appartenant à Jan-Philippe Barbeau et Yves Bérard. Pour la petite histoire, le nom de cette microbrasserie rend hommage à un homme, Wolfred Nelson dit « Loup Rouge », qui vécu au XIXe siècle et passa sa vie à soigner le peuple et à défendre ardemment les valeurs québécoises en tant que patriote bas-richelois et élu de Sorel et Montréal.

Pour l'instant, cette petite microbrasserie met en fût la totalité de sa production afin d'approvisionner en bières une trentaine de bars de la province, nombre qui devrait augmenter au fil des mois. À l›ardoise de ces établissements (liste disponible sur le site web), on retrouve entre autres la MacKroken Flower, une scotch ale Wee Heavy au miel de fleurs sauvages, la Zusammenarbeit, une bière de type Gose, la Chenal aux Corbeaux, une Double IPA, ou encore la Saison du Loup, une saison de type belge.

Projets en maturation : l'embouteillage en format growlers de certaines bières pour vente sur place et l'aménagement d'un salon de dégustation. À suivre...

MICROBRASSERIE LE CASTOR BREWING CO.

67, chemin des Vinaigriers, Rigaud
450-451-2337
www.microlecastor.ca

Ouvert le samedi en saison estivale de 10h à 16h pour les dégustations, l'achat de bières pour emporter, et la visite des installations brassicoles.

Le Castor nous propose rien de moins que des bières certifiées « 100 % biologique ». Aux commandes de cette microbrasserie, deux charpentiers de métier fous de la bière : Daniel Addey-Jibb et Murray Elliott. Créée au printemps 2012, elle est installée dans les locaux adjacents à leur entreprise de charpenterie. Le nom fait d'ailleurs un beau clin d'œil à leur formation première. Les bières concoctées ici prennent leurs inspirations dans les découvertes houblonnées faites lors de voyages en Angleterre et en Écosse, mais également lors de visites de distilleries dans ces deux endroits. Ainsi, les deux acolytes nous réservent de belles surprises vieillies en fût de chêne, de rhum, de rye ou de bourbon. Disons que Daniel et Murray établissent un véritable parallèle entre leurs deux passions et le vieillissement en tonneaux fait partie de leur philosophie de brassage. La gamme des bières Le Castor comprend entre autres une Pale Ale, une Yakima IPA, un Stout à l'avoine, un Wee Heavy Bourbon (scotch ale) ainsi que des produits saisonniers. Vous pouvez vous procurer leurs bières sur place ou encore chez les détaillants spécialisés, ainsi que dans certains établissements faisant honneur aux bières de microbrasserie. C'est ici que l'expression « une bière bien charpentée » prend tout son sens !

LES TROIS MOUSQUETAIRES

3755-C, boulevard Matte, Brossard
450-619-2372 / 1 866-619-2372
www.lestroismousquetaires.ca

Bien ancrée dans le paysage brassicole, 10e anniversaire à l'appui en 2014, cette microbrasserie se spécialise dans les bières de dégustation haut de gamme, brassées avec une bonne proportion de malts québécois. L'entreprise, qui est en croissance constante, a déménagé il y a quelques années dans de nouveaux locaux afin d'augmenter sa capacité de production et d'avoir sur place un entrepôt pour tous ses produits. Elle a également changé les étiquettes de ses bières afin de donner davantage d'information aux consommateurs : potentiel de vieillissement, température de service, malts et houblons utilisés, suggestions d'accompagnement, saveurs prédominantes, etc. En bouteille, on retrouve la Série Signature qui comprend sept produits (Hopfenweisse, Maibock, Kellerbier, Sticke Alt, Oktoberfest, Pale Ale Américaine), la Série Grande Cuvée qui propose trois bières fortes (Porter Baltique, Doppelbock et Weizenbock) plus la Réserve de Noël et le Barleywine Américain une fois l'an, et la gamme Hors Série et ses nectars éphémères (Gose, Saison Brett, Double IPA...). On les retrouve chez de nombreux détaillants à travers la province, ainsi qu'au menu de plusieurs bars à bières.

ET AUSSI :

LES 3 BRASSEURS

Quartier Dix30 : 9316, boulevard Leduc, Brossard
450-676-7215
www.les3brasseurs.ca

Dimanche-mercredi, 11h30-minuit ; jeudi, 11h30-1h ; vendredi-samedi, 11h30-2h. Terrasse.

Se référer à la section « Montréal » pour plus d'information.

LAGABIÈRE

167, rue Richelieu, Saint-Jean-sur-Richelieu
450-376-6343
www.lagabiere.com

Chocolats et confiseries

LA CABOSSE D'OR

973, chemin Ozias-Leduc, Otterburn Park
450-464-6937
www.lacabossedor.com

Début mai à fin août : lundi-mercredi, 9h-18h ; jeudi-samedi, 9h-22h ; dimanche, 9h-21h. Le reste de l'année : samedi-mercredi, 9h-18h ; jeudi-vendredi, 9h-21h. Présentation sur l'histoire et la fabrication du chocolat : les week-ends à 14h, 15h et 16h (sujet à changement) et en semaine sur réservation.

Lors de votre passage à Mont-Saint-Hilaire, faites une halte à la chocolaterie belge de la famille Crowin : La Cabosse d'Or. Le secret de cette création vient du rêve d'enfant de la petite Martine et de sa rencontre avec son mari Jean-Paul, très ambitieux. Cette petite fille s'imaginait au milieu d'onctueuses pâtisseries, de réconfortants chocolats chauds et de douces crèmes glacées, et son souhait fut réalisé. L'équipe de la Cabosse d'Or confectionne la praline et le chocolat à partir d'anciennes méthodes de fabrication. En plus des nombreuses gâteries proposées à la boutique, un musée avec vitrine sur l'atelier, un mini-golf chocolaté, un chic salon de thé, un comptoir de crèmes glacées et sorbets maison, ainsi qu'une terrasse sont à votre disposition sur place. Les lieux ne cessent de proposer de nouvelles activités vers un but qui tend à l'excellence : toujours satisfaire sa clientèle du mieux possible. Un incontournable pour de superbes cadeaux gourmands !

Confitures, coulis, miels, etc.

LES FRAISES LOUIS HÉBERT

978, chemin 4e Ligne, Saint-Valentin
450-291-3004
www.lesfraiseslouishebert.com

Horaire variable selon la saison et les périodes d'autocueillette (fraises, framboises et bleuets). Centre d'interprétation de la fraise sur place (différents forfaits offerts). Certifié Terroir & Saveurs du Québec. Écuries sur place.

Cette ferme fruitière est le berceau du monde de l'autocueillette au Québec. Fondée en 1952 par Louis Hébert, l'entreprise faisait alors la culture de petits fruits dans le but de les vendre en épiceries. En 1957, un été chaud et humide entraîne une hausse de la production de fraises et voulant éviter les pertes, Monsieur Hébert fait appel à un de ses amis de la radio pour inviter le grand public à venir les cueillir. L'annonce étant un grand succès, l'autocueillette devient la nouvelle vocation de l'entreprise. Cette activité fort appréciée est toutefois moins importante qu'à l'époque. En effet, Robert Hébert, fils aîné de Louis, et sa conjointe Dominique, dorénavant propriétaires de la terre, ont décidé de se lancer dans la fabrication de produits dérivés des petits fruits de la ferme. Parmi ceux-ci, on retrouve Le Valentin, une mistelle de fraises et framboises, Le Louis Hébert, un vin de fraises et framboises, et Bulles d'Amour, un moût de fraises pétillant. Des dégustations gratuites sont offertes sur place, ainsi que plusieurs produits transformés, tels que des tartes, des gelées, des confitures et de nombreux autres délices.

Épices et condiments

AU VERGER DU CLOCHER

4160, rue Lussier, Saint-Antoine-Abbé
450-827-1147
www.auvergerduclocher.com

Consultez le site Internet pour connaître la liste des points de vente.

Dans ce site enchanteur, on concocte des produits délicieux d'une finesse inégalée. S'inspirant entre autres d'anciennes traditions qui datent d'aussi loin que le Moyen-âge, les produits Au Verger du Clocher sont confectionnés à la main. À travers ses créations, l'entreprise prône l'achat local en développant des saveurs propres à notre patrimoine, remplaçant des ingrédients que nous utilisons quotidiennement. Par exemple, le vinaigre doux Le Rubicond remplace bien le vinaigre balsamique et le

Verjus de l'Abbé est un substitut naturel au jus de citron. D'autres délices sont également à découvrir, tels que la moutarde artisanale à la française et la moutarde du verger à l'ancienne, excellentes avec charcuteries, saucisses et pâtés, ou encore la gelée de verjus, une merveille avec les fromages. Et pour les dents plus sucrées, optez pour les sauces au chocolat et caramel à la Carminée. Deux vinaigrettes à l'huile de tournesol biologique se sont également ajoutées à la collection, ainsi qu'une gelée de pomme et romarin, un confit d'oignon du verger aux canneberges, et un vinaigre baumier aux saveurs des baies du sureau.

LES ÉPICES DE MARIE MICHÈLE

1679, avenue Bourgogne, Chambly
450-447-9062
www.lesepices.ca

Ouvert à l'année (horaire variable selon la saison). Nombreux points de vente à travers la province. Boutique en ligne également.

Mises sur le marché en 2001, ces épices sont conçues par Marie Michèle Nahas. Elle a choisi le monde de la popote afin de pouvoir partager son talent culinaire alliant ses deux cultures : libanaise et québécoise. Mère de famille, elle est soucieuse d'une bonne et saine alimentation et désire démystifier le monde des épices pour ceux qui n'ont pas toujours le temps de cuisiner. Ses créations consistent effectivement en des mélanges qui sont faciles d'utilisation et polyvalents. La première fois que l'on ouvre une cannette d'épices de Marie Michèle, on reste agréablement surpris. Colorées, dégageant de bons arômes, on a tout de suite envie de pousser notre expérience à un autre niveau et d'utiliser ces épices dans nos plats. Séchées et déshydratées de façon artisanale, chacune semble avoir gardé sa couleur, sa forme et son odeur, ce qui crée un mélange divin, dosé à perfection : mélange à l'ancienne, provençal, d'Orient, au curry, à l'estragon... Notez que toutes ses épices ne contiennent aucun agent de conservation et sont exemptes de sel, de sucre et de gras. Marie-Michèle propose d'autres produits délicieux tels des huiles aromatisées et de la fleur de sel.

Fromages

FROMAGERIE AU GRÉ DES CHAMPS

400, rang Saint-Édouard, Saint-Jean-sur-Richelieu
450-346-8732
www.augredeschamps.com

Boutique : lundi-mardi, fermé ; mercredi-vendredi, 10h30-17h30 ; samedi-dimanche, 10h-17h. Certifié Terroir & Saveurs du Québec. Certifié biologique par Ecocert Canada.

La ferme de Daniel Gosselin, Suzanne Dufresne, Marie-Pier et Virginie est localisée dans un cadre bucolique. Daniel a grandi dans l'étable de cette ferme. En 1989, accompagné de sa conjointe Suzanne, il achète la ferme familiale qui n'est que laitière à l'époque. Ce n'est qu'en 2000 que la fromagerie Au Gré des Champs ouvre ses portes. Suzanne quitte alors son emploi en informatique et accompagne Daniel dans la transformation du lait en fromage, résultat de plusieurs années de recherches et d'expérimentations. Si vous décidez de faire une petite escapade à la ferme, sachez qu'il est possible de visiter les installations. Si vous êtes chanceux, vous pourrez assister à la traite ainsi que voir les fromagers à l'œuvre dans la salle de fabrication et d'affinage. Une boutique est ouverte pour vous offrir des dégustations, mais également pour vous procurer les produits fabriqués sur place et plusieurs autres produits du terroir québécois. La fromagerie fabrique plusieurs fromages au lait cru : le Pont Blanc, le Gré des Champs, le D'Iberville, le Monnoir, le Péningouin et le Frère Chasseur. Alors, laissez-vous tenter et venez vous balader « au gré des champs » !

À TABLE

DOMAINE DE LA TEMPLERIE

312, chemin New Erin, Huntingdon
450-264-9405
www.domainedelatemplerie.com

Ouvert à l'année sur réservation d'au moins 10 personnes (possibilité à partir de 2 personnes, les contacter). Menu du terroir : 46 $, menu gastronomique : 50 $. Apportez votre vin. Paiement comptant ou par chèque. Visites guidées de la ferme offertes de mai à octobre. Journées thématiques, activités et hébergement disponible sur place. Certifié Terroir & Saveurs du Québec.

La vallée de la rivière de Châteauguay est un vrai petit coin de paradis. En effet, cet endroit offre les meilleures conditions de vie aux animaux de la ferme. Les lieux, plus que centenaires, sont habités la famille Guillon qui vous reçoit pour vous mitonner ses plats du terroir ou gastronomiques. Les spécialités sont, entre autres, le rôtisson d'autruche au caribou et aux bleuets, le gigot d'agneau du Québec aux herbes et moutarde de Meaux, le suprême de pintade sauce porto et fromage de chèvre, le chapon sauté aux canneberges et sirop d'érable, et le magret de canard au porto et coulis de foie gras. Les desserts sont tout aussi inspirants ! Après le repas, on aurait tort de ne pas profiter d'une balade en forêt dans ce beau domaine.

FOURQUET FOURCHETTE

1887, avenue Bourgogne, Chambly
450-447-6370 / 1 888-447-6370
www.fourquet-fourchette.com

Mi-mai à mi-septembre : lundi-samedi, 11h30-fermeture ; dimanche, 10h (brunch) -fermeture. Le reste de l'année : jeudi-samedi, 11h30-fermeture ; dimanche, 10h (brunch) -fermeture. Ouvert en tout temps pour les groupes de 20 personnes et plus. Terrasse. Certifié Terroir & Saveurs du Québec.

Le temple de la gastronomie québécoise à la bière ! L'appendice culinaire du Fourquet Fourchette est une halte incontournable, que l'on soit ou non amateur de bières. Et si vous ne l'êtes pas, vous le deviendrez ! Dans un bâtiment donnant sur le bassin Chambly de la rivière Richelieu, à l'atmosphère évoquant le XVIIe siècle, vous allez vivre quelques beaux moments de gastronomie et d'histoire. Dans la salle de l'Abbaye, qui rend hommage au travail des moines dans l'évolution de la bière, ou encore dans la salle Jean Talon, intendant de la Nouvelle-France et un des premiers brasseurs en Amérique du Nord, vous dégusterez des plats cuisinés où l'harmonie des saveurs et des goûts vous fera vivre une expérience unique. À la carte, des plats extraordinaires comme la chaudrée du Bas du Fleuve à la « Blanche de Chambly », le contre-filet de bison à la « Noire de Chambly », ou encore le pavé de cerf à la « Maudite ». En pleine saison, vous pourrez déguster votre repas en compagnie de leur chansonnier (du jeudi au dimanche). Pour votre plaisir, faites un saut à leur boutique où vous trouverez des produits dérivés de la bière ainsi que des produits du terroir.

MANOIR ROUVILLE-CAMPBELL

125, chemin des Patriotes Sud, Mont-Saint-Hilaire
450-446-6060 / 1 866-250-6060
www.manoirrouvillecampbell.com

Ouvert tous les jours à l'année. Table d'hôte du midi : à partir de 20 $, le soir : à partir de 45 $. Menu à la carte aussi offert midi et soir, plus un menu BBQ en été. Brunch gourmand du dimanche : 38 $. Superbe carte des vins (cellier de plus de 5 000 bouteilles). Pub-terrasse (moins de 25 $ le plat). Certifié Terroir & Saveurs du Québec. Hébergement et forfaits disponibles sur place.

Ce superbe manoir, situé en bordure de la rivière Richelieu, est un véritable temple gourmand où se côtoient grands classiques et nouvelles tendances culinaires. Sa table est très réputée, quoique beaucoup plus accessible qu'auparavant, et sa carte des vins en fera sourire plus d'un. Le chef Samuel Sirois et sa brigade font des merveilles avec les produits du terroir pour concevoir des plats parfumés et créatifs. Les saisons et les arrivages guident l'équipe dans la conception des savoureux menus constamment renouvelés. Pour une expérience un peu plus décontractée, le pub est l'endroit idéal.

RESTAURANT L'ESPIÈGLE

1834, rue des Cascades Ouest, Saint-Hyacinthe
450-778-1551
www.lespiegle.com

Ouvert tous les jours dès 11h. Plats principaux à la carte : 15 $-35 $. Terrasse arrière chauffée. Réservation conseillée les week ends. Service de traiteur. Certifié Terroir & Saveurs du Québec.

Situé dans le Vieux Saint-Hyacinthe, ce charmant bistro propose une cuisine à base de produits régionaux avec un menu diversifié s'adaptant aux arrivages saisonniers. Notez d'ailleurs que son manitou des cuisines, Richard Marquis, a été nommé « Chef de l'année » en 2011 en Montérégie par la SCCPQ (Société des chefs cuisiniers et pâtissiers du Québec) et a été finaliste pour l'obtention du titre de « Chef de l'année » au niveau national. C'est de bon augure ! Les spécialités de la maison sont le filet de porc (sauce dijonnaise, bordelaise ou forestière, flambé au cognac, ou encore aux pommes et calvados), la sélection de saucisses grillées et choucroute, le saumon et le canard. Ceci dit, l'ensemble du menu est fort tentant et le choix sera difficile. Une belle carte de bières locales et d'importation vient compléter le tout.

© NRL

AUBERGISTE, À BOIRE !

BISTRO DES BIÈRES BELGES

2088, rue Montcalm, Saint-Hubert
450-465-0669
www.bistrobelge.com

Lundi-jeudi, 11h-23h ; vendredi, 11h-minuit ; samedi, 17h-minuit ; dimanche, 16h-23h. La cuisine ferme une heure avant les heures d'affaires. Terrasse.

En ouvrant la porte de ce bistro, situé dans une maison plus que centenaire, votre nez s'enivrera des effluves de la Belgique. Les multiples préparations de moules et frites (n'oubliez pas la mayo au passage) et autres spécialités telles la pieuvre, la poutine belge et les tartares charmeront tout vos sens. Vous y trouverez une sélection d'une centaine de bières d'ici et d'ailleurs, avec une nette préférence pour la Belgique, cela va de soi. Ce bistro est devenu une adresse incontournable sur le boulevard Taschereau pour un repas entre amis, tant en hiver près du feu qu'en été sur la terrasse. Un petit conseil : laissez-vous tenter par le partage d'une gaufre accompagnée de fruits frais... Vous constaterez vite avoir fait un choix des plus gourmands. Un grand plaisir à prix très abordable !

MARCHANDS DE BONHEUR

DÉPANNEUR LA RESSOURCE

409, rue Samuel-de-Champlain, Boucherville
450-655-3091

Ouvert tous les jours de 7h à 23h.

Jean Desroches et Sylvie Martel sont des passionnés de bières et on le sent dès qu'on met les pieds dans leur commerce. S'étant tous deux rencontrés dans une brasserie avant d'ouvrir leur dépanneur spécialisé, le destin les dirigeait déjà vers le fabuleux monde la bière. À La Ressource, plus de 400 bières provenant d'une trentaine de microbrasseries québécoises s'étalent sous nos yeux. Il est presque impossible de ne pas trouver ce que l'on

cherche et si tel est le cas, parlez-en aux propriétaires qui se feront un plaisir de les commander pour vous, dans la mesure du possible bien entendu. On peut également se procurer des paquets-cadeaux (et faits sur mesure par Sylvie s'il vous plaît !) et des verres de dégustation. Consultez leur page Facebook pour être au parfum de tous les arrivages (www.facebook.com/pages/La-Ressource/144900595555775).

ÉPICERIE DES HALLES

145, boulevard Saint-Joseph, Saint-Jean-sur-Richelieu
450-348-6100
www.epiceriedeshalles.com

Lundi-vendredi, 7h-23h ; samedi-dimanche, 8h-23h. Items reliés au monde la bière en vente sur place, emballages-cadeaux. Entreprise finaliste au 50e Gala de l'Excellence de la Chambre de commerce du Haut-Richelieu tenu en avril 2014.

Le centre commercial Les Halles St-Jean abrite ce petit bijou de boutique, arborant tant la bannière des bières artisanales québécoises que celle des alcools du terroir. Le meilleur des deux mondes ! Patrick et Alexandre, les deux complices aux commandes de cette charmante adresse, ont su bâtir une vaste gamme de produits avec un arrivage constant de grands crus du moment. Des bières de toutes sortes provenant des quatre coins de la province, mais également des vins, cidres, hydromels, alcools fins d'érable et autres divins nectars garnissent les étalages. Suite à leur agrandissement au printemps 2014, on retrouve dorénavant une superbe section avec, notamment, les Épices de cru de Philippe de Vienne, les tisanes de La Courtisane, etc. Conseils avisés et découvertes gustatives assurés !

FERME GUYON

1001, rue Patrick-Farrar, Chambly
450-658-1010
www.fermeguyon.com

Ouvert tous les jours dès 8h30 (ferme pédagogique et papillonnerie ouverts du vendredi au dimanche, droits d'entrée). Relâche saisonnière en janvier et février.

Cette immense ferme horticole, qui s'étend sur 11 hectares de cour extérieure, fait la production et la promotion de l'horticulture indigène du nord de l'Amérique. Propriété d'André Dion, ex-dirigeant de la réputée microbrasserie Unibroue, et de ses deux fils, la Ferme Guyon a finalement vu le jour à l'été 2010 après de nombreuses années consacrées à la recherche et à la réalisation de ce projet. Sur place, vous trouverez des serres de production, une pépinière, une grange ancestrale qui fait office de galerie de poterie et de peinture sur bois (disponible pour événements privés), un marché fermier (produits du terroir, boulangerie, service de restauration, fleuristerie, herboristerie, nécessaires pour le jardinage, etc.), une papillonerie et une ferme pédagogique. Prévoyez donc amplement de temps pour faire la visite des lieux et un peu d'emplettes.

FLAVEURS D'ICI

6075, chemin Chambly, Saint-Hubert
450-812-4445
www.flaveursdici.com

Lundi, fermé ; mardi-mercredi & dimanche, 11h-19h ; jeudi-samedi, 11h-21h. Items reliés au monde la bière en vente sur place (verres, livres, etc.), emballages-cadeaux sur demande. Dégustations en boutique (voir page Facebook pour les dates).

La rive-sud de Montréal compte dans ses rangs une superbe boutique spécialisée en bières de microbrasseries et produits du terroir québécois : Flaveurs d'Ici, fière propriété de Danielle Raymond et Manuel Bansept, deux bièrophiles passionnés. On y dénombre pas moins de 260 bières différentes provenant de plus d'une trentaine de microbrasseries québécoises, nombre qui devrait encore croître au fil des mois. À cela s'ajoutent des produits gourmands tels les saucisses congelées de la Boutique des Becs-Fins, les produits dérivés du canard de la Ferme Les Canardises, les marinades à BBQ de Simple Malt, le vinaigre à l'érable du Pic-Bois, les tartes de Al Dente, etc. Nos deux comparses vous feront découvrir leurs coups de cœur et vous aideront à faire un choix éclairé pour vos dégustations et accords mets-bières. D'où le nom Flaveurs : ensemble des sensations olfactives, gustatives et tactiles ressenties lors de la dégustation.

LE GARDE-MANGER DE FRANÇOIS

2403, avenue Bourgogne, Chambly
450-447-9991
www.gardemanger.biz

Lundi, fermé ; mardi-jeudi, 8h-15h ; vendredi, 8h-18h ; samedi-dimanche, 7h-17h. Service de restauration (sandwichs, soupes, salades, etc.), terrasse. Plats à emporter, belle sélection de produits régionaux. Service de traiteur.

Le Garde-manger de François Pellerin, c'est avant tout l'histoire de ce monsieur, grande personnalité de la gastronomie québécoise, conseiller en sommellerie, Chef national de l'année au Québec en 2007, avec 35 ans d'expérience et bien plus encore. Il voue une vraie passion pour les produits sains et locaux qui doivent être cuisinés selon les règles de l'art. Il s'intéresse beaucoup aux traditions de son pays : il va donc chercher des herbes sauvages utilisées dans la culture amérindienne pour agrémenter ses plats. Gourmet et gourmand, il présente ses mets à emporter sous forme de comptoirs (boulangerie, pâtisserie, viandes et charcuteries, buffet et occasions spéciales…) et c'est le canard qu'il préfère, animal qui ne manque pas de ressources. Ce grand monsieur poursuit sa route toujours à la recherche de mariages parfaits de produits pour créer et recréer l'extase des goûts et saveurs. « Pas de frime, il faut prendre les choses à la base », dit-il. Que du vrai, que du bon !

MARCHÉ CHAMPÊTRE DE RIGAUD

Angle des rues Saint-Jean-Baptiste
et Saint-Viateur, Rigaud
514-978-0358
www.marchechampetrerigaud.com

Ouvert tous les vendredis de 16h à 21h, de fin mai à fin septembre.

En opération depuis près d'une dizaine d'années, ce marché champêtre propose sur ses étals les meilleurs produits du terroir. Au programme, des produits frais et transformés, une panoplie d'activités, et des dégustations tout au long de la belle saison estivale.

ACTIVITÉS GOURMANDES

LA FACE CACHÉE DE LA POMME

617, route 202, Hemmingford
450-247-2899, poste 228
www.lafacecachee.com

Boutique ouverte tous les jours de 10h à 17h de mai au 24 décembre, ainsi que les week-ends de janvier pendant la récolte d'hiver de l'événement « Classe Neige ». De janvier à fin avril, la cidrerie est ouverte sur rendez-vous. Aire de pique-nique sur place. Certifié Terroir & Saveurs du Québec.

Située en Montérégie à proximité de l'État de New York, La Face Cachée de la Pomme est le lieu d'origine de NEIGE, le tout premier cidre de glace à avoir été commercialisé au Québec et dans le monde. Depuis 1994, NEIGE inspire. En plus d'être exporté dans une vingtaine de pays, NEIGE a cumulé plus de 100 distinctions à l'international, il a été servi au président Barack Obama en 2009 ainsi qu'au couple le plus célèbre de la planète en 2011, Kate et le prince William. Le domaine est aussi cité comme un exemple d'architecture contemporaine dont l'ensemble respecte et s'harmonise au bâtiment patrimonial et au paysage environnant. Pour découvrir ces divins nectars, profitez des différents forfaits combinant visite guidée et dégustation commentée. Pour une expérience tout à fait magique, rendez-vous les week-ends de janvier pour assister à la Classe Neige, une activité ludique soulignant la récolte d'hiver de pommes gelées sur l'arbre et la récolte du moût pour NEIGE. Ces activités vous permettront de saisir toute l'ampleur de cette passionnante aventure qui dure depuis vingt ans cette année.

VERGERS ET ÉRABLIÈRES

www.tourisme-monteregie.qc.ca

La Montérégie est une destination champêtre par excellence. L'été et l'automne, on s'y rend pour l'autocueillette dans les nombreux vergers et champs de petits fruits. Les kiosques de vente de produits maraîchers abondent durant cette période et on en revient rarement les mains vides. Au printemps, lorsque la sève coule à flot, c'est le temps des sucres et vous aurez l'embarras du choix parmi une vingtaine d'adresses pour savourer votre repas, particulièrement à Rougemont et à Mont-Saint-Grégoire. Consultez le site de l'office du tourisme pour de plus amples informations.

© TO / Linda Turgeon

OUTAOUAIS

Grâce à son vaste territoire de 33 000 km² émaillé de 20 000 lacs et une douzaine de rivières, l'Outaouais se révèle être une destination de premier choix pour les amoureux du plein air. Parcourir le parc de la Gatineau, aller à la découverte des animaux d'Amérique du Nord au Parc Oméga, et visiter le Musée canadien de l'histoire offrant la superbe vue sur Ottawa, voilà quelques-unes des activités phares que compte cette grande région, située entre l'Abitibi-Témiscamingue, l'Ontario et les Laurentides.

L'Outaouais est également une région gourmande qui saura titiller vos papilles. Afin de bien planifier votre escapade (et vos achats !), visitez le site www.croquezoutaouais.com. Vous y trouverez le répertoire des entreprises agroalimentaires (téléchargement en ligne disponible) et des marchés publics, la liste des événements gourmands, ainsi que plusieurs bonnes idées de recettes.

TOURISME OUTAOUAIS

819-778-2222 / 1 800-265-7822
www.tourismeoutaouais.com

ÉVÉNEMENTS

FESTIBIÈRE DE GATINEAU

Parc Jacques-Cartier, Gatineau
819-328-7139
www.festibieredegatineau.ca

*En mai. *Édition d'hiver : Festibière d'hiver vers fin janvier - début février au Musée canadien de l'histoire (www.festibieredhiver.ca).*

FOIRE GOURMANDE OUTAOUAIS - EST ONTARIEN

Marina de Montebello, Montebello (Québec), 819-281-7676
Centre communautaire de Lefaivre, Lefaivre (Ontario), 613-675-4661
www.foiregourmande.com

En août.

RENDEZ-VOUS DES SAVEURS

Casino Lac-Leamy
1, boulevard du Casino, Gatineau
819-771-3389
www.rendezvousdessaveurs.com

En octobre.

CIRCUIT AGROTOURISTIQUE ET DE DÉCOUVERTE

PARCOURS OUTAOUAIS GOURMET

www.parcoursoutaouaisgourmet.com

Avide de découvertes gourmandes ? Procurez-vous la carte du Parcours Outaouais Gourmet et partez à la rencontre des producteurs et artisans passionnés de la région. La carte, disponible dans les offices du tourisme, chez plusieurs entreprises de l'Outaouais ainsi que sur le web, propose des circuits répartis selon les quatre points cardinaux. Au menu, des adresses toutes plus savoureuses les unes que les autres : brasseries artisanales, cafés-boulangeries, chocolateries, fermes agrotouristiques, fromageries, vergers, vignobles... Question de joindre l'utile à l'agréable, une multitude d'activités reliées à l'agrotourisme est offerte au fil des saisons. De plus, des membres complices vous ouvrent leurs portes afin d'agrémenter votre escapade : tables champêtres et restaurants de cuisine régionale, boutiques de produits régionaux, marchés publics, activités agricole non gourmandes, etc. Comme le dit si bien leur slogan : « La gourmandise, ça se cultive ! »

PRODUCTEURS

Chez le brasseur

LES BRASSEURS DU TEMPS

170, rue Montcalm, Gatineau (secteur Hull)
819-205-4999
www.brasseursdutemps.com

Dimanche-mardi, 11h30-minuit ; mercredi, 11h30-1h ; jeudi-samedi, 11h30-2h. Visite des installations brassicoles et dégustation sur réservation. Boutique de bières en bouteille et d'articles à l'effigie de la brasserie. Forfaits de dégustation pour les groupes d'au moins 25 personnes (bières-fromages ou bières-saucisses-charcuterie). Programmation culturelle et musicale. Terrasse. Salle privée pour les groupes sur réservation.

Depuis son ouverture en 2009, son succès ne se dément pas. Les lieux sont fort conviviaux, particulièrement en été avec la magnifique terrasse aux abords du cours d'eau de la Brasserie. Pour assouvir les amateurs en quête de délices houblonnés, seize bières figurent au menu, en rotation selon les saisons et les humeurs, ainsi qu'une ou deux en service cask et une bière « invitée ». Les indécis opteront pour « l›horloge » de douze bières maison en format dégustation, question de goûter à tout. La table gourmande des BDT vaut également le détour avec ses excellents plats à saveurs locales : assiette de cochonnailles Le Grand Charcutier, fish & chip, tartare de bison, poutines gourmandes... Un menu des brasseurs (coupe-faim) est également offert tous les jours dès 14h30. Pour continuer l'expérience, partez à la découverte du passé brassicole régional en visitant le musée, ou profitez des groupes musicaux qui viennent fouler les planches plusieurs fois par semaine.

Depuis ses débuts, BDT a concocté une trentaine de bières différentes

UNE BIÈRE CHEZ LE VOISIN !

L'Ontario peut s'enorgueillir de compter dans ses rangs de nombreuses brasseries artisanales et microbrasseries de grande réputation. Et la région d'Ottawa ne fait pas exception, alors qu'elle est prise d'assaut depuis quelques années par les artisans du fourquet. Nos bonnes adresses :

➔ En janvier 2012, le **Mill Street Brewpub**, déjà présent à Toronto, a installé ses pénates à Ottawa, au bord de la rivière des Outaouais, dans l'historique moulin et usine à pâte à papier Thompson-Perkins & Bronson. On retrouve une vingtaine de bières artisanales en fût sur place dont des éditions spéciales, uniquement disponibles dans cette succursale. Visite de la brasserie offerte tous les jours et boutique sur place. www.millstreetbrewery.com/ottawa

➔ Le **Clocktower Brew Pub**, avec quatre adresses à Ottawa, propose cinq produits réguliers en tout temps dont une bière de blé aux framboises, une ESB anglaise et une ale brune faite à partir de sept malts différents. Des bières saisonnières ainsi qu'une sélection en cask viennent compléter le menu. www.clocktower.ca

➔ À Vankleek Hill, à l›est de la capitale, **Beau's All Natural Brewing Company** s'est fait connaître avec sa bière LUG-TREAD faite à partir d'eau de source et de malt et houblons biologiques. Nombreuses autres bières régulières, saisonnières, et des éditions limitées et expérimentales complètement renversantes. À vivre une fois dans sa vie : les festivités de l'Oktoberfest sur le site de la brasserie. www.beaus.ca

AUTRES SUGGESTIONS :

➔ La **Broadhead Brewing Company**, une microbrasserie d'Ottawa, propose des ales robustes et savoureuses, en vente sur place en keg et growler, et en fût dans certains établissements de la ville. www.broadheadbeer.com

➔ **Big Rig Brewing Company** brasse un peu plus d'une quinzaine de bières artisanales que l'on peut savourer sur place à leur restaurant, avec une vue ouverte sur la salle de brassage. Quelques tables sont même pourvues d'un service direct de bière en fût. Boutique sur place. www.bigrigbrewery.com

➔ **Beyond the Pale** est une microbrasserie à découvrir. Depuis ses débuts en 2012, plus d'une vingtaine de recettes différents ont été élaborées, avec une forte créativité qui se démarque déjà dans les cinq bières régulières. Ouvert au public pour dégustations et achats. www.beyondthepale.ca

Pour plus d'info et des suggestions pour découvrir la bière artisanale de la région : **www.apt613.ca/the-great-ottawa-beer-guide-2013-edition/** (un répertoire des microbrasseries, brasseries artisanales et commerces spécialisés en vente de bières), et **www.brewdonkey.ca** (un site entièrement dédié au sujet et qui organise des visites guidées des microbrasseries et brasseries artisanales de la région).

dont des déclinaisons vieillies en fût de bourbon ou de brandy, par exemple. Elle embouteille plusieurs de ses produits, et ses bières se retrouvent également aux pompes d'établissements licenciés dans la province. À surveiller en 2014 : l'ouverture de leur nouvelle brasserie industrielle en vue de combler la demande toujours grandissante.

GAINSBOURG BISTRO-BRASSERIE

9, rue Aubry, Gatineau (secteur Hull)
819-777-3700
www.gainsbourg.ca

Lundi-mercredi, 11h30-23h ; jeudi-vendredi, 11h30-minuit ; samedi, 15h-minuit ; dimanche, 15h-23h. Hors saison : ouverture à 17h le samedi, fermé le dimanche. Terrasses dont une sur le toit. Programmation culturelle et musicale. Formations et ateliers gourmands en lien avec la bière aussi offerts. Salles privées pour événements.

Quand une bande de passionnés de culture gourmande et de bière artisanale s'allient dans un projet, il en résulte la naissance d'une nouvelle adresse incontournable. À la fois microbrasserie et restaurant, le Gainsbourg joue dans la cour des grands, et c'est tant mieux. Il est de surcroît membre en règle de la belle famille qui unit le Festibière de Gatineau, le Chelsea Pub et Biscotti.

Arborant un look rustique et résolument chaleureux, ce charmant établissement propose une belle variété de bières maison, brassées sous vos yeux, dont une blanche, une blonde de type Helles et une de type Saison, une rousse irlandaise, une Imperial IPA et un porter à l'avoine. À découvrir en palette de dégustation, un choix judicieux ! L'ardoise comprend également une sélection bières de microbrasseries des quatre coins de la province, des vins, des spiritueux, des cocktails… Bref, l'endroit idéal pour un 5 à 7 ou un moment de détente entre amis. À cela s'ajoute un menu de type gastropub où figurent la planche de cochonnaille et fromages, le sandwich au porc du Québec effiloché et sauce à la bière, des burgers gourmands, des grillades, poissons et fruits de mer, etc. On aime, sans condition.

Chocolats et confiseries

CONFISERIE WAKEFIELD

817, chemin Riverside, Wakefield
819-459-1777
www.laconfiserie.ca

Ouvert toute l'année (horaire variable selon la saison). Livraison disponible partout au Canada.

Cette adresse est à inscrire à l'itinéraire ! La Confiserie de Wakefield prépare des confitures, des gelées, des fudges, des bonbons, des chocolats et autres petits délices, tous faits maison à base de produits authentiques. Entre autres au menu pour les gourmands : bâton de guimauve et chocolat foncé ; tire éponge classique ; confiture de fraises et Grand Marnier, canneberges et Cointreau ; marmelade d'oranges, abricots et Brandy ; gelée de rhubarbe, de bleuets ; chutney pêches et poires, mangues ; truffes au Grand Marnier, rhum cubain, vanille et bourbon ; fudge à l›érable et noix de Grenoble, érable et cinq poivres, chocolat et pacanes... La boutique tient également des produits d'épicerie fine (vinaigrette à l'érable, miel de fleurs sauvages, sirop d'érable, épices, thés et cafés, etc.). Simplement délicieux !

BOUCANERIE CHELSEA - LE RESTO

528, route 105, Chelsea
819-827-5559
www.boucaneriechelseasmokehouse.com

Lundi, fermé ; mardi-jeudi & dimanche, 12h-20h ; vendredi-samedi, 12h-20h30. Menu à la carte : moins de 25 $. Réservation conseillée.

Jusqu'à l'hiver 2014, la Boucanerie Chelsea, une entreprise éco responsable fort réputée dans la région et même au-delà, offrait de savoureux produits fumés maison à l'ancienne et ce, depuis plus de 25 ans. Les propriétaires, James Hargreaves et Line Boyer, ont malheureusement dû mettre la clé dans la porte. Mais qu'à cela ne tienne : leur petit bistro, situé à quelques pas des anciens locaux de la boucanerie, continue ses opérations pour notre plus grand bonheur. Au programme, l'incontournable poisson et frites de la boucanerie, le saumon et les fruits de mer fumés, sans oublier le homard et les huîtres qui figurent à la carte en saison. Le menu met aussi en avant les produits régionaux québécois et décline ses plats avec un zeste d'inspiration internationale.

LES FOUGÈRES

783, route 105, Chelsea
819-827-8942
www.fougeres.com

Boutique : dimanche-mercredi, 10h-20h ; jeudi-samedi, 10h-22h. Restaurant : lundi-vendredi, 11h-21h30 ; samedi-dimanche, 10h-21h30. Plats principaux le midi : 30 $ et moins, le soir : à partir de 30 $. Table d'hôte du mois : à partir de 49 $ (supplément pour l'accord mets-vins). Menu dégustation : 69 $-92 $ (110 $-155 $ avec le vin). Menus végétarien disponible.

Une excellente table régionale avec un menu qui change au fil des saisons. Le menu dégustation, offert avec ou sans l'accord des vins (la carte des vins est très intéressante), promet de savoureuses découvertes. Le décor est élégant, et la terrasse donne sur un magnifique jardin. Une belle halte gastronomique à saveur locale. Pour ceux qui ne font que passer, ou qui aimerait rapporter un peu de ces produits de qualité, une boutique vend sur place certaines des spécialités du menu ainsi qu'une très large sélection de plats cuisinés.

L'ORÉE DU BOIS

15, chemin Kingsmere, Chelsea
819-827-0332
www.oreeduboisrestaurant.com

Mardi-samedi, 17h30-22h. Ouvert le dimanche de 11h (brunch) à 22h, de mai à fin octobre. Menu à la carte, végétarien et table d'hôte. Superbe cave à vin. Événements spéciaux tout au long de l'année (menu cabane à sucre, animation gastronomique, etc.). Certifié Terroir & Saveurs du Québec.

Une belle expérience gastronomique vous attend à L'Orée du Bois. Établi depuis 1978 dans le cadre champêtre du village de Chelsea, ce restaurant mise sur une grande collaboration avec les producteurs locaux afin d'offrir une cuisine française et régionale de proximité et de grande qualité. Le chef, Jean-Claude Chartrand, et son équipe vous concoctent des plats dignes des attentes des plus grands épicuriens. Sachez qu'ils cultivent leurs fines herbes, fument au bois d'érable leurs poissons, viandes et volailles, aromatisent leurs huiles, et conçoivent sur place les charcuteries, les fonds, les chocolats, les pâtisseries et les vinaigres employés dans leurs recettes. Un endroit où tous les plaisirs gourmands sont permis.

LE TARTUFFE

133, rue Notre-Dame-de-l'Île, Gatineau (secteur Hull)
819-776-6424
www.letartuffe.com

Lundi-vendredi, 11h30-14h ; lundi-samedi, 17h30-22h ; dimanche, fermé. Table d'hôte le midi : moins de 25 $, le soir : à partir de 35 $. Menu à la carte aussi offert. Terrasse.

Les plus romantiques ne peuvent que se laisser charmer par cette vieille maison centenaire ou par sa terrasse, légèrement ombragée, vénérée lors des grosses chaleurs et ornée d'un jardin gardé à l'état sauvage. Le chef propriétaire, Gérard Fischer, s'inspire ici de la fine cuisine française en utilisant des produits locaux québécois. Les plats sont émoustillants du début à la fin : ris de veau en cocote, fenouil, poireaux, cheddar de l'Isle-aux-Grues et sauce au pastis ; foie gras poêlé, pain perdu, compte de sureaux avec fleur d'Hibiscus et proscuitto ; carré d'agneau de l'Outaouais, risotto au cari et oignons verts, sauce demi-glace à la menthe fraîche et lait de coco ; pavé de saumon bio cuit sur planche de cèdre, gratin d'endives au fromage de chèvre Peter, sauce à la bière Éphémère aux pommes… Et que dire des desserts fétiches : sublimes, tout comme l'adresse !

AUBERGISTE, À BOIRE !

BISTRO L'AUTRE ŒIL

55, rue Principale, Gatineau (secteur Aylmer)
819-682-1221
www.lautreoeil.com

Dimanche-mercredi, 15h-minuit ; jeudi-samedi, 15h-1h. Menu d'amuse-gueules et légers repas. Terrasse.

Une adresse fort connue des amateurs de houblon et le cas échéant, à découvrir absolument. On y dénombre plus de 570 sortes de bières, allant des microbrasseries québécoises aux raretés belges, en passant par des exclusivités et d'autres divins nectars. Cela représente plus d'une trentaine de pays ! Si vous êtes avides d'en connaître davantage sur le monde de la bière, sachez que plusieurs événements sont organisés fréquemment afin de vous initier à sa fabrication, sa dégustation et son évaluation. Une halte incontournable !

CHELSEA PUB

238, chemin Old Chelsea, Chelsea
819-827-5300
www.chelseapub.ca

Ouvert tous les jours dès 11h30 (dès 11h le week-end). Programmation culturelle et musicale. Terrasse.

Occupant l'une des plus anciennes maisons du village, le Chelsea Pub est l'endroit tout indiqué pour un verre ou un bon repas après une journée de découvertes dans la région. Une carte variée et une ambiance toujours agréable, c'est la clé du succès ! Côté houblon, les bières artisanales de la brasserie sœur Gainsbourg y sont servies. Il faut dire que les lieux appartiennent à Manuela Teixeira et Nicolas Cazelais, le couple à l'origine du Festibière de Gatineau, également copropriétaires du Gainsbourg Bistro-brasserie. Pour ceux qui aimeraient parfaire leurs connaissances ou découvrir de nouveaux accords, sachez que le biérologue Mario D'Eer y organise des dégustations plus que savoureuses (sur réservation). Vous avez la dent sucrée ? Nous vous conseillons un petit arrêt chez « la petite sœur » du pub : Biscotti & Cie, un café boutique gourmand.

MARCHANDS DE BONHEUR

LE BRASSE-CAMARADE

53, rue Principale, Saint-André-Avellin
819-983-1922
www.lebrassecamarade.com

En été : ouvert tous les jours de 10h à 18h (jusqu'à 21h jeudi et vendredi). Le reste de l'année : lundi, fermé ; mardi-mercredi & samedi-dimanche, 12h-18h ; jeudi-vendredi, 12h-21h. Paniers-cadeaux, certificats cadeaux, et items en lien avec la bière (verres, livres, etc.) en vente sur place.

Situé à une vingtaine de km au nord-ouest de Montebello, le charmant village de Saint-André-Avellin compte désormais dans ses rangs une boutique spécialisée en bières de microbrasseries. Et on ne peut qu'en remercier Frédéric Joly et Véronique Filion, les deux instigateurs du projet et heureux propriétaires des lieux. Véritables passionnés, ils ont su bâtir un inventaire des plus enviables, avec un arrivage constant de nouveautés houblonnées (pour vous tenir au parfum, suivez leur page Facebook). Pour faire chic et durable, nous vous conseillons de vous procurer leur jolie boîte du dégustateur, une caisse de bois à leur effigie pouvant contenir huit bières à choisir en boutique. Pour compléter le tout, une section épicerie fine propose des saucisses, des terrines et rillettes, des fromages, des marinades, du chocolat, du café et autres délices, dont plusieurs proviennent de la région de l'Outaouais. Une visite s'impose !

© NRL

BROUE HA HA

867, boulevard Saint-René Ouest, Gatineau
819-503-3906
www.brouehaha.com

Lundi-mercredi, 10h-18h ; jeudi-vendredi, 10h-21h ; samedi, 9h30-18h ; dimanche, 11h-17h. Paniers-cadeaux, cartes-cadeaux, et items en lien avec la bière (verres, livres, etc.) en vente sur place. Dégustations gratuites tous les samedis de 13h à 17h. Dégustations à domicile ou pour les groupes sur réservation.

Boutique spécialisée en bières, le BROUE HA HA vous offre plus de 300 produits de microbrasseries québécoises ainsi que quelques importations. Il est quasi impossible de ne pas trouver ce que vous cherchez ! Pour être au parfum des nouveaux arrivages, le site Internet y consacre une section mais vous pouvez également vous inscrire gratuitement à leur infolettre. Pour des épousailles bien réussies, la boutique tient de nombreux produits gourmands : saucisses, terrines, rillettes, pâtés, tourtières, choucroutes, croustilles, bretzels, noix et autres grignotines, moutardes, et encore plus. Un endroit dont vous ne repartirez pas les mains vides.

DÉPANNEUR RAPIDO

43, rue Front, Gatineau (secteur Aylmer)
819-684-7345
www.depanneurrapido.com

Ouvert tous les jours de 8h à 23h.

Sandra Lopes et son conjoint, Marc-André Arvisais, sont des passionnés de bières. Rares sont les événements bièrophiles auxquels ils n'assistent pas et cela se reflète dans le choix de microbrasseries québécoises disponibles sur place (plus de 400 produits !). Question de pouvoir faire un choix éclairé, des dégustations de bières sont organisées les vendredis et samedis à même le magasin. Vous avez un ami bièrophile à qui vous désirez faire plaisir ? Les paquets-cadeaux feront à coup sûr le bonheur de tous et sur demande, ils seront confectionnés sur mesure.

FINE ET FÛTÉS

746, avenue de Buckingham, Gatineau (secteur Buckingham)
819-617-6178
www.fineetfutes.ca

Lundi-mercredi & samedi, 9h-18h ; jeudi-vendredi, 9h-21h ; dimanche, 9h-17h. Paniers-cadeaux sur mesure. Comptoir à sandwichs sur place.

Ouverte depuis l'automne 2013, cette boutique gourmande est un havre de découvertes gustatives. Les étalages et comptoirs débordent de savoureux produits, qu'ils soient du Québec ou d'importation : fromages fins, pâtés et rillettes, tapenades, pâtes fraîches et sauces, épices, huiles et vinaigres, café, chocolats, accessoires de cuisine, et nous en passons. La boutique est également dépositaire des saucisses William J. Walter et la sélection s'étend à plus de soixante succulentes variétés. Pour accompagner le tout, un vaste espace est dédié aux bières de microbrasseries québécoises. Et avec un tel nom et un logo arborant un renard, l'équipe du Petit Futé ne peut être que sous le charme !

LA TRAPPE À FROMAGE

114, boulevard Saint-Raymond, Gatineau (secteur Hull), 819-243-6411
200, rue Bellehumeur, Gatineau, 819-243-6411
574, boulevard Maloney Est, Gatineau, 819-643-9000
121A, rue Georges, Gatineau (secteur Masson-Angers), 819-986-5299
La Source des Saveurs (licencié de la Trappe à fromage) : 393, montée de la Source, Cantley, 819-607-1700
www.trappeafromage.com

Horaire variable selon la succursale. Service de traiteur, paniers-cadeaux, plateaux de fromages/charcuteries/mixtes, location d'accessoires.

On trouve toute sorte de produits dans cette boutique, mais surtout du fromage et encore du fromage, dont environ la moitié provenant du Québec. La sélection maison comprend entre autres du fromage en grains ou en bloc frais du jour, du monterey jack, du cheddar vieilli dans une liqueur d'érable, du fromage à raclette, etc. Et comme il s'accorde si bien avec la bière, les microbrasseries québécoises sont également en vedette côté boutique. De quoi faire le plein pour des dégustations bières et fromages ! Un coin épicerie fine comprend des huiles AOC, des moutardes, des tapenades, des confits d'oignons, des confitures et gelées, des chocolats, etc. Et n'hésitez pas à faire un tour aux rayons charcuterie et boulangerie, où trônent plusieurs produits faits sur place.

ACTIVITÉ GOURMANDE

CHOCOMOTIVE

502, rue Notre-Dame, Montebello
819-423-5737
www.chocomotive.ca

Ouvert tous les jours à l'année. Sélection de produits du terroir et petit bistro sur place. Visites guidées tarifées pour groupes, sur réservation (10 personnes minimum).

Les « dents sucrées » ne manqueront pas de faire un arrêt à Chocomotive, une chocolaterie artisanale bio et équitable dont la centaine de produits vous fera tourner la tête. Une gamme inclut d'ailleurs des produits du terroir, voire même autochtones, dans sa confection. De quoi vous donner envie de dépenser quelques dollars. L'entreprise est localisée dans les locaux de l'ancienne gare afin d'offrir un lieu d'interprétation du métier de chocolatier (membre du réseau ÉCONOMUSÉE). Pour les plus curieux, des ateliers privés de fabrication de chocolats fins sont offerts. Renseignez-vous directement auprès de Chocomotive pour connaître les dates et les tarifs.

SAGUENAY-LAC-SAINT-JEAN

La région du Saguenay-Lac-Saint-Jean est divisée en trois sections : le lac Saint-Jean à l'ouest, une véritable mer intérieure, le Haut-Saguenay et sa vallée au centre, et le Fjord du Saguenay au sud-est, le seul navigable en Amérique du Nord. On dit de la région du Saguenay-Lac-Saint-Jean que c'est un pays en soi, isolé derrière une chaîne de montagnes et de denses forêts, en plein centre de la carte du Québec.

Le fjord est d'une beauté à couper le souffle, par son silence, ses forêts, ses montagnes, ses caps vertigineux et cette mer qui va lentement rejoindre le fleuve. Il recèle de joyaux culturels et historiques. Afin de mettre en valeur ces richesses et de les conserver, deux parcs permettent au grand public de découvrir ce milieu naturel unique : le parc marin Saguenay-Saint-Laurent et le parc national Fjord-du-Saguenay. Non loin, à Saint-Fulgence, se trouve le parc national des Monts-Valin. Ajoutons que la rivière Saguenay, qui s'étire sur 155 km, et son fjord, un des plus longs du monde, navigable jusqu'à Chicoutimi, sont l'exutoire naturel du lac Saint-Jean, un lac d'obturation glaciaire.

Le Lac-Saint-Jean est, par excellence, le pays du bleuet (baie bleue des bois, emblème de la région). On qualifie ses habitants de « Bleuets grandeur nature ». Véritable mer intérieure, le lac offre plus de 200 km de rives et des grands espaces à faire rêver l'amant de la nature qui sommeille en vous. Lieux paisibles de villégiature, nations autochtones, activités de plein air innombrables, attraits majeurs, sites historiques, tout y est pour un séjour inoubliable au pays des bleuets.

Cette grande région est également réputée pour ses produits agroalimentaires et ses découvertes gourmandes. Pour obtenir de plus amples informations sur ce secteur, visitez le site de la Table Agroalimentaire du Saguenay-Lac-Saint-Jean au www.tableagro.com.

TOURISME SAGUENAY-LAC-SAINT-JEAN

418-543-9778 / 1 877-253-8387
www.saguenaylacsaintjean.ca

TOURISME ALMA LAC-SAINT-JEAN

418-668-3611 / 1 877-668-3611
www.tourismealma.com

ÉVÉNEMENTS

FESTIVAL DES VINS DE SAGUENAY

Rue Racine, Saguenay (secteur Chicoutimi)
1 800-463-6565
www.festivinsaguenay.ca

En juillet.

FESTIVAL DES BIÈRES DU MONDE

Zone portuaire, Saguenay (secteur Chicoutimi)
www.bieresdumonde.ca

*En juillet. *Édition d'hiver pour la fête de la Saint-Patrick en mars.*

FESTIVAL DU BLEUET

Avenue de l'Église, Dolbeau-Mistassini
418-276-1241
www.festivaldubleuet.com

Fin juillet - début août.

FÊTE DES SAVEURS ET TROUVAILLES

Place Nikitoutagan du parc de la Rivière-aux-Sables, Saguenay (secteur Jonquière)
418-542-8020
www.saveursettrouvailles.com

En août.

CIRCUITS AGROTOURISTIQUES ET DE DÉCOUVERTE

La région du Saguenay-Lac-Saint-Jean peut compter sur une belle diversité d'adresses et d'expériences gourmandes, riches en saveurs régionales. Pour obtenir des idées d'excursions, combinées à des activités culturelles ou nature, rendez-vous sur le site web de l'office du tourisme.

www.saguenaylacsaintjean.ca/fr/circuits (onglet « été » - « saveurs régionales »)

PRODUCTEURS

Chez le brasseur

MICROBRASSERIE DU LAC SAINT-JEAN

120, rue de la Plage, Saint-Gédéon
418-345-8758
www.microdulac.com

Juin à début septembre : dimanche-mercredi, 11h30-minuit ; jeudi-samedi, 11h30-2h. Le reste de l'année : lundi-mardi, fermé ; mercredi, 11h30-23h ; jeudi-samedi, 11h30-2h ; dimanche, 11h30-18h. Terrasse. Bières pour emporter et items à l'effigie de la microbrasserie en vente sur place. Boutique en ligne. Programmation culturelle et musicale, ateliers. Visite des installations brassicoles le dimanche en juillet et août (6 $ par personne). Forfaits sur mesure pour les groupes, location de salle pour événement.

Aux abords de la Véloroute des bleuets qui ceinture le magnifique lac Saint-Jean, un arrêt s'impose pour les bièrophiles de ce monde. Fruit d'un projet bien mûri pendant plusieurs années, la Microbrasserie du Lac Saint-Jean a vu le jour en 2007 afin d'abreuver les passants de délices houblonnés. Au programme : des bières artisanales goûteuses et bien équilibrées issues du savoir-faire du vieux continent. Plusieurs bières régulières ainsi que des cuvées spéciales sont disponibles chez les détaillants spécialisés de la province. Mais sur place, vous aurez également droit à quelques surprises saisonnières, dont la Ti-Rol, une Double IPA fermentée à l'ancienne, la Rang Dix, un Imperial Stout, ou encore La Gros Mollet Lumber Jack, version vieillie en fût de bourbon de leur double d'abbaye. En effet, la microbrasserie possède un bistro jouxtant ses installations. Vous trouverez au menu les bières régulières, quelques saisonnières de passage, des cocktails à la bière, des grignotines et de bons petits plats, comme la Charcuteries Etcetera (rillette d'oie et de figue, terrine de sanglier à la Boutefeu de La Tablée, saucisson aux champignons sauvages, confit d'oignons à la Tante Tricotante, Chute à Michel et 14 arpents, et accompagnements). Notez que le menu change selon les saisons et les récoltes.

MICROBRASSERIE LA CHOUAPE

1164, boulevard Sacré-Cœur, Saint-Félicien
418-613-0622
www.lachouape.com

Mi-juin à début septembre : lundi-dimanche, 15h-minuit. Le reste de l'année : mercredi-samedi, 15h-minuit ; dimanche-mardi, fermé. Items à l'effigie de la microbrasserie en vente sur place. Programmation culturelle et musicale. Wifi gratuit, terrasse.

La famille Hébert cultive sa terre depuis plus d'un siècle et vers le milieu des années 1990, elle devint l'une des premières fermes de grandes cultures biologiques de la région certifiée Ecocert Canada. Depuis 2007, la ferme familiale cultive les céréales pour la fabrication de bières naturelles et locales. Pour l'anecdote, La Chouape est en fait un diminutif sympa du nom de la rivière qui passe juste derrière la brasserie, l'Ashuapmushuan (« l'Ashuap »). On y brasse une vingtaine de bières de haute fermentation, refermentées en bouteille et issues entièrement d'ingrédients naturels. Si vous êtes de la région ou y êtes de passage, le salon de dégustation de la microbrasserie est un arrêt incontournable pour les découvrir. Le cas échéant, ne vous inquiétez pas car plusieurs bières La Chouape, offertes en format de 500 ml, sont distribuées à travers la province. Sur place, vous aurez la possibilité de déguster les bières maison grâce au salon de dégustation aménagé sur la rue Sacré-Cœur, au cœur du village de Saint-Félicien. Un menu de grignotines est aussi proposé pour combler les petites faims et accompagner votre pinte. Finalement, différents événements y sont organisés au fil des mois : concert intimes, expositions, soupers thématiques, etc.

LA VOIE MALTÉE – GASTRO PUB

2509, rue Saint-Dominique, Saguenay (secteur Jonquière), 418-542-4373
777, boulevard Talbot, Saguenay (secteur Chicoutimi), 418-549-4141
1040, boulevard Pierre-Bertrand Sud, Québec, 418 683 5558
www.lavoiemaltee.com

Lundi-vendredi, 11h30-3h (dès 11h à Québec) ; samedi-dimanche, 12h-3h. Visite des installations brassicoles et dégustation sur réservation. Items à l'effigie de la microbrasserie en vente sur place. Programmation culturelle et musicale, et terrasse aux trois adresses.

Haaaaa, ces Gaulois ! Contre vents et marées, la Voie Maltée a rapidement conquis le cœur des Jonquièrois au pays de la grosse bière en 2002. Daniel Giguère, fondateur de La Voie Maltée et forcément un passionné de la bière, a su contaminer son frère Pierre et deux de ses amis, soit Alexandre et Michel, à participer à l'ouverture de la première brasserie au Saguenay-Lac-Saint-Jean. Étonnamment forte de son succès, ces braves « Gaulois » ouvrirent une deuxième Voie Maltée en 2008 près de l'Université de Chicoutimi, puis une troisième à Québec en 2013.

Une vingtaine de succulentes bières sont brassées sur place, incluant des produits réguliers, des saisonnières en rotation, des cuvées Signature, ainsi que des cuvées du brasseur avec, notamment, des bières maturées en barriques. De plus, pour satisfaire les exigences de sa clientèle, Éric Blackburn, sorti tout droit des Grandes Tables du Québec, a joint la VM pour offrir « l'Expérience bouffe et bière » en Amérique.

Ayant encore soif de démontrer leur savoir-faire, l'entreprise ouvrira une microbrasserie industrielle à l'automne 2014 et le pub du boulevard Talbot y déménagera au courant de l'année 2015 (224, rue des Laurentides). En plus du pub et de la production de bières en canette, on y retrouvera également une boutique-épicerie. Une belle aventure très énergisante pour eux et bien sûr, très hydratante pour leurs clients, actuels et futurs.

ET AUSSI :

HOPERA

2377, rue Saint-Dominique, Saguenay (secteur Jonquière)
www.hopera.ca

MICROBRASSERIE LE COUREUR DES BOIS

1551, boulevard Wallberg, Dolbeau-Mistassini
418-979-1197
www.lecoureurdesbois.com

LA TOUR À BIÈRES

517, rue Racine Est, Saguenay (secteur Chicoutimi)
418-545-7272
www.latourabieres.com

Confitures, coulis, miels, etc.

DÉLICES DU LAC-SAINT-JEAN

Dolbeau-Mistassini
418-276-4978
www.delicesdulac.com

Consultez le site Internet pour connaître la liste des points de vente.

Quand on fait référence au terroir du Saguenay-Lac-Saint-Jean, on pense automatiquement à ces fameuses petites perles bleues qui poussent abondamment dans la région : les bleuets. Effectivement, ce fruit occupe une place importante dans la production locale et il serait dommage de ne pas en profiter. Fondée en 2000, l'entreprise Les Délices du Lac-Saint-Jean a ouvert ses portes grâce à l'amour de ses producteurs pour la région, et aussi parce qu'il n'existait pas véritablement de produits faits avec les bleuets du lac à cette époque. Afin de préserver toutes les propriétés du bleuet, la transformation de ces délicieuses baies nécessite beaucoup de délicatesse, mais c'est ce travail minutieux qui leur donne toute leur qualité. En plus de leur réputé chutney de bleuets, l'entreprise conçoit des confitures, tartinades, gelées et toute une gamme de produits biologiques de bleuets. La pâte de bleuets est un must. Faite entièrement à partir de la pulpe de bleuet, elle se distingue des autres pâtes de fruits que l'on retrouve sur le marché.

LA MAISON DU BLEUET

1006, boulevard Sacré-Cœur, Saint-Félicien
418-630-4333
www.lamaisondubleuet.com

Samedi-mercredi, 9h-17h30 ; jeudi-vendredi, 9h-21h. Horaire prolongé de mi-juillet à début août. Dégustation gratuite. Boutique en ligne. Autres adresses : 3026, route 169, Chambord, 418-275-7000 ; Carrefour Jeannois, 1221, boulevard Marcotte, Roberval, 418-275-9101.

Dans cette entreprise, établie à la base comme fleuriste, on travaille le bleuet sauvage biologique et on transforme le chocolat de façon artisanale. Après avoir profité des attraits touristiques de la région, comme la véloroute, le zoo ou le parcours d'arbre en arbre de Saint-Félicien, vous pourrez vous régaler en achetant leurs succulents produits à la boutique : bleuets séchés enrobés de chocolat, caramels de bleuets, confits d'oignons, confitures, gelées, sirops, tartinades, thés... On y trouve également des articles de cuisine, des objets de décoration, des souvenirs et cadeaux, etc. Un incontournable au pays des bleuets !

Fromages

FROMAGERIE MÉDARD

10, chemin de Quen, Saint-Gédéon
418-345-2407

Juin à septembre : tous les jours de 9h à 20h. Le reste de l'année : lundi-mardi, fermé ; mercredi-dimanche, 9h-18h. Comptoir de vente, boulangerie et bistro sur place.

La fromagerie Médard est une histoire de famille qui remonte aussi loin qu'en 1881 alors que la veuve Émilie Claveau de Charlevoix vint s'installer sur cette terre à Saint-Gédéon. Son fils, Médard Côté, défricha les terres, construisit les bâtiments et commença à cultiver la terre. Les générations se sont succédé à la ferme jusqu'à celle de Normand Côté, actuel propriétaire avec sa conjointe Madeleine. La fromagerie a, quant à elle, fait son apparition en 2006 et deux de leurs enfants, Rose-Alice et Justine, sont impliqués dans l'entreprise. Côté production, on retrouve entre autres du cheddar vieilli, du fromage en grains frais du jour, du fromage à tartiner (nature ou à la ciboulette), et le réputé 14 Arpents, un fromage fermier à pâte molle que l'on reconnaît par sa forme carrée et sa croûte lavée orangée. Goûteux, sa pâte crémeuse dégage une douce saveur de noisettes. Pour ceux désirant un goût plus doux, le Rang des Îles s'avère un excellent choix avec sa pâte molle d'une belle tendreté. Une entreprise familiale à découvrir absolument lors de votre prochain passage dans la région du lac Saint-Jean.

Viandes et charcuteries

BERGERIE LA VIELLE FERME

163, chemin de la Pointe-aux-Pins, Saint-Fulgence
418-674-1237
www.agneaudufjord.com

Restaurant, boutique du terroir et accès au parcours découverte : l'été, tous les jours de 12h à 20h (fin juin à début septembre) ; l'automne, en semaine de 18h à 20h et le week-end de 12h à 20h (mi-septembre à mi-octobre). Visite guidée tarifée offert sur réservation (différents forfaits offerts). Autocueillette en saison, dégustation, vente de produits sur place et via le bon de commande en ligne.

Entre battures et montagnes, surplombant le magnifique fjord du Saguenay, se trouve cette jeune entreprise à la conscience « verte », bien engagée dans une agriculture saine et de proximité. Carmen et Napesh, vos hôtes, orientent leurs opérations vers le développement durable et prônent le rétablissement et le renforcement du lien unissant le consommateur au producteur. L'élevage de moutons débuta en 2002 avec comme objectif d'offrir un produit de qualité, éthique, santé, sans hormones, ni antibiotiques, dans le respect du cycle naturel des animaux et de l'environnement. Au fil des ans, d'autres projets se sont ajoutés : un jardin biologique de légumes et fines herbes, un verger (pommes, poires, prunes), le p'tit marché (vente des produits de l'agneau, plats maison et produits du terroir de la région), le resto-ferme (table fermière responsable), et le parcours découverte (sentier d'interprétation du monde agricole). Une expérience agrotouristique géniale, dans une atmosphère de respect et de tradition.

AUBERGE DES 21

621, rue Mars, Saguenay (secteur La Baie)
418-697-2121 / 1-800-363-7298
www.aubergedes21.com

Ouvert tous les jours à l'année. Menu à la carte, de saison, table d'hôte, et petit et grand menus de dégustation offerts. Terrasse. Certifié Terroir & Saveurs du Québec. Hébergement, forfaits, spa nordique urbain et centre de santé sur place.

Située sur les rives du fjord du Saguenay, l'Auberge des 21 jouit d'une excellente réputation. Son relais gourmand, la salle à manger Le Doyen, est sous la gouverne du créatif chef-propriétaire Marcel Bouchard. Misant sur les produits régionaux, avec une belle dose d'aliments sauvages méconnus, il crée une cuisine actualisée qui s'inspire des traditions locales et des mets autochtones. Afin de vivre l'expérience pleinement, nous vous suggérons d'ailleurs d'opter pour l'un des menus de dégustation. À cela s'ajoute une sélection de grands vins du monde, comportant plus de 500 références issues de leur superbe cave à vin. Une très belle adresse !

AUBERGE PRESBYTÈRE MONT LAC-VERT

335, rang Lac-Vert, Hébertville
418-344-1548 / 1 800-818-1548
www.aubergepresbytere.com

Ouvert tous les jours à l'année (les contacter avant de vous y présenter). Table d'hôte : à partir de 26 $ (24 $ en saison hivernale). Réservation recommandée. Certifié Terroir & Saveurs du Québec. Hébergement et forfaits disponibles sur place.

Située à l'entrée du lac Saint-Jean, cette belle maison presque centenaire fut jadis le presbytère de la municipalité de l'Ascension de Notre-Seigneur, avant de devenir une maison de campagne. Reconvertie en auberge depuis près de trente ans, son charme et son cachet d'autrefois ont été conservés avec soin afin de vous faire vivre un retour dans le temps. Sa table, fort réputée, vous fera vivre une expérience gastronomique hors du commun, où les produits du terroir sont mis en valeur pour le bonheur de vos papilles. À la simple lecture du menu, le nom poétique des plats nous invite déjà au plaisir gourmand. Pour clore ce bon repas, optez pour la Tentation du Pasteur, une assiette de délicieux fromages régionaux.

À L'ORÉE DES CHAMPS

795, Rang 7 Est, Saint-Nazaire
418-669-3038
www.aloreedeschamps.com

Horaire variable selon la saison (les contacter avant de vous y présenter). Table d'hôte pour individuels et groupes, brunch du dimanche, fêtes champêtres, méchouis, etc. Réservations obligatoires. Renseignez-vous sur les nombreuses activités et services offerts sur le site. Vente de produits de l'agneau sur place, dont une nouvelle collection de charcuteries gastronomiques. Certifié Terroir & Saveurs du Québec.

A l'Orée des Champs est le rejeton d'une entreprise agricole et forestière établie à Saint-Nazaire depuis 1925, toujours propriété de la même famille. Unique table champêtre au Saguenay-Lac-Saint-Jean, À l'Orée des champs c'est d'abord le plaisir de la table. Pour agrémenter les week-ends, un excellent menu brunch est proposé le dimanche. Venez déguster un copieux déjeuner dans le décor magique des matins à la campagne ainsi qu'une table d'hôte délicieuse et raffinée provenant des produits de la ferme, entre autres l'agneau, la grande spécialité, apprêté de différentes façons. À accompagner d'un verre de leur alcool de spécialité, la crème de camerises (possibilité de visiter la salle de transformation d'alcool).

AUBERGISTE, À BOIRE !

LA BALTHAZAR BIÈRES QUÉBÉCOISES

2501, rue Saint-Dominique, Saguenay (secteur Jonquière)
418-412-6661
www.lebalthazar.ca

Dimanche-lundi, 15h-3h ; mardi-samedi, 11h-3h. Menu à la carte disponible, dont une belle sélection de tapas. Programmation culturelle et musicale. Terrasse. Autres bars Le Balthazar : 67, Place Bourget Sud à Joliette ; 195, Promenade du Centropolis à Laval. Épicerie Le Balthazar Saveurs Québécoises : 60, Place Bourget Nord à Joliette.

Se référer à la section « Lanaudière » pour plus d'information.

MARCHANDS DE BONHEUR

CHARCUTERIE LES MENUS PLAISIRS

326, rue de l'Hôtel-de-Ville, Saguenay (secteur Chicoutimi)
428-549-5648
www.charcuterielesmenusplaisirs.com

Lundi-vendredi, 9h30-17h ; samedi, 10h30-17h ; dimanche, fermé. Terrasse. Mets préparés à emporter ou manger sur place. Préparation de service traiteur et de pizza 15" sur demande.

Auparavant connu sous le nom « Charcuterie Staner », la charcuterie Les Menus Plaisirs porte son nom à merveille. Une adresse gourmande qui propose une superbe sélection maison, il va de soi, ainsi que des produits régionaux et d'importation : produits fumés maison, saucisses et saucissons secs, boudins, pâtés et terrines, mets préparés et pizzas, fromages québécois, comptoir boulangerie, épices, huiles, produits d'épicerie fine, confitures et tartinades... Impossible de repartir les mains vides ! Les deux propriétaires, Serge Paquette et Manon Vaillancourt, ont décidemment un fin palais, et nous, beaucoup de chance.

CORNEAU CANTIN

2000, boulevard Talbot, Saguenay (secteur Chicoutimi)
3650, rue du Roi-Georges, Saguenay (secteur Jonquière)
418-698-9556
www.corneaucantin.com

Lundi-dimanche, 8h-21h. Dégustations gratuites, conseils de cuisine, sensibilisation à la qualité et à l'environnement, accompagnement des clients dans leur choix. Service de traiteur.

Depuis 1968, Doris Corneau et Jean-Marie Cantin se passionnent pour leur travail. Ce marché d'alimentation tient des produits de qualité caractérisés par une dynamique de développement durable avec un respect des traditions. La qualité de la viande est irréprochable et on y trouve des « personnalités » telles que le poulet de la ferme des Voltigeurs, le veau de Charlevoix, le porc naturel du Breton, l'agneau du Lac Saint-Jean et le bœuf d'élevage artisanal. On note aussi une très large gamme de gibiers, des mets cuisinés et beaucoup de produits typiques d'un marché d'alimentation (boulangerie, pâtisserie, poissonnerie, fruits et légumes). Corneau Cantin se différencie vraiment par la valeur biologique et l'alimentation fine, authentique et artisanale du Québec.

MARCHÉ CENTRE-VILLE

31, rue Jacques-Cartier Ouest, Saguenay (secteur Chicoutimi)
418-543-3387
www.marchecentreville.com

Lundi-vendredi, 7h-23h ; samedi-dimanche, 8h-23h. Verres à bière de collection en vente sur place. Autres adresses à Chicoutimi : Marché St-Jean-Baptiste, 3043 boulevard Saint-Jean-Baptiste, 418-549-2367 ; Provigo Caroline Bouchard, 2120 rue Roussel, 418-543-9113.

Terrines, pâtés, charcuteries maison, saucisses, fromages, olives, pains et autres produits gourmands trônent sur les étalages, mais sûrement pas autant que la bière. Des dizaines de brasseries et microbrasseries, tant du Québec que d'Europe, distribuent leurs produits au Marché Centre-Ville avec une sélection exemplaire de bières artisanales québécoises. Si vous hésitez dans vos choix, les employés sont de fins connaisseurs et sauront bien vous conseiller. Parmi ses nombreux services, le marché peut organiser des dégustations de bières clé en main où ces dernières seront mariées à des produits régionaux pour une expérience gustative des plus réussies.

PÂTISSERIE CHEZ GRAND-MAMAN

1883, boulevard du Jardin, Saint-Félicien
418-679-5551
www.patisserie-grand-maman.ca

En été : lundi-dimanche, 9h-20h. Le reste de l'année : fermeture à 17h. Terrasse. Possibilité de manger sur place : menu unique (soupe aux gourganes, tourtière du lac Saint-Jean et tarte aux bleuets). Menus buffet pour 15 personnes (possibilité d'ajouter des extras pour 10 personnes).

Située au cœur de la région du lac Saint-Jean, à proximité du jardin zoologique, cette pâtisserie confectionne une panoplie de mets typiques : tourtière, pâté à la viande, au saumon ou au poulet, ragoût de boulettes et poulet, fèves au lard… D'incroyables spécialités du pays, gouteuses et gourmandes ! De plus, des cretons (porc ou veau), des soupes (pois, légumes ou gourganes), des ketchups aux fruits, des confitures, des tartes (bleuets, framboises, pommes, etc.) et autres délices sont préparés à la boutique. Un endroit typiquement québécois reflétant la cuisine jeannoise.

ACTIVITÉS GOURMANDES

BOULANGERIE PERRON, ÉCONOMUSÉE DU PAIN

637, boulevard Saint-Joseph, Roberval
418-275-1234
www.economusees.com/perron_roberval_fr.cfm

Boutique ouverte : dimanche-lundi, fermé ; mardi-mercredi, 8h-17h30 ; jeudi-vendredi, 8h-20h ; samedi, 9h-12h. Visite libre de juillet à début septembre, du mardi au vendredi de 14h à 16h. Entrée libre. Visite guidée pour les groupes sur réservation (5 $ par personne, gratuit pour les moins de 13 ans).

L'odeur de pain chaud, personne n'y résiste ! À la boulangerie Perron, l'une des plus vieilles de la ville, vous pourrez voir l'artisan à l'œuvre, du choix des matières premières jusqu'au produit final. N'oubliez pas de faire un tour à la boutique avant de partir.

VIEILLE FROMAGERIE PERRON (MUSÉE DU FROMAGE CHEDDAR)

148, avenue Albert-Perron, Saint-Prime
418-251-4922 / 1 888-251-4922
www.museecheddar.org

Ouvert tous les jours de début juin à fin septembre de 10h à 17h (9h à 18h de fin juin à mi-août). Le reste de l'année : sur réservation de groupes. Visite et dégustation adulte : 13 $, étudiant et aîné : 12 $, 6-12 ans : 8 $, moins de 5 ans : gratuit, famille : 35 $. Autre tarifs pour les ateliers de fabrication et de dégustation. Boutique (fromages, artisanat local, articles promotionnels, livres. . .) et aire de pique-nique sur place.

Témoin du passé, le Musée du fromage cheddar, c'est la vieille fromagerie Perron transformée en lieu d'interprétation du fromage. Au programme : visite guidée, exposition-démonstration, familiarisation de la fabrication artisanale et industrielle du fromage cheddar, et dégustation des produits. Des ateliers d'initiation à la fabrication de fromage, de dégustation de fromages de la région, ou encore des conférences à saveur fromagère sont également offerts. À découvrir : leur tout nouveau restaurant boutique au cœur du village de Saint-Prime. Goûtez absolument à leur poutine au fromage Perron, un vrai régal !

INDEX

D

E

F

G

H

I

J

K

L

M

N

O

P

Q

R

S

T

U

V

W

Notes